BONN

Ein Städte-Lesebuch

Herausgegeben von Doris Maurer
und Arnold E. Maurer
Mit zahlreichen Abbildungen
Insel Verlag

insel taschenbuch 1224
Erste Auflage 1990
Originalausgabe
© Insel Verlag Frankfurt am Main 1990
Alle Rechte vorbehalten
Text- und Bildnachweise am Schluß des Bandes
Vertrieb durch den Suhrkamp Taschenbuch Verlag
Umschlag nach Entwürfen von Willy Fleckhaus
unter Verwendung eines Fotos vom Alten Rathaus in Bonn
Satz: Fotosatz Otto Gutfreund, Darmstadt
Druck: Nomos Verlagsgesellschaft, Baden-Baden
Printed in Germany

1 2 3 4 5 — 95 94 93 92 91 90

Inhalt

Annäherung an Bonn

Geschichte

Ortsbeschreibung

Alltagsleben

Universität

Bundeshauptstadt

Bonn heute

Anhang

Annäherung an Bonn

»Immer schöner ward der Anblick der Stadt«

Auf einmal weichen die Bergketten schnell zurück und entfernen sich von dem Flusse; der Horizont wird sehr weit; die Anzahl der umliegenden Dörfer vermehrt sich, und ihr Ansehen wird reizender; die Weinberge kehren in ihren Besitz zurück; nur hin und wieder tritt ein nackter Felsen einzeln hervor und trennt die grüne Fläche; Bonn erhebt sich im Hintergrunde; entfernte Gebirge scheinen sich gegen die Stadt herabzusenken. So, wie man sich nähert, vermehrt das mannigfaltige Grün und die sanft verlaufenden Terrassen der Hügel das wellenförmige Steigen und Sinken des linken Ufers. Gleichsam wetteifernd, aber weniger stufenweis, erhebt sich auch das Ufer rechter Hand; mehrere Dörfer schmücken dasselbe; ein Gebüsch krönt seine Höhen; und an ihrem sonnigen Fuße prangen die Reben. Immer schöner ward der Anblick der Stadt. Aber wohin der Rhein seinen Lauf richtete, konnten wir nicht mehr erkennen, ja nicht einmal ahnden. Die eine Seite der Berge ist mit hohen Bäumen bekleidet, deren tiefer Schatten durch einige hell erleuchtete Stellen verstärkt ward, die in reizender Anordnung hervortraten und schwanden. Endlich entdeckten wir die prächtige Krümmung des Flusses und stiegen bei Bonn an das Land.

Aurelio de' Giorgi Bertola, 1795

»Bonn nimmt schon von fern
sehr heiter ... sich aus ...«

Bonn nimmt schon von fern sehr heiter, sogar prächtig sich aus; noch schöner aber ist der Anblick der Stadt, wenn man auf dem Rheine zu ihr heranschwimmt; eine Menge kleiner Fahrzeuge und Nachen füllen den kleinen Hafen; diese und die zwischen beiden Ufern hin und her gehende fliegende Brücke bringen niestockendes Leben und Bewegung in eine der schönsten Landschaften.

Keine Universitätsstadt in Deutschland, Heidelberg ausgenommen, läßt in Hinsicht des milden Klimas, der unbeschreiblich reizenden Lage und der Art, wie die Stadt gleich beim Eintritt sich dem Auge darstellt, mit Bonn sich vergleichen. Die schöne Fassade des Universitätsgebäudes, ehemals das kurfürstliche Residenzschloß, breitet am Ufer des Stromes recht imposant sich aus; über die Giebel der Häuser blicken die gotischen Türme des ehrwürdigen Münsters hervor; die Stadt selbst liegt wie in einem Garten. *Johanna Schopenhauer, 1831*

»Ich mag hier nicht aussteigen«

Zum ersten Mal im Leben sehe ich es. Das Provinzkaff, das Hauptstadt der Bundesrepublik sein soll. Es erinnert mich an Schweizer Ortschaften in der Größenordnung von Herzogenbuchsee oder Niederbipp. Ich sehe es zwar nur aus dem Zugfenster, aber es stimmt mich nachdenklich. Bitte schön. Als Geburtsstadt Beethovens ist Bonn zweifellos eine Hauptstadt. Als Zentrum der Bundesrepublik ist es ein Dorf. Gottlob: Deutschland soll seine Rolle in Konzertsälen spielen. Nicht auf Schlachtfeldern. Nicht in der Machtpolitik. Ich mag hier nicht aussteigen. Bonn ist für mich Musik. Das Klavierkonzert in Es-dur. Die Neunte Symphonie.

Die Sonate opus III. Aber als Mikroberlin macht es mich traurig. Darum weiter nach Koblenz!

André Kaminski, 1987

»Bonn ... bleibt unfaßbar«

Morgen nach Bonn ...

Dort haben wir unser Büro aufgemacht. Auf unseren Briefbögen steht: »Sozialdemokratische Wählerinitiative«. Daneben ein Hahnenkopf, den ich fünfundsechzig gezeichnet hatte und der immer noch Espede kräht; die Schnecke als Signum wäre am Fortschrittsglauben gescheitert: Schnecken bewundern Hähne.

In drei Räumen arbeiten die Studenten Erdmann Linde, Wolf Marchand, Holger Schröder und vorläufig, bis der VW-Bus kommt, Friedhelm Drautzburg, der sich und mich durch sechzig Wahlkreise fahren soll. Der Bus ist alt gekauft, aber macht es noch.

Unsere Sekretärin, Gisela Kramer, stimmt mit meiner Sekretärin in Berlin, Eva Genée, die Termine ab und beginnt, eine Kartei anzulegen. Gisela Kramer ist keine Studentin, deshalb sind ihr der Sprachgebrauch und die Schwierigkeiten junger Männer, die als Studenten privilegiert sind (und darunter aggressiv leiden) noch ungewohnt. »Früher«, sagt sie, »bei der Bank für Gemeinwirtschaft ging es noch höflich zu. «

Unser Büro befindet sich in der Adenauerallee, die vormals Koblenzer Straße hieß. Der Tabakladen um die Ecke führt neuerdings »Schwarzer Krauser«. Parallel zu uns (nicht einzusehen) soll der Rhein fließen. Unten der Blumenladen hilft, Gisela Kramer zu versöhnen, wenn oben die Luft beleidigend wortgeladen ist. Bonn (als Begriff und Stadt) bleibt unfaßbar.

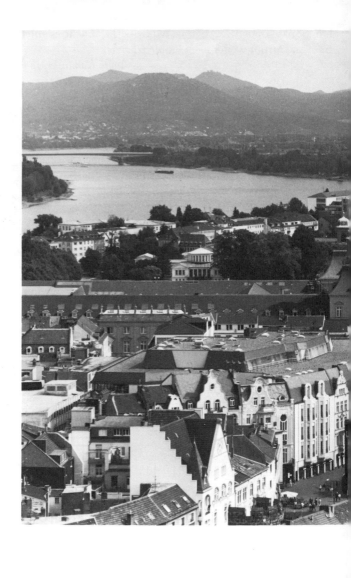

1 Blick vom Stadthaus auf Innenstadt,
Regierungsviertel und Siebengebirge (1988)

Wo ansetzen? Die Universität dünkelt für sich. Hinter But-
zenscheiben giften die Pensionäre. Mit ihren zwei Hemden
zum Wechseln reisen Parlamentarier an. Überall Zweigstel-
len und Deckadressen. Und durch diese Ansammlung zieht
die Bundesbahn ihren Strich: zumeist geschlossene Schran-
ken. Schräg gegenüber das Ernst Moritz Arndt-Haus. Es
gibt kein Regierungsviertel, sondern boshaft verstreute Re-
gierungsachtzehntel.
Nur das Klima eint Bonn. Wir sind nicht von hier.

Günter Grass, 1972

»... nicht einmal ein Staatssekretär
auf dem Bahnhof«

Dann wechselten sie wieder die Szene. Er schloß die Augen, er lehnte sich zurück, atmete tief. Sie beugte sich vor,
sah zum Fenster hinaus, das schmutzig und regennaß war.
Er fragte nach einer Weile: Was siehst du jetzt? Sie sagte:
Bonn, Bonn Hauptbahnhof, steht da geschrieben. Ja, rief er
freudig erregt, da soll doch unsere Regierung sitzen, nicht
wahr? Nicht hier, sagte sie streng, hinter dem Bahnhof am
Rhein ist die Regierung zu Hause. Sieht man denn gar
nichts von der Regierung? fragte er enttäuscht. Nicht einmal einen roten Teppich? Nein, sagte sie, das müßtest du
wissen: Regierungen sind nie zu sehen, höchstens im Fern-
sehen. Das ist es doch eben; in Deutschland sind immer nur
die Regierten zu sehen. Wie sieht er denn aus, fragte er, der
Bahnhof der Hauptstadt? Stell dir den Hauptbahnhof in
Fulda vor, sagte sie, oder den in Würzburg oder Freiburg,
so ungefähr. Was heißt ungefähr? fragte er zurück. Bitte
genauer. Also, stöhnte sie, ich sehe den Warteraum zweiter
Klasse, Taxen hinter der Sperre, eine Oma schleppt Koffer,
eine Familie liegt sich in den Armen, weinend. Zwei
Schwestern mit Häubchen stehen vor der gelben Tür der

**2 Der Bonner Hauptbahnhof (links) und Gründerzeithäuser
in der ehemaligen »Bahnhofstraße«**

Bahnhofsmission. Sie blicken so gefaßt und ernst, als wenn
sie die Reisenden bekehren wollten. Ein Schild, das die
Herrentoilette anzeigt, zwei Soldaten der Bundeswehr davor. Was machen die eigentlich? Dann ist da ein Stand für
Fahrräder. Auch ein Zeitungskiosk ist da. Reklame für den
›Generalanzeiger‹. ›Generalanzeiger‹? fragte er nervös zurück. Ist das ein Bulletin für die Bundeswehr? Nun stell
dich doch nur nicht dumm, sagte sie, jedermann kennt doch
die Bonner Presse.
Was geschieht? fragte er. Ist kein Minister, kein Fraktions-
vorsitzender, nicht einmal ein Staatssekretär auf dem Bahnhof? Die müssen doch auch mal, oder? Nein, sagte sie, rein
gar nichts. Ich sehe nur Muttis und Opas, die sich weinend
in den Armen liegen: Verwandtenbesuche, vielleicht aus
der Zone. Eine Frau erforscht jetzt das Rotkäppchen. Ich
stelle mir vor, daß sie nach Andernach will, so rot und aufgeregt sieht sie aus. Allerdings, jetzt kommt ein Herr mit
Brille und Aktentasche. Er sieht ernst, amtlich, irgendwie
verkniffen aus. Er sieht eigentlich nach SPD aus. Nanu,
fragte er neugierig zurück, wie sieht das denn aus: SPD? Ich
weiß nicht, sagte sie zögernd, es ist mehr so ein Gefühl – als

3 Blick auf Bonn vom Venusberg aus. Vorne links im Bild ist die Poppelsdorfer Synagoge am Jagdweg zu erkennen.

Frau. Er sieht so abgeschafft, so ehrlich, so grau aus und geht, als hätte er einen Rohrstock verschluckt. Ein fleißiger Bürokrat, der im Amt sehr treu und zu Hause immer müde ist. Vielleicht ist er aber auch vom DGB in Düsseldorf? Man kann ja nicht wissen, im Rheinland. Nein, sagte er, die vom DGB sind nicht abgeschafft. Die erkennt man am Bauch und am Doppelkinn. Du wirst ungenau. Und das mit dem Rohrstock hast du doch gar nicht gesehen, sei ehrlich. Du schwindelst. Das hast du vielleicht bei diesem unglaublichen Heine gelesen, früher einmal, oder?

Horst Krüger, 1984

Geschichte

Der Bonner Raum in römischer Zeit

Die Siedlung der Ubier, deren keltischer Name in die römische Form Bonna überging – auch Novaesium (Neuss) und Vetera bei Xanten leiten sich von einheimischen Ortsnamen her –, erstreckte sich zwischen Rhein und Wenzelgasse im Osten und Westen und von der Josefstraße im Norden bis etwa zur Rheingasse im Süden. Eine Palisade im Bereich des ehemaligen Minoritenklosters an der Brüdergasse, die früher als Teil des Auxiliarlagers galt, wird nun als Umwehrung dieses eisenzeitlichen Oppidiums interpretiert. Seine beträchtliche Ausdehnung auf mindestens sieben Hektar ergibt sich aus der Streuung von Keramikscherben der zweiten Hälfte des 1. Jhs. v. Chr. Zahlreiche Formen und Verzierungen in unterschiedlichen Herstellungsarten erläutern nicht nur das Repertoire der Keramik selbst, sondern geben auch Einblick in Handelsverbindungen und kulturelle Beziehungen und lassen die Bedeutung der Ortschaft in jener Zeit erahnen. Reste mehrerer einfacher Holzhäuser sind inzwischen ebenfalls bekannt, und die Konstruktion eines interessanten Töpferofens vom Boeselagerhof belegt die latènezeitliche Tradition: der Zwischenboden besteht aus Rippen, römisch wäre eine Lochtenne. Die darin gebrannte Keramik ist dagegen schon unzweifelhaft römisch: die Verwendung der Drehscheibe verrät den Einfluß römischer Technik und Henkelkrüge die Übernahme mittelmeerischer Formen.

Scherben arretinischer Sigillaten vom Ende des zweiten Jahrzehnts v. Chr. sprechen für römische Präsenz in der Ubiersiedlung während der Germanienfeldzüge. Diese rot überzogene Keramik wurde im mittelitalienischen Arezzo und im gallischen Lyon hergestellt und ist wegen ihrer rasch sich verändernden Detailformen in kurzfristigen

Zeiträumen datierbar. Da das Geschirr am ehesten im Gepäck der Soldaten an den Rhein gelangte, deuten die Bonner Fragmente ein erstes militärisches Detachement an, dessen Stärke sich vermutlich an der Größe der ubischen Niederlassung orientierte.

Um die Zeitenwende – während die Römer in jährlichen Kriegszügen versuchten, die Eroberungen in Germanien zu konsolidieren – entstand dann wohl anstelle des eisenzeitlichen Dorfes ein Lager für eine Einheit in Hilfstruppengröße (500 Mann). Grabungen bei der ehemaligen Synagoge nördlich der Kennedy-Brücke deckten erst kürzlich die Wehrmauer in der anfangs bei römischen Lagerbauten üblichen Holz-Erde-Konstruktion und einen doppelten Grabenzug auf; weiter südlich am Boeselagerhof fand man eine zugehörige Lagergasse und Spuren von Innenbauten. Im zweiten Viertel des 1. Jhs. lagen hier je eine Abteilung Kavallerie und Infanterie.

Zwischen 30 und 40 n. Chr. – inzwischen war das rechtsrheinische Germanien durch die Niederlage des Varus wieder verloren, und man hatte begonnen, den Rhein als Grenze *(limes)* auszubauen – kam dann eine Legion (6 000 Mann) nach Bonn, die sich weiter im Norden zwischen Rosental und Augustusring, Graurheindorfer Straße und Wichelshof ein neues, ihrer Dimension entsprechendes Lager errichtete. Der Umriß dieser Anlage ist im heutigen Stadtbild noch gut zu erkennen, Nord- und Römerstraße bezeichnen das Kreuz aus *via principalis* und *via praetoria*. Bonn war nach Vetera und Novaesium nun die südlichste Legionsfestung des niedergermanischen Heeres, die am Südrand der niederrheinischen Ebene das gleichzeitig aufgelöste Lager in Köln ersetzte; sie blieb bis zum Ende der römischen Herrschaft an der Wende zum 5. Jh. als Garnison bestehen. Ausgrabungsbefunde bezeugen eine rege Bautätigkeit. Die zunächst hauptsächlich aus Fachwerk bestehenden Lagergebäude brannten im Bataveraufstand

**4 Ausgrabungen bei der ehemaligen Synagoge nahe der
Kennedy-Brücke. Heute steht dort eine Hotelanlage.**

(69/70 n. Chr.) nieder und wurden danach durch Steinbau-
ten ersetzt.

Außerhalb römischer Truppenlager entwickelten sich
gewöhnlich Siedlungen, die teils unter militärischer Auf-
sicht standen – *canabae legionis* bei Legionslagern genannt,
vici bei Auxiliarlagern –, teils zivile Rechtsform hatten. In
Bonn war das nicht anders. Einheimische Ubier, Zu-
wanderer aus anderen Reichsgebieten, Veteranen und die

5 »Ausgegrabene Römische Ruine am Wichelshof bey Bonn.«
Die Reste des römischen Legionslagers sind zu erkennen.

Familien der Soldaten, römische Bürger und Bewohner mit
peregrinem Personalrecht lebten hier zusammen und arbeiteten als Handwerker und Kaufleute aller Sparten für die
Versorgung des Heeres. Da Grabungen im Bonner Stadtgebiet immer nur kleinflächig sein können, setzt sich das Bild,
das wir uns von diesen Lagerdörfern oder Vorstädten machen, aus vielen kleinen und weit verstreuten Ausschnit-
ten zusammen. Besonders nachteilig wirkt sich aus, daß

Grundrisse und architektonische Gefüge bisher nur äußerst bruchstückhaft zu fassen sind und sich somit auch keine urbanen Strukturen abzeichnen.

[...]

Der militärische *vicus* rings um das Auxiliarkastell am Boeselagerhof war schon eine Siedlung von ansehnlicher Größe.

Die *canabae* des Legionslagers schlossen zunächst nach Norden hin die Lücke zwischen Bertha-von-Suttner-Platz und Wachsbleiche, dehnten sich aber im 2. Jh. bald auch zwischen Limesstraße und Rhein bis zur Ersten Fährgasse hin aus. Nach einer etwa bis zur Arndtstraße reichenden Gräberzone folgte ein zweiter Siedlungsbereich, der sich längs der Straße (Adenauerallee – Friedrich-Ebert-Allee) bis zum Tulpenfeld erstreckte – ein Handwerkerdorf, das als *vicus* zivil verwaltet gewesen sein könnte. Äußerlich war zwischen den beiden Ortschaften wohl kein großer Unterschied festzustellen. Die *canabae* hatten vielleicht das städtischere Gepräge und einige repräsentative öffentliche Gebäude – Markt, Bäder, Heiligtümer –, aber hier wie dort kam man vornehmlich den Bedürfnissen des Heeres und der Soldaten nach; Produktions-, Reparatur-, Liefer- und Bewirtungsbetriebe arbeiteten hier wie dort nach denselben Prinzipien und Verfahren.

[...]

Nach langanhaltender friedlicher Entfaltung richtete der Frankensturm von 275 erhebliche Zerstörungen an, die das Lager und die Vororte in Mitleidenschaft zogen. Letztere scheint man in der Folge nach und nach aufgegeben und nur das Lager in alter Größe wiederhergestellt zu haben. Die Heeresreform des Kaisers Konstantin verringerte zu Beginn des 4. Jhs. die Stärke einer Legion (wahrscheinlich auf 1000 Mann), so daß nun die Soldaten mit ihren Familien im ummauerten Kastellbereich Platz fanden; und sie trennte die Streitkräfte in das bewegliche Feldheer *(comitatenses)* aus den besten Einheiten der ehemaligen Grenzarmeen und das stehende Grenzheer *(ripenses, limitanei)*, zu dem die Bonner Einheit zählte. Sie ist inschriftlich noch bis 295 n. Chr. nachzuweisen, aber vermutlich ging ihr Name auf die Truppe des 4. Jhs. über. Diesen eher schwachen Besatzungen oblag nun die Bewachung des Limes und die Bewirtschaftung des Umlandes zur eigenen Versorgung.

Ein weiterer Germaneneinfall zerbrach um 355 erneut den gesamten Rheinlimes. Kaiser Julian fand im Jahr darauf fast alle Wachposten, Kastelle und Städte, selbst Köln geplündert und zerstört. Er konnte aber durch Friedensschluß mit den Franken die römische Oberhoheit nochmals herstellen und verschiedene Plätze – darunter Bonn – abermals befestigen. So hielt der Limes noch einige Jahrzehnte, bis er zu Beginn des 5. Jhs. endgültig aufgegeben wurde. *Ad Bonnam Castrum* oder *Castellum* ist eine Ortsangabe, die noch in Quellen des 10. Jhs. gebraucht wird: seine Wehrmauern müssen damals – zum Schutz einer fränkischen Siedlung – noch weitgehend vorhanden gewesen sein.

Ursula Heimberg, 1989

Bonn als kurkölnische Haupt- und Residenzstadt

Im Zuge einer im 13. Jahrhundert einsetzenden Entwicklung wurde Bonn 1597 Haupt- und Residenzstadt des Kölner Kurstaates und behielt diese Stellung bis 1794. Bonn war also im 17. und 18. Jahrhundert Sitz der kurkölnischen Zentralbehörden und somit Hauptstadt eines frühneuzeitlichen geistlichen Fürstenstaates und als Residenz Wohnsitz des Herrschers und seines Hofes, die eine Daseinssphäre eigener Art in der alten Stadt bildeten. Da die Souveränität im frühneuzeitlichen Fürstenstaat an den konkreten Träger gebunden war, hatten Hauptstadt und Residenz viele Berührungspunkte.

Diese frühneuzeitliche Stellung Bonns hat eine lange Vorgeschichte. In Anlehnung an die befestigte, auch »civitas Verona« genannte Siedlung beim Cassiusstift, dem bis in die Spätantike zurückreichenden praeurbanen Kern der mittelalterlichen Stadt Bonn, entstand eine noch in der ersten Hälfte des 13. Jahrhunderts unbefestigte Marktsiedlung, und zwar da, wo die große Nord-Süd-Straße von Basel–Mainz–Koblenz an die Mauern der Stiftsstadt herankam und sich in die Richtungen nach Aachen und Köln gabelte. Schon bei der Marktanlage des 11. Jahrhunderts war bewußte, und zwar erzbischöfliche Planung am Werk. Die ehemals königliche Bonner Münze besaßen die Kölner Erzbischöfe seit 1024, im Besitz des Marktzolls waren sie 1046; der Grund und Boden, auf dem der Markt angelegt wurde, gehörte zu ihrem Bonner Grundbesitz. Sie gewannen im Bonner Raum die Stellung des ältesten Pfalzgrafengeschlechtes der Ezzonen, die Erzbischof Anno hier verdrängte, und wurden im 11. Jahrhundert die Stadtherren Bonns. In der Marktsiedlung lebte eine vom Cassiusstift unabhängige, gewerblich-kaufmännisch tätige, burgensis populus genannte Bevölkerung.

Bonn nahm im südlichen Teil des Bonner Erzstiftes, im später sog. Oberstift, eine zentrale Stellung ein, die es zum Sitz eines kurkölnischen Amtes prädestinierte. Es wurde schließlich Oberamtssitz.

Daß Bonn dann aber sogar Haupt- und Residenzstadt Kurkölns wurde, lag nicht allein in seiner Lage, noch weniger in seiner bescheidenen eigenen Bedeutung begründet. Die Voraussetzung dafür war, daß Köln, der kirchliche Sitz der Erzbischöfe und natürliche Mittelpunkt des Erzstiftes, in der Gunst der Verkehrslage und mit seiner wirtschaftlichen Leistungskraft Bonn unvergleichlich überlegen, nicht kurkölnische Hauptstadt, sondern freie Reichsstadt wurde und sich der Rolle entzog, die Lüttich, Utrecht, Münster, um nur die benachbarten Fälle zu nennen, in ihren Stiftern einnahmen. Diese Entscheidung bahnte sich unter Konrad von Hochstaden an. Seine schon landesherrlich konzipierte zweigleisige Städtepolitik – das Autonomiestreben der Kölner Geschlechter erbittert bekämpfend, die kleineren Städte als territoriale Stützpunkte begünstigend – brachte Bonn das Privileg vom 8. März 1244 ein. Er befahl darin den Bonnern die Befestigung der ganzen Stadt – also auch der Marktsiedlung – wie sich in den voraufgehenden

Territorialfehden gezeigt hatte, eine sehr notwendige Maß-
nahme –, bestätigte ihnen alle laut Schöffenweistum bisher
besessenen Freiheiten, Rechte und guten Gewohnheiten
und fixierte die Bede. Seine Nachfolger Engelbert von Fal-
kenburg (1261-74) und Siegfried von Westerburg (1275-
1297), unter dem es zur Katastrophe von Worringen kam,
die Köln de facto zur Reichsstadt machte, weilten sehr häufig im festen Bonn und sind beide im Bonner Münster begraben. Engelbert baute das erzbischöfliche Haus – an der
Stelle des späteren Residenzschlosses – zu einem »pala-
tium«, einer Pfalz mit Saal und Kapelle, aus. Siegfried
stellte die Prägetätigkeit in Köln ein und ließ in Bonn prä-
gen, u. a. die Veronapfennige mit der gegen das abtrünnige
Köln gerichteten Umschrift: »Beata Verona, vinces«. Seine
Bevorzugung Bonns äußerte sich auch in einer Reihe von
Privilegien; die Urkunde vom 28. März 1286, die in Bonn
die Ratsverfassung einführte, berichtet, daß die Bevölkerung Bonns von Tag zu Tag zunehme. – Die Stadt war jetzt
ein – aber nicht der – bevorzugte Wohnsitz der Kölner Kurfürsten. Konkurrenten waren Lechenich, das Wasserschloß
Poppelsdorf bei Bonn, die starke Godesburg und vor allem
das 1285 mit Stadtrecht begabte Burgstädtchen Brühl, eine
deutlich gegen Köln gerichtete Gründung. In Brühl wurde
1469 die von den Landständen dem Kurfürsten abgerun-
gene kollegiale Zentralbehörde eingerichtet; in der Rats-
und Kanzleiordnung für diesen ständigen Rat wird Brühl
auch Residenz genannt. Aber bereits 1525 wurde der »Rat«
nach Bonn verlegt. Kurfürst Salentin (1567-1577) baute
den alten erzbischöflichen Palast in Bonn, der auch den Rat
beherbergte, die sog. »Kanzlei«, und das Zollhaus am
Rhein aus.

Bonn war im 15. und 16. Jahrhundert eine ziemlich
wohlhabende Gewerbebürgerstadt, Zentralmarkt seiner
ländlichen Umgebung mit Zubringer- und Verteilerfunk-
tionen für den Kölner Großmarkt, einer Rheinfähre, be-

scheidenen Fernhandelsbeziehungen und ohne Exportge-
werbe. Das die Stadt und ihre nähere Umgebung belie-
fernde zünftisch organisierte Handwerk stellte die breite
Mittelschicht der Stadtbewohner. Zur Oberschicht gehörten nur wenige Kaufleute und Handwerker; sie wurde vor
allem von den alten Schöffenfamilien gebildet, die von
Grundbesitz, besonders Weingärten in der Umgebung
Bonns, von Hausbesitz in der Stadt und Ämterbesitz im
Kurstaat lebten.

Kurfürst Salentins Ansätze, Bonn zur Haupt- und Residenzstadt zu machen, konnten sich durch die Wirren der
Reformationszeit nicht sofort auswirken. Der Ausgang des
Truchseßischen Krieges machte den Kölner Kurstuhl, den
seit dem Wormser Konkordat Angehörige des rheinischen
Hochadels besetzt hatten, für den Zeitraum von 1583-1761
zu einer Sekundogenitur des Hauses Wittelsbach.

Der zweite Wittelsbacher Kurfürst, Ferdinand, ein emi-
nent tüchtiger Mann, hat noch als Coadjutor – ab 1595,
1612 wurde er Kurfürst und regierte bis 1650 – Bonn zur
Haupt- und Residenzstadt im vollen Sinn des Wortes gemacht, offiziell in der 1597 erlassenen neuen »Rats- und
Kanzleiordnung«. Im Jahre 1601 übersiedelte er selbst
nach Bonn, 1603 kam das verlagerte Landesarchiv nach
Bonn, wo es bis Ende der kurfürstlichen Zeit blieb. Bonn
wurde Sitz des »Hofrates«, der neuen zentralen Verwal-
tungsbehörde für die gesamten kurkölnischen Territorien,
nämlich das Erzstift, das Herzogtum Westfalen und das
Vest Recklinghausen. – Von diesem weltlichen Herr-
schaftsgebiet des Kurfürsten ist das ihm als Erzbischof von
Köln unterstehende geistliche Gebiet, die Erzdiözese
Köln, klar zu unterscheiden; die Bereiche decken sich keineswegs. – Der Hofrat unterstand unmittelbar dem Kurfürsten. Seine sachliche Kompetenz war umfassend.
Lediglich die Finanzverwaltung war verselbständigt und
dafür die Hofkammer als oberste kurkölnische Finanzbe-

hörde organisiert worden. Hofrat und Hofkammer waren schon zu Beginn des 17. Jahrhunderts voll ausgebildete Kollegialbehörden, jede mit eigener Kanzlei und Registratur. Der Hofrat war auch Justizorgan. Als solches war er die höchste Justizverwaltungsstelle des Landes; er mußte die Rechtsprechung der geistlichen (Offizialate in Köln, Bonn und Werl) und weltlichen Gerichte, der ordentlichen und der Sondergerichte koordinieren. Das Bild der kurkölnischen Gerichtsverfassung, die hier nicht weiter zu behandeln ist, war vielfältig und verwirrend. – Der Hofrat war auch Appellations- und Revisionsgericht. Schon unter Kurfürst Ferdinand entstand in einer gewissen Konkurrenz zum Hofrat der Geheime Rat, seit 1784 Geheime Staatskonferenz genannt. Er zog besonders wichtige Angelegenheiten, vor allem auch der auswärtigen Politik an sich, und von ihm vor allem ging die politische Willensbildung aus. Auch der Geheime Rat wie die Hofkammer unterstanden direkt dem Kurfürsten. Diese drei sich personalreich entfaltenden Zentralbehörden hatten ihren Sitz im Bonner Schloß. Zum Hofrat gehörten im 18. Jahrhundert etwa 30 wirkliche Hofräte, zur Hofkammer etwa 17-28 wirkliche Räte. Die wirklichen Hofräte waren überwiegend juristisch geschulte Beamte, an die hohe Anforderungen gestellt wurden. Ferdinand trieb seine Räte auch an, nunmehr ihren Wohnsitz in Bonn zu nehmen.

Für den Ausbau Bonns zur Residenz tat er als großer Gartenfreund und kunstfreudiger Mäzen, was unter den Umständen des Dreißigjährigen Krieges möglich war: Er baute das Schloß aus, errichtete in Bonn und Poppelsdorf vielgerühmte Renaissancegärten, und mit seiner Hofkapelle, deren Personal- und Instrumentenbestand die Landrentmeistereirechnungen verzeichnen, beginnt die große musikalische Tradition Bonns. Unter ihm erhielt Bonn endlich ein Gymnasium.

Der Zeitraum, in dem Bonn Haupt- und Residenzstadt

war, zerfällt in zwei Perioden; bis 1715 war Bonn zugleich Festungsstadt mit modernen Bastionen, zunächst kurkölnische Landesfestung; ab 1658 erfolgte der Ausbau zur Festung im französischen Interesse der gegen die Generalstaaten und das Reich gerichteten Politik des mit den Wittelsbachern in Bayern und am Rhein verbündeten französischen Königreiches. Bonn – mit französischer Garnison – wurde dreimal belagert: 1673, 1689 – damals wurde die Stadt zerstört – und 1703. Die Generalstaaten setzten die Entfestigung durch. Die Belagerungen waren ein retardierendes Moment im Ausbau Bonns zur Residenz und vernichteten die von Ferdinand und seinem Nachfolger Max Heinrich gemachten Ansätze. Dennoch – die Bürgerschaft, die sich noch 1640 bitter beklagte, daß 70 Bürgerhäuser für die Bauten des Kurfürsten, der neuen Klöster, der Beamten eingezogen worden seien und keine bürgerlichen Lasten mehr trügen – 1620 gab es rund 600 Bürgerhäuser in Bonn –, erbat 1692 die Rückverlegung der Kanzlei nach Bonn – sie war wie sogar der Stadtrat aus der zerstörten Stadt verlegt worden –, »damit die Bürgerschaft mehr Nahrung gewinnen möge«.

In der langen Friedenszeit von 1715 bis 1794 konnten vor allem Joseph Clemens und Clemens August Bonn zur prunkvollen Barockresidenz ausbauen. Wie in den meisten Residenzen kam es zu einem beschleunigten Bevölkerungsgang: 1620 lag Bonns Einwohnerzahl bei rund 4000 innerhalb der Mauern, nach der zuverlässigen Einwohnerstatistik von 1790 hatte Bonn 10135 E. Neue Vorstädte entstanden zwar nicht; der im 13. Jahrhundert sehr weit gezogene Mauerring, der viele Klosterhöfe mit Wein- und Baumgärten einschloß, bot eine noch gerade ausreichende Raumreserve für die wachsende Bevölkerung. Wie sehr die Bevölkerungszunahme ein Resultat der Residenz- und Hauptstadtfunktion war, beweist der Rückgang der Bevölkerung in der französischen Zeit nach Verlust dieser Stel-

**6 Clemens August beim Morgenempfang.
Gemälde von Joseph Vivien im Lackkabinett
von Schloß Falkenlust in Brühl
(um 1725)**

lung auf 8 000 E. Die kurfürstlichen Bauten haben das
Stadtbild entscheidend umgeformt. Nach der Rückkehr
aus dem französischen Exil wünschte sich Joseph Clemens
ein offenes Residenzschloß mit Gartenanlagen und dazu
eine maison de plaisance und wählte dafür das ruinöse Poppelsdorfer Schloß. Er plante, bevor er baute. Er hatte die
geniale Idee, die zwei verschiedenen Zwecken – der Repräsentation und der Muße – dienenden Schlösser durch eine
Allee, eine Gartenachse, unter Einbeziehung der Landschaft zu einer Gesamtkonzeption zu verbinden. So entstand die große Freiraumfolge vom Hofgarten über das

Stadtschloß, die Poppelsdorfer Allee bis hin zum Kreuzberg mit seiner Kirche als point de vue. Das bedeutete eine Ausweitung der Stadt über die mittelalterlichen Mauern hinaus, die der Siedlungsausdehnung des 19. Jahrhunderts gewisse Richtlinien bot und das Dorf Poppelsdorf schließlich zu einem städtischen Vorort umfunktionierte, wie die soeben erschienene Untersuchung von B. von der Dollen vorsichtig abwägend dartut. Der Kurfürst bezog auch die Innenstadt in seine Planungen ein; im Nordosten kaufte er Grundstücke aus geistlichem Besitz an, und wo bis dahin die großen Klosterhöfe in ihren Weingärten lagen, entstanden nun gerade parallellaufende Straßen, besetzt mit Adelshöfen und aufwendigen Häusern der Beamten. Die Kurfürsten förderten die Kirchenbauten, vor allem der neuen gegenreformatorischen Ordensniederlassungen; auch bei den städtischen Bauten – Rathaus, Marktbrunnen – war ihre Initiative ausschlaggebend. Sie drängten auf Pflasterung der Straßen, auf bessere Kanalisation und Entwässerung der Stadt, trugen Sorge für die Wasserleitung, Anlage eines neuen Friedhofes vor den Mauern und Anfänge einer Stadtbeleuchtung. Das Stadtbild der Residenz Bonn unterscheidet sich vom mittelalterlichen durch die großen Achsen und die Einbindung in die Landschaft. Im Mittelalter schloß sich die Stadt mit Mauern und Torburgen von der Landschaft ab. Die kurfürstlichen Schloß- und Gartenanlagen öffnen die Stadt zur Landschaft und beziehen den Rhein mit dem Siebengebirge und den Kreuzberg ein. Große Achsen strahlten auch von der Residenz Bonn aus; sie wurden zwar nicht alle so weit wie geplant durchgeführt, aber es kam doch zu einem Gefüge der Achsen, Straßen und Schneisen, die Landschaft und Natur fest mit der Architektur verbanden. Die Schloßkomplexe setzen die starken Akzente: Bonn, wo zu Residenzschloß und Lusthaus Poppelsdorf noch ein Gästehaus (Boeselager Hof) und das Weinbergschlößchen im südlich der Stadt gelegenen kurfürstlichen Weingarten kamen, nördlich die Sommerresidenz Brühl mit großem Garten, chinesischem Haus, Schneckenhaus und Falkenlust für die Reiherbeize, westlich im alten Jagdgebiet der Erzbischöfe im Kottenforst Herzogsfreude für die Parforcejagd: ein Residenzraum.

Zu dieser großartigen städtebaulichen und stadtplanerischen kommt eine ebenso bewundernswerte kulturelle Leistung. Sie präsentiert sich in der verschwenderischen Ausstattung der Schlösser, Gemäldegalerien, in Theater, Oper, besonders einem Musikleben, das nicht nur am Hof und in den Adelspalästen, sondern auch in den Häusern der gelehrten Räte und bürgerlichen Wirtshäusern u. a. Werke der Klassik zu Gehör bringt. Im letzten Drittel des 18. Jahrhunderts nimmt auch das literarische Leben einen großen Aufschwung. Die wissenschaftsfördernden und pädagogischen Bestrebungen des letzten Kurfürsten und seines Ministers Spiegel zum Diesenberg gipfeln in der Schulreform, dem Lehrerbildungswesen und der Einrichtung einer Universität nach dem modernen Muster Göttingens. Stadtmagistrat und Bürgerschaft nehmen hieran Anteil; der Rat errichtet die Deutsche Stadtschule. Die Sozialstruktur Bonns wurde in ihren Dominanten nicht wesentlich verändert. Den alten Schöffenfamilien entspricht jetzt die klar abgeschichtete Gruppe der gelehrten Räte, die in den Bonner Zentralbehörden sitzen, Schöffen und Schöffenbürgermeister sind und Angehörige als Kanoniker im Bonner Cassiusstift haben. Sie waren vielfach bürgerlicher Herkunft, wurden mitunter geadelt oder waren adlig versippt. Sie hatten im allgemeinen an Universitäten studiert, waren miteinander versippt und mit der Stadt Bonn eng verwachsen. Z. B.: von einem 1577 aus dem Vest Recklinghausen zugezogenen Peter Hülsmann, Notar und Bürgermeister in Bonn, lassen sich verwandtschaftliche Beziehungen zu neun Bonner kurfürstlichen Beamtenfamilien nachweisen, zu den Mack, Heufft, Merl, Lapp, Euskirchen, Dambroich, von Kempis,

Buschmann und von Franken-Sierstorpff. Diese gelehrten Räte sind zahlenmäßig viel stärker als die adlige Schicht der obersten Hof- und Staatsbeamten, die nicht mehr als stadtbürgerliche Schicht angesprochen werden kann. Beide Gruppen tragen erheblich dazu bei, die Residenzstadt zu einem Kultur- und Bildungszentrum zu machen. Der Einfluß der Residenz zeigt sich in der Vermehrung der Kaufleute. Die großen Aufträge des Hofes führten zwar die jüdischen Hoffaktoren und exemten Hoflieferanten aus, die Bonner Kaufleute konnten dafür nicht genügend Kredit geben. Ihre sichere wirtschaftliche Basis war die Versorgung der Adelshöfe, anspruchsvollen Beamtenhaushaltungen und der wachsenden Einwohnerschaft der Stadt überhaupt wie die Belieferung des Bonner Hinterlandes. Ihnen kam die allgemeine Verfeinerung der Lebenshaltung, auf die das Vorbild des Hofes einwirkte, zugute. Das fortschrittlichste Element unter den Bonner Kaufleuten waren die im 17. und 18. Jahrhundert eingewanderten Italiener. In der sozialen Geltung standen die Kaufleute den gelehrten Räten nahezu gleich. Die größte Einwohnergruppe stellte nach wie vor das Gewerbe. Die Handwerker waren keine sozial homogene Schicht. Wohlhabend waren vor allem Metzger und Brauer, bei den Bäckern etwa ein Drittel. Schuhmacher, Leineweber, Perückenmacher waren vielfach arm. Das Handwerk verharrte in der Residenz in zunehmender zünftischer Enge. Die oft übersetzten Zünfte wurden geschlossen, das bedeutete praktisch die Erblichkeit der Meisterstellen. Ein Problem waren die verheirateten Gesellen ohne Hoffnung auf Meisterschaft, die heimlich für Kundschaft arbeiteten und meist bitterarm waren. Der Einfluß der Residenz zeigte sich in der Begründung einiger Luxusgewerbe, die wieder zünftisch organisiert werden: Perükkenmacher, Vergolder, Lackierer, Hutmacher. Die Zünfte spezialisieren sich auch stärker. Strenge Qualitätsforderungen werden an die Goldschmiede gestellt, es sind im 18.

**7 Marktplatz mit Rathaus und dem 1777 errichteten
Brunnenobelisken. Kupferstich von J. G. Sturm nach
C. Dupuis (um 1785)**

Jahrhundert 24 Goldschmiedewerkstätten in Bonn nach-
weisbar, von denen Werke von hohem künstlerischen Rang
auf uns gekommen sind. Die relativ unbedeutenden Ansätze auf industriellem Gebiet, die Manufakturen, sind dadurch charakterisiert, daß sie vielfach nur kurze Zeit bestehen, mehrere Versuche in der gleichen Branche getätigt
werden, daß sie auf den Luxusbedarf der Residenz zugeschnitten sind, französische Unternehmer wie Arbeiter neben kurfürstlichen Beamten darin eine besondere Rolle
spielen, der Staat privilegierend eingreift und selbst als Unternehmer auftritt.

Die sozialen Spannungen waren stark. Der Staat griff im
18. Jahrhundert energisch in die Armenfürsorge ein, da die
überkommenen städtischen und kirchlichen Einrichtungen
nicht ausreichten. 1769 erfolgte die Registrierung der Bettler in einer Bettlerliste mit 143 einheimischen Bettlern.
Außer liederlichen Frauen und Faulpelzen sind es Witwen,
verlassene Soldatenfrauen, Blinde, Alte, Kranke, die auf
Betteln gehen; Schuster, Schreiner, Maurergesellen, Tage-

löhner, Tabakarbeiter, Wäscherinnen, Hemden- und Mützennäherinnen, Stickerinnen, Spinnerinnen verdienten mitunter so wenig, daß sie zusätzlich betteln mußten. Die Stadt wurde nun in Armenbezirke eingeteilt, das Betteln verboten, ein Arbeitshaus eröffnet. Eine Liste der Armenhausspende von 1781 ergibt eine Gesamtzahl von 516 Armen und Bedürftigen – bei rund 10 000 Einwohnern.

Unter dem Einfluß der Aufklärung, der neuen Wertschätzung zweckfreier Bildung kam es zwar zu einer Verwischung der Standesgrenzen, sehr ausgeprägt in der 1787 gegründeten Lesegesellschaft, aber sie bezog sich nur auf die oberen und mittleren Schichten. Die unterste Schicht war weniger gesellschaftlich integriert als im Mittelalter mit seinem anderen positiven Begriff der Armut und Gegenstand nicht nur der Fürsorge, sondern auch polizeilicher Maßnahmen. Abschließend kann man sagen, daß in Bonn die soziale Struktur des Spätmittelalters durch die Residenz- und Hauptstadtfunktion nicht grundlegend verändert, sondern eher in einigen Tendenzen verstärkt wurde, daß der Wirtschaft keine starken Impulse vermittelt wurden, keine neuen Konzeptionen sich durchsetzten. Die Bedeutung der Residenz liegt in der Bevölkerungszunahme und vor allem auf städtebaulichem und stadtplanerischem sowie kulturellem Gebiet.   *Edith Ennen, 1979*

Napoleon in Bonn

Wie vorzusehen, so begab sich dann auch wirklich (am 6. Nov. 1811) *Napoleon* nach *Bonn*, um den ihm vorzulegenden Befestigungsplan an Ort und Stelle zu prüfen und über die Ausführung zu entscheiden.

An diesem Tage war der Maire von *Vilich* angewiesen, den Kaiser in der Morgenstunde an der Landbrücke in *Beuel* zu erwarten. Der Maire ladete den Verfasser zur Begleitung ein, da er der französischen Sprache nicht so mächtig sei, um auf Erfordern die nötige Auskunft hierin geben zu können. Der Letztere glaubte jedoch, wo nur der Maire abgeladen war, sich keine Begleitung erlauben zu dürfen, ohne sich einer Zudringlichkeit an ungelegener Stelle schuldig zu machen, und zog also vor, wie ihm auch Oberst *Larcher de Chaumont* angeraten, den Kaiser anstatt am Rhein auf dem *Ennertsberg* als dem Punkte zu erwarten, wo der Oberst Veranlassung haben würde, ihn vorzustellen, und wo auch seine Auskunft nach den Umständen vom Kaiser in Anspruch genommen werden mögte.

Napoleon schiffte auf der fliegenden Brücke nach *Beuel* über, begleitet von einigen Generalen, Adjutanten und Ingenieur-Offizieren mit einer Bedeckung von etwa 20 *Chasseurs d'elite* der kaiserlichen Garde. Als der Kaiser das rechte Rheinufer betrat und der Maire sich ihm vorstellte, warf er einen Blick auf dessen Stiefel und Sporen und sagte: »le maire à cheval!«, indem er selbst sofort einen seiner arabischen Schimmel bestieg. Ein zweiter wurde als Handpferd bereitgehalten; Gebiß und Steigbügel waren an dem einen Pferde von Gold, an dem andern von Silber. Der Kaiser ritt im Schritt durch die Heckelsberger Straße aus *Beuel*. Zwei Chasseurs ritten mit dem Maire voraus; die übrige Begleitung folgte nach. Die Chasseurs, in der Meinung, ihr Gebieter werde, wie gewohnt, schnell reiten, eilten im schnellsten Lauf ihrer Pferde nebst dem Maire voran. Doch der Kaiser blieb im Schritt und angekommen auf dem Kreuzwege der Heckelsberger Anhöhe schwenkte er rechts ab zum Finkenberge. Die vorreitenden Chasseurs waren schon eine gute Strecke gegen *Pützchen* mit dem Maire fortgejagt, als sie ihren Irrtum bemerkten und nun querfeldein zurückjagten, um dem Kaiser zuvorzukommen. Fußgänger, welche dem Zuge begegneten, wurden von der Bedeckung angewiesen, 40 bis 50 Schritte zur Seite aus dem Wege zu treten.

Angekommen etwa auf der halben Höhe des *Finkenbergs* machte der Kaiser Halt und beschäftigte sich während einer Viertelstunde, von hieraus die Gegend ins Auge zu fassen, Erkundigungen einzuziehen und damit den Plan zu vergleichen.

Anstatt nun aber auch den Weg zum *Ennert*, wie man erwartete, einzuschlagen, wurde umgekehrt und nach der Heckelsberger Anhöhe und gegen Rheindorf zurückgeritten. Für den Verfasser, der vom *Ennert* aus den arabischen Schimmel nicht aus dem Auge verlor, war dies ein erfreuliches Zeichen, daß *Napoleon* doch wohl von dem projektierten *Fort Ennert* abgesehen habe. Er verließ also seinen Standpunkt, um nach *Bonn* nachzueilen und zu vernehmen, ob und wie das drohende Gewitter an der Gegend etwa vorüberziehen mögte; denn gewiß schwebte hier über den friedlichen Bewohnern eine große Gefahr, wenn der Befestigungsplan verwirklicht worden wäre.

Als der Kaiser auf die fliegende Brücke zurückgekehrt war, schlossen die Generale und das Gefolge einen Kreis um denselben, in welchem der Maire aufgenommen wurde, um verschiedene Fragen des Kaisers zu beantworten, die sich auf Gemeindeverhältnisse bezogen. Ein General, wahrscheinlich *Mouton*, der jetzige Marschall Graf *Lobau*, machte den Dolmetscher.

Der Kaiser bestieg, angekommen am Rheinufer in *Bonn*, wieder seinen Schimmel und ritt ohne Aufenthalt nach der

8 »Ansicht der Stadt Bonn, aus der Allee zur Baumschule«.
Stahlstich von Grünewald nach B. Hundeshagen (1832)

Poppelsdorfer-Allee, um hier das Depot eines in der Stadt
garnisonirenden Chasseurregiments, einige reitende Artil-
lerie und die stattliche Kürassier-Division *Nansouty* die Re-
vue passieren zu lassen. *Napoleon* war abgesessen. Er trug
an diesem Tage seine beliebte Chasseuruniform und den
kleinen Hut; der Oberstleutnant, Commandeur des Depots
der *chasseurs à cheval* stand ihm zur Seite. Die Chasseurs
führten einzeln ihre gesattelten und aufgezäumten Pferde
an der Hand, und machten jedesmal vor dem Kaiser Halt,
der dann Pferd und Equippierung genau untersuchte und
häufig dem Commandeur seine Unzufriedenheit laut zu erkennen gab; man hörte ihn unter anderm sagen: »Sind das
Pferde für 15 Napoleons?« usw. Ein Pferd sogar mußte ab-
gesattelt werden und fand sich sehr gedrückt, was neues
Mißfallen zur Sprache brachte.

   Das Volk durfte dem Kaiser sehr nahe treten, er schien es
nicht zu bemerken; nur die Gendarmen zu Pferde baten oft
höflich, sich nicht weiter anzudrängen, um ihnen keinen
Verdruß zu machen.

Leopold Bleibtreu, 1834

Revolution in Bonn 1848

Als die Kunde von den Berliner März-Ereignissen 1848 nach Bonn drang, gaben Professoren, Studenten und die Bevölkerung der Stadt ihrer Freude über die zu erwartende Liberalisierung in einem Festzug Ausdruck. Einträchtig folgten Dahlmann, Arndt und Kinkel dem schwarz-rot-goldenen Banner.

Binnen kurzem war die Einigkeit dahin. Drei Gruppen bildeten sich heraus: die Klerikalen, die Konstitutionellen und die Demokraten, welche sich um den bald republikanisch gesonnenen Kunsthistoriker Gottfried Kinkel scharten. Aus den Wahlen zur Zweiten Kammer des preußischen Parlaments und zur Frankfurter Nationalversammlung im Mai 1848 gingen konservative Kandidaten als Sieger hervor. Die radikalen Revolutionäre hatten zu wenig Zeit gehabt, sich formieren und ihre Ideen verbreiten zu können.

Zur Entfaltung einer organisatorischen und publizistischen Infrastruktur gelangten die Bonner Demokraten jedoch nun mit Macht. Neben dem Demokratischen Verein entstand ein Handwerkerbildungsverein; die »Bonner«, später »Neue Bonner Zeitung« mit dem Beiblatt für soziale Fragen »Spartacus«, erschien ab Mai 1848. Mittelpunkt all dieser Aktivitäten war Gottfried Kinkel, unterstützt von seinen Schülern wie Carl Schurz und Bonner Handwerkern wie Friedrich Kamm und Anselm Ungar. Für ihr Programm, das präzise sozialpolitische Reformvorschläge enthielt, warben sie auch durch Wandervorträge in den umliegenden Dörfern.

Zu einer ersten revolutionären Erhebung kam es im November 1848. Die rechtswidrige Vertagung des preußischen Parlaments durch Friedrich Wilhelm IV. bot den Anlaß zum Aufstand. Am 17. November ließ Kinkel mit Unterstützung der Bürgerwehr die Stadttore besetzen, um die Erhe-

**9 Professor Gottfried Kinkel,
»Abgeordneter für Bonn«**

bung der Steuern zu verhindern. Wenn andere Städte diesem
Beispiel folgten, mußte dies, so glaubte man, zu Staatsbank-
rott und Umsturz führen. Zunächst wurde daher ein Sicher-
heitsausschuß unter Kinkels und Schurz' Leitung gebildet,
der die Kontrolle der Behörden übernahm und damit fak-
tisch die Macht in der Stadt ausübte. Nach vier Tagen been-
dete ein Infanterieregiment diesen Zustand.

Die Berliner Parlamentsauflösung zog Neuwahlen nach
sich, die im Januar 1849 stattfanden. Die Aufklärungskam-
pagnen der Demokraten zeigten jetzt ihre Wirkung. Kinkel
wurde in der Stadt Bonn mit überwältigender Mehrheit gewählt und zog als Abgeordneter in die Zweite Kammer des
preußischen Landtags, wo er sich der »äußersten Linken«

anschloß. In einem hitzigen Rededuell hielt er dem Abgeordneten Otto von Bismarck-Schönhausen entgegen, daß für die Entscheidungsschlacht zwischen Reaktion und Demokratie auf seiner Seite »der Hunger, die Not, das Proletariat und der Zorn des Volkes« in den Kampf geführt werde.

Im Frühjahr 1849 begannen die Kräfte der Revolution zu erlahmen. Schon Ende April 1849 fühlte sich der preußische König stark genug, die Zweite Kammer erneut aufzulösen, um dem Spuk der Republikaner und Demokraten ein Ende zu bereiten. Kinkel kehrte nach Bonn zurück. Bei den dortigen Demokraten herrschte die Meinung vor, durch den bewaffneten Aufstand, der auch in anderen Gegenden ausbrach, könne die Revolution siegreich beendet werden. Am 10. Mai 1849 verließen Kinkel und Schurz Bonn in einem Trupp von 120 Freischärlern. Zunächst sollte das Siegburger Zeughaus erstürmt werden. Mit den dort erbeuteten Waffen wollten die Bonner Demokraten den Aufständischen in Elberfeld zu Hilfe eilen. Das Unternehmen scheiterte jedoch kläglich, da preußisches Militär sofort die Verfolgung aufnahm.

Kinkel und Schurz kämpften schließlich als Soldaten der badischen Revolutionsarmee. Während dieser Zeit übernahm Johanna Kinkel die alleinige Redaktion der »Neuen Bonner Zeitung«. Ende Juni 1849 geriet Kinkel in preußische Gefangenschaft und wurde als »Rädelsführer verhetzter Untertanen« zu lebenslänglicher Haft verurteilt. Nach dem Plan seiner Frau gelang es Carl Schurz 1850 in einem abenteuerlichen Unternehmen, den Lehrer und Freund gewaltsam aus dem Spandauer Zuchthaus zu befreien. Kinkel ging nach London, Schurz später in die Vereinigten Staaten ins Exil. Die in Bonn verbliebenen Demokraten aber waren Verfolgungen durch preußische Polizei ausgesetzt. Sie organisierten sich in den Jahren nach der Revolution zur Tarnung in einem Turnverein, der sich in zwei Lager spaltete, eine sozialistische »Fraktion Kinkel« und eine radikalere »Fraktion Marx«.

Hermann Rösch-Sondermann, 1989

Hitler und Chamberlain
in Godesberg

Der friedliche Badeort Godesberg, der wegen seiner land-schaftlich schönen und gesundheitlich vorteilhaften Lage alljährlich Tausenden und abertausenden Volksgenossen Ausspannung und Erholung gewährt, ist über Nacht in den Mittelpunkt der Weltpolitik gerückt.

[. . .]

Als bekannt wurde, daß die zweite Besprechung mit dem englischen Premier in Bad Godesberg stattfinden werde, begann man sofort mit den Vorbereitungen. Fahnenmasten wurden errichtet, die Häuser wurden, wie das bei jedem Besuch des Führers der Fall ist, mit Grün, Fahnen und Fähnchen geschmückt, und alles, was zu einem festlichen Empfang gehört, wurde hergerichtet. Besonders umfang-reiche Vorbereitungen traf man am und im Rheinhotel Dreesen, das während der Dauer der Besprechung aus-schließlich dem Führer und seiner deutschen Begleitung zur Verfügung steht.

Den Speisesaal im Erdgeschoß nach der Rheinseite zu hat man mit schönen Stilmöbeln und prachtvollen Blumenge-binden versehen und in eine Art Wandelhalle umgestaltet. An den zahlreichen Masten vor dem Hause wehen die deut-schen und die englischen Nationalflaggen, auch die vordere und hintere Giebelseite des Hauses ziert reicher Flaggen-schmuck in den deutschen und englischen Farben. Am Rheinufer, dicht vor dem Hotel, bauten an den letzten bei-den Tagen Arbeiter und Techniker eine besondere *Lande-brücke* für das Boot, das den britischen Ministerpräsidenten

49

10 Das Rheinhotel Dreesen, Bad Godesberg

und seine Mitarbeiter von *Königswinter* nach Bad Godesberg und wieder zurückbringen wird. All diese Vorbereitungen verfolgte in den vergangenen Tagen eine große Zahl
von Schaulustigen, die gestern und vorgestern das Hotel
von morgens bis abends ständig umlagerte.

Wir hatten Gelegenheit, die Appartements des Führers
im ersten Stockwerk des Hotels zu besichtigen [. . .]. Alle
Räume sind geschmackvoll, schlicht und zweckentspre-
chend eingerichtet, wie es dem Leben und Wesen des Führers entspricht. Unmittelbar neben dem Schlafzimmer befindet sich das *Arbeitszimmer* des Führers, in dem sich ein
kleiner einfacher Arbeitstisch befindet. An diesen Raum
grenzt das *Konferenzzimmer*, in dem heute und morgen die
Besprechungen zwischen den beiden Staatsmännern und
ihren Begleitern stattfinden werden.

Rudolf *Heß* und Reichsminister *Darré* haben hier die
Schulbank »gedrückt«, auf dem damaligen Pädagogium,
an dem der heutige Reichsorganisationsleiter Dr. *Ley* Unterricht in Naturkunde gab.

Als später Adolf *Hitler* durch die deutschen Lande reiste,
wurde er von den heutigen Reichsministern Heß und

Darré auch nach Bad Godesberg geführt. Obwohl damals von vielen verfemt, fand der Führer im Rheinhotel Dreesen auch in den Jahren seiner schwersten Kämpfe gastliche Aufnahme. Hier, inmitten einer herrlichen Landschaft, ruhte er aus, faßte er Pläne und hatte er manche Zusammenkunft mit der immer größer werdenden Schar seiner Getreuen.

Diese Stunden in Bad Godesberg hat Adolf Hitler nie vergessen, auch dann nicht, als ihn das deutsche Volk zu seinem Führer wählte. Weit *über siebzigmal* ist Adolf Hitler inzwischen in Bad Godesberg gewesen. Neben dem Obersalzberg ist Godesberg dem Führer zum *zweiten Lieblingsaufenthaltsort* geworden.

Aber nicht allein das ist der Grund, warum Bad Godesberg als Stätte der heutigen Zusammenkunft gewählt wurde. Die Villen- und Gartenstadt liegt für den jetzigen Zweck besonders verkehrsgünstig, da Ministerpräsident *Chamberlain* und seine Mitarbeiter zum Rhein eine wesentlich kürzere Anfahrt haben als zum Obersalzberg. Die englischen Regierungsvertreter werden heute morgen 10 Uhr von London nach Köln fliegen und von dort im Kraftwagen zum Petersberg fahren, wo sie während der Dauer ihres Aufenthalts wohnen werden.

Zeitungsbericht, 1938

Der 10. November 1938 in Bonn

Bonn, 10. November 1938. Professorengattin Marie von Kahle erinnert sich Jahre später im Londoner Exil: »Von der Rheinbrücke sahen wir die alte Synagoge brennen. Nichts wurde gerettet, kein Tropfen Wasser wurde zum Löschen benutzt... Ein Mann neben mir sprach zu sich selbst: ›Vater vergib, denn sie wissen nicht, was sie tun!‹«

Zumindest wußten an diesem Tage einige Dutzend

SA-Männer, was sie zu tun hatten. »Spontan« wurden nach Bekanntgabe des Todes des deutschen Diplomaten Ernst vom Rath in Paris an die Synagogen in Bonn Benzinfässer hingerollt und angezündet. Polizisten in grauen Uniformen standen tatenlos daneben, die Feuerwehr ebenso, sie hatte nur darauf zu achten, daß die umliegenden Häuser kein Feuer fingen. Passanten wurden von den »Ordnungshütern« daran gehindert, unmittelbar an den Ort des Geschehens zu gehen.

Zugleich wurden zahlreiche jüdische Geschäfte Opfer des »gerechten Volkszorns«. Fensterscheiben wurden eingeschlagen, Türen mit Äxten bearbeitet, Gegenstände auf die Straßen geworfen. So geschehen beim Goldwarengeschäft Satorski am Hauptbahnhof, beim Maßwarengeschäft Wacker oder bei der Bügelanstalt »Bügelfix« in der Sternstraße. Penibel, wie die Bürokratie stets arbeitet, wurden von der Polizei einen Tag später Listen mit den beschädigten Geschäften angelegt und mit lakonischen Randbemerkungen versehen: »... zertrümmert, beschädigt, ausgebrannt...«. Unter die letztgenannte Rubrik fällt die alte Synagoge am Rheinufer: »Synagoge mit Rabbinerwohnung – ausgebrannt«.

Die nüchterne Statistik berichtet in Bonn von 27 Zerstörungen. Die ausgebrannten Synagogen am Rheinufer, in Poppelsdorf (Jagdweg/Bennauer Straße), Beuel (Wilhelmstraße), Godesberg (Oststraße) sowie Mehlem (Meckenheimer Straße) sind dabei nicht berücksichtigt. Der Sachschaden wies insgesamt einen sechsstelligen Betrag an Reichsmark aus, zusätzlich entstanden Aufräumungskosten in Höhe von 41 500 Reichsmark. Die jüdischen Opfer mußten dafür aufkommen, außerdem verfielen ihre Versicherungsansprüche ans Reich.

Die SA (Sturmabteilung) hatte bewußt ihre Stoßtrupps mit Auswärtigen durchsetzt. So nahmen Aachener SA-Leute am Bonner Programm teil, wahrscheinlich aber auch

11 Die Bonner Synagoge an der Tempelstraße (vorher Judengasse), 1879 eingeweiht, 1938 zerstört

viele SA-Männer aus Küdinghoven. Bonner Nazis (so der Dekan der Philosophischen Fakultät, Professor Justus Obenauer, Mitglied der SS) rühmten sich im nachhinein, mit »Hand angelegt zu haben«. Diese Bemerkung trug ihm von dem schon oben erwähnten Professor Paul Kahle die Bemerkung ein: »Ich verachte Sie!«

Viele jüdische Bürger wurden in der Nacht noch verhaftet. Marie von Kahle weiß von einer Zusammenkunft von Bonner Frauen am nächsten Tag zu berichten, wo jüdische Bürgerinnen bekannten: »›Mein Mann ist gestern ins Gefängnis gebracht worden...‹ ›Meiner erst heute morgen...‹ ›Haben Sie schon gehört? Dr. Samuel ist auch im

Gefängnis. Es heißt, sie sind alle im Gestapo-Gefängnis, nicht in dem gewöhnlichen.‹« Zumeist wurden sie in Kölner Gestapo-Keller gebracht.

Frau von Kahle und ihr ältester Sohn Wilhelm gerieten am 15. November in die lokale Schlagzeile des »Westdeutschen Beobachters«, als sie in der Kaiserstraße 22 der jüdischen Geschäftsfrau Goldstein beim Aufräumen ihres Geschäftes mithalfen: »Das ist Verrat am Volke, Frau Kahle und ihr Sohn halfen der Jüdin Goldstein bei Aufräumungsarbeiten.« In der Kaiserstraße hing später ein Plakat: »Frau Kahle und Ihr Sohn nennen sich Bürger von Bonn; wie lange wird das noch erlaubt sein?«

Diese im Nazi-Jargon bezeichnete »Reichskristallnacht« war erst der Auftakt zur systematischen Verfolgung und zum späteren Holocaust. Das Schicksal der Bonner in dürren Zahlen: Ab Mitte 1941 mußten alle Bonner Juden (1933 bekannten sich 1 500 Bürger zum Judentum) in das Kloster der Benediktinerinnen in Endenich ziehen. Die Nonnen wurden von der Gestapo unmittelbar davor aus dem Kloster verjagt. Durch dieses Kloster mußten 474 verschleppte jüdische Bürger aus Bonn und Umgebung gehen. Von hier aus ging es weiter über Zwischenlager in Köln nach Auschwitz, Theresienstadt und Litzmannstadt (Lodz). Nur von sieben Bürgern ist bekannt, daß sie den Faschismus überlebt haben.

Bernward Althoff, 1988

Die Bombardierung Bonns

19. Oktober 1944

[...] Nachdem ich in letzter Zeit des öfteren von verschiedenen Seiten gefragt worden war, ob es wahr sei, daß die Stadt Bonn als Lazarettstadt oder als Rote Kreuz-Stadt verschont bleiben würde, ereilte gestern morgen auch die

12 **Das Bonner Rathaus nach der Bombardierung**

altehrwürdige Universitätsstadt – ein über die Grenzen
Deutschlands bekanntes Zentrum des Wissens und der Kultur – ihr Schicksal. Alliierte Bomber erschienen auch über
dieser Stadt in größerer Zahl und verwandelten sie in ca. 25
Minuten in eine Stätte des Grauens. Gegen Abend begab
ich mich nach Bonn, wo noch große Brände wüteten und
die Nacht hell erleuchteten. Die ganze Nacht über dauerten
die Brände noch an, und noch heute, Donnerstag, brannte
es an allen Ecken. Von Godesberg kommend, konnte ich
feststellen, daß nur der südliche Teil von Bonn beinahe un-
versehrt geblieben war. Einige hundert Meter weiter aber
waren bis zur Universität alle Häuser auf beiden Seiten der
Koblenzer Straße, wie die Lesegesellschaft, der Königshof
usw., restlos ausgebrannt. Die Universität selbst wurde
ebenfalls ein Raub der Flammen. Das ganze Zentrum der
Stadt mit dem alten Rathaus, der Marktplatz sowie die
Umgebung des Bahnhofs, ist vollkommen abgebrannt.
Der Bahnhof selbst ist nur teilweise in Brand geraten, und
wie man mir von verschiedenen Seiten sagte, haben die

Bahnanlagen wenig gelitten. Der Verkehr ist selbstverständlich unterbrochen, so daß die Reichsbahn vor außerordentlich schweren Aufgaben steht, um die Zehntausende von Fliegergeschädigten abzutransportieren. Die Bonner Rheinbrücke wurde nicht getroffen, jedoch wurde das gegenüberliegende Städtchen Beuel fast restlos eingeäschert. Der dortige Bahnhof ist vollkommen zertrümmert. Ein zwischen Oberkassel und Beuel stehender Munitionszug flog bei diesem Angriff in die Luft. [...]
Wie mir von zuständiger Stelle berichtet wurde, sind Phosphorkanister, die die Amerikaner auf Bonn warfen, als deutsch erkannt worden, die wahrscheinlich aus deutschen Armeebeständen in Frankreich stammen, wo sie nicht vernichtet werden konnten. Da auch die Bonner Kliniken schwer getroffen worden sind, wurden die Kranken zum Teil nach Godesberg, Königswinter, Honnef, Rhöndorf usw. evakuiert. Die Krankenhäuser sind hier jetzt derart überfüllt, und die Ärzte können einfach nicht mehr alle notwendigen Operationen vornehmen. [...]

P.S. vom 21. Oktober 1944
  Vorgestern begab ich mich wieder nach Bonn, um den Umfang der Schäden nach Möglichkeit festzustellen. Die Altstadt ist sehr schwer getroffen worden, und außer der Universität sind eine große Zahl öffentlicher Gebäude getroffen. Fast alle Krankenhäuser wurden beschädigt. Trotzdem ich diese Bilder der Zerstörung durch die vielen Angriffe auf Köln gewohnt bin, ist das Bild von Bonn doch entsetzlich. Es ist einfach unglaublich, daß solche Zerstörungen innerhalb so kurzer Zeit von einer knapp ½ Stunde angerichtet werden können, die Milliarden von Werten vernichten. Die Zahl der Opfer muß außerordentlich groß sein, denn die Bonner waren der festen Überzeugung, daß ihre Stadt verschont würde, und niemand dachte daran, Schutz aufzusuchen. Nicht unerwähnt möchte ich lassen,

13 Das am 18. 10. 1944 zerstörte Universitäts-Hauptgebäude
und die Straße »Am Hof«

daß die Bonner Bevölkerung nunmehr der festen Überzeugung ist, daß ihre Stadt nächstens wieder angegriffen wird, hat doch der erste Angriff wenig militärische und kriegswichtige Ziele getroffen. Der Bahnhof ist, wie bereits erwähnt, wohl getroffen worden, jedoch ist der Verkehr nicht unterbrochen, und die Züge verkehren bis zu den Vororten von Köln. *Franz-Rudolf von Weiss, 1944*

Ortsbeschreibung

Markt und Straßen

Die Stadt ist nicht sonderlich groß, aber nach Verhältnis sehr volkreich, wie die in den abgelegensten Straßen stehenden Häuser anzeigen, welche bis zu den Dachgipfeln hinaus bewohnet sind; und obschon die Zahl der Häuser noch lang nicht an tausend kömmt; so rechnet man doch die Summe der Inwohner gegen 11- bis 12000, worunter allein über 900 Handwerksmeister gezählet werden. Ein großer Teil der Inwohner bestehet aus Leuten, welche zum Hofe des Fürsten gehören, wovon der Krämer und der Handwerker, weil kein auswärtiger Handel da ist, ihre Nahrung ziehen.

Die Straßen sind nicht regelmäßig, zu schmal, und die Reinigung derselben nicht sorgsam; das Pflaster ist schlecht, die Beleuchtung im Winter elendig, der Häuserbau im Durchschnitte mehr mittelmäßig als schön; – der Bahnbezirk um die Stadt kontrovers – und doch hat die Stadt – Schulden.

Die öffentlichen Promenaden in der Stadt sind nicht zu rechnen, und wo sie sind, da sind sie so eng und eingeschlossen, daß man nicht einmal Atem schöpfen kann: dieser Fehler wird aber durch die schönen und häufigen Spaziergänge und Plätze um die Stadt sehr hinlänglich ersetzet.

[...]

Das *Rathaus* ist ein ansehnlicher mit einer doppelten Steintreppe im modernen Geschmacke aufgeführter Bau, der im Jahre 1737 errichtet wurde, und den zwar nicht regelmäßigen aber doch gefälligen muntern *Marktplatz* im Hintergrunde schließet. Gut fällt dies Gebäude ins Auge, wenn man aus der einem Trichter ähnlichen Straße vom Sternentore herkömmt. Ich konnte beim nahen Anblicke nicht begreifen, was die zween Satyre, die elend neben der

14 Remigiusstraße

Uhr angebracht sind und Meerkatzen ähnlich sehen, für einen Bezug auf das Rathaus hätten.

Im untern Stocke ist die Hauptwache; gleich daran zur Rechten ein Tor, das zu den öffentlichen Fleischhallen führet. – Eine wahre Wohltat für diese Stadt, daß die Polizei sich diese Veranstaltung zum Augenmerk machte, und den schädlichen ekelhaften Geruch dadurch im allgemeinen hinwegschaffte, der nicht allein dem Nachbar, sondern einem jeden Vorübergehenden im Sommer empfindlich sein mußte. – Die auf dem Markte stehende *Pyramide* mit einem Brunnen, welche die Bürgerschaft im Jahre 1777 dem Kurfürsten *Max Friedrich* noch bei dessen Lebzeiten setzte, tut in einer kleinen Entfernung eine gute Wirkung. Schade, daß sie durch zu viele Schnirkel, Vergoldung und noch mehr durch die jämmerliche Inschrift so verhunzet ist. Ich hätte bei dem ersten Anblicke, da ich die deutschen Verse las, die springenden Wasserröhre herumdrehen mögen, um das überhäufte elende Geschmier auszulöschen, das dieses Denkmal eines so würdigen Fürsten so verunzieret. – Ich mag die deutschen Verse nicht hierher setzen.

Der *Vierecksplatz* ist ein schöner regelmäßiger Platz, mit ansehnlichen Gebäuden umschlossen; aber nicht belebet, oft menschenleer, tot.

Das *hohe Bollwerk* am *Rhein*, oder der sogenannte *alte Zoll*, verdienet der überaus reizenden Aussicht wegen, so man von da auf den Fluß, nach dem Siebengebirge und der ganzen übrigen entzückenden Gegend hat, berühret zu werden. Ehedem stand hier eine Schildwache und einige Kanonen, welche bei Feierlichkeiten und der Ankunft hoher Gäste gelöset wurden. Ein Lusthäuschen mit einem kleinen engländischen Garten verschönern nun zum allgemeinen Genusse den zwar kleinen, aber doch angenehmen Platz. *Joseph Gregor Lang, 1790*

»... alle Sehenswürdigkeiten
der Stadt...«

Mein fünfzehnter Geburtstag fiel im Jahre 1924 zusammen mit dem Erntedankfest. Zwei Wochen vorher durfte ich zum erstenmal mit meinem Vater in die Stadt. Auch wir benutzten den »Feurigen Elias«, und zwar die zweite oder Polsterklasse genannt, und fuhren bis mitten in die Stadt, auf den Friedensplatz.

Ich hatte wohl gewußt, daß es lebhaft in einer Stadt zugeht, gesehen hatte ich es noch nie. Es machte mir etwas Angst, die Straßen erschienen mir wie Schluchten, und vom Lärm bekam ich Ohrensausen, daß mir ganz schwindelig wurde.

»So hast du es dir nicht vorgestellt, was, Albert?« lachte mein Vater. Seine Lippen glänzten feucht unter dem dichten blonden Schnurrbart. Meine Mutter hatte ihm am Abend zuvor das Haar gewaschen und geschnitten, es schimmerte wie frischer Weizen.

Da es noch fast sommerlich warm an diesem Tag war, führte mein Vater mich zuerst zu der Kaiserhalle, von der ich schon viel gehört hatte. Sie war so zu Ehren Kaiser Wilhelms des II. benannt, an dessen Besuch im Jahre 1906 sich mein Vater noch sehr genau erinnern konnte. Im Schatten der Kastanien saßen dort elegant gekleidete Damen und Herren, und ich sah viele Studenten mit bunten Mützen und Bändern quer über der Brust. Mir fiel auf, daß viele der Herrschaften andauernd nach allen Seiten grüßten und lächelten und sogar auch winkten, und ich hatte den Eindruck, daß sie weniger dort saßen, den grüngoldenen Schatten der Kastanien zu genießen, denn zu sehen und gesehen zu werden.

Ich bekam das erste Glas Moselwein meines Lebens, und mein Vater sagte augenzwinkernd: »Aber verrate es der Mutter nicht.«

15 Der »Feurige Elias«, die Bahnverbindung ins Vorgebirge und nach Köln, auf dem Friedensplatz bei seiner letzten Fahrt am 30. Juni 1929

Der Wein stieg mir rasch zu Kopf. Ich lachte und deutete aufgeregt auf zwei Automobile, das eine rotgelb, das andere rotschwarz, beide offen, man nannte sie Roadster, die sich auf dem Kaiserplatz ein Wettrennen lieferten.

Ich erregte wohl Aufmerksamkeit, denn mein Vater sagte: »Schscht, nicht so laut, Albert . . .«

Wenig später, wir hatten uns nun nach der langen Bahnfahrt erfrischt, führte mein Vater mich zum Herrenschneider. Sein Salon befand sich im ersten Stock eines ochsenblutroten stuckverzierten Hauses in der Poststraße. Eine breite Treppe, mit einem roten Velourläufer belegt, welcher wiederum mit blanken Messingstangen in den Stufenkerben gehalten wurde, führte direkt in einen halbrunden Empfangsraum; hier standen eindrucksvolle Palmen und niedrige, mit grünem Velour überzogene Fauteuils. Dahinter befanden sich das Tuchlager sowie ein Spiegelkabinett, in dem die Anproben vorgenommen wurden. Von dort aus führte eine schmale Tür in die eigentliche Schneiderwerkstatt, aus der es stets nach heißem Bügeldampf roch. Der Schneider hieß van der Post, und er sprach ein holpriges Deutsch. Er war ein kleiner Mann mit vorstehenden, kurzsichtigen Augen. Mit den dicken Ballen der Tuche, die auf den Regalen lagen, ging er um wie ein Jongleur, den ich einmal auf der Kirmes in Pützchen gesehen hatte. Mich beeindruckte das beim erstenmal alles sehr, besonders als mein Vater mit Goldstücken zahlte.

»Etwas Gutes soll's sein, natürlich, für den jungen Herrn Albert. Für den einzigen Erben des Frankenhofes.« Er nahm meine Maße, mein Vater suchte ein dunkelblaues Aachener Tuch aus, fest und doch weich.

»Eine ausgezeichnete Qualität«, sagte van der Post, »Sie haben eine gute Wahl getroffen. Und wie schaut es zu Hause aus, Herr Franken? Alles gesund und munter?«

»Danke der Nachfrage«, sagte mein Vater. »Wir sind gesund.«

Gleich nebenan war ein Hemdenschneider, mein Vater wählte sechs Hemden aus; irisches Leinen mußte es sein. Schuhe wurden mir in der Remigiusstraße angemessen. Obwohl es auch damals schon eine gute Auswahl in Konfektion gab, hielten meine Eltern nichts davon. »Jeder Mensch ist anders gebaut, wie soll ihm da was Vorgefertigtes passen?« pflegte mein Vater zu sagen.

Die Lieferanten versprachen, alles pünktlich am Tag vor meinem Geburtstag nach Eschbach zu senden. Von der Bahnstation würden wir es dann selbst abholen.

Mein Vater war an diesem Tag sehr guter Laune; es schien ihm Spaß zu machen, mich einzukleiden, obwohl mir all diese Geldausgaben ungeheuerlich erschienen.

Er mietete sogar eine Pferdedroschke vor dem Bahnhof, der von der gleichen Ochsenblutfarbe wie das Haus des Herrenschneiders war – und ließ uns alle Sehenswürdigkeiten der Stadt von dem Kutscher erklären.

Der arme Mann bemühte sich, hochdeutsch zu sprechen, was sehr drollig klang, so zum Beispiel wurde aus dem Botanischen Garten der »Botanige«. Wir bewunderten die exotischen Bäume und trabten rund um die Poppelsdorfer Allee, vorbei an dem gelbleuchtenden Schloß, in dem einst der Kurfürst residiert hatte.

Der Kutscher zeigte uns den Hofgarten und die Universität und die prachtvolle Koblenzer Straße bis hinauf zum Museum König und dem Palais Schaumburg, später auch Zoubkoff-Villa genannt.

Aber ich muß gestehen, viel lieber noch wäre ich mit der Straßenbahn gefahren, auf deren offenen Perrons sich lachende junge Studenten und einige französische Soldaten drängten.

»Wo kann man denn gutbürgerlich speisen?« fragte mein Vater, als wir unsere Rundfahrt auf dem Münsterplatz beenden wollten.

»Em blodije Knoche«, war die Antwort.

Mein Vater lachte und hieß den Kutscher dort in der Bahnhofstraße halten.

Ich durfte Rievköjelsche essen, mein Vater wählte für sich Himmel un Äd mit Bloodwoosch, beides rheinische Spezialitäten, die nun für immer mit zu meinen Lieblingsspeisen gehören sollten.

Von unserer Rückfahrt nach Eschbach weiß ich nicht mehr viel, denn all die neuen Eindrücke in der Stadt ließen mich bald in Schlaf fallen.

Alexandra Cordes, 1974

16 Der Marktplatz mit dem »Alten Rathaus«, links daneben das »Gasthaus zur Blomen«, anschließend das »Stern-Hotel«

Marktszene

Der große Platz war ganz bedeckt von den langen geregelten Reihen der Bäuerinnen, die mit weißen oder bunten Kopftüchern vor ihren Obst- und Gemüsekörben standen. In aller Frühe kamen sie an, auf Karren oder zu Fuß, immer aber lärmreich, rufend, mit Gelächter, ohne jede Rücksicht auf den Schlaf der Stadtleute. Waren sie zu Fuß, trugen sie kleine feste Kissen auf dem Kopf und auf den Kissen schwere Körbe, die sie stundenweit balancierten, während sie an den Armen noch zwei und mehr Körbe hängen hatten. Unermüdlich standen sie bis zum Mittag vor ihrer Ware. Im Winter schoben sie kleine Öfen unter ihre Röcke. Was für ein starkes, frohes Geschlecht! Und von welcher Redegewandtheit!

Meine Mutter kannten sie alle, wie meine Mutter eine jede von ihnen. Der Einkauf ging so vonstatten:

»Jode Morje, Madame!«

»Jode Morje!«

»Wie jeht et, Madame? Immer jod? Schön Wedder heut! Wat es met enem frische Kopfsalat? Lurt ens här!«

Meine Mutter nahm einen Kopf in die Hand, drehte ihn um, befühlte ihn zögernd.

»Wat? Is dat nit ene schöne Salat? Om janze Maat find Ihr keene schönere.«

»Klein.«

»Wat? Klein?«

Nun hob es an wie bei Homer. Beteuerungen, Verwünschungen, Anrufe des Himmels. Andere Bäuerinnen mischten sich ein, unter Zurufen und Gelächter.

Niemand nahm, entgegen dem Anschein, diese Szenen ernst. Alle diese rheinischen aufgeweckten Frauen hatten vielmehr ihre Lust an dieser Art Theaterspiel. Vielleicht lebte in ihrem Blut noch altrömische komödienfreudige Tradition.

Doch meine Mutter ließ sich durch keine Beschwörungen beirren. Sie blieb vollkommen ruhig, ein wenig spöttisch, ging von Korb zu Korb, bis sie den Markt durchgegangen war und einen Überblick hatte. Dann kaufte sie da, wo es am besten und wohlfeilsten war.

Aber wieviel Kunst gehörte dazu, doch mit allen diesen Frauen so gut Freund zu bleiben, wie sie es war. Zumal darunter viele waren, die im elterlichen Laden kauften und nicht gekränkt werden durften.

Wenn ich später ein Jahr von meiner Vaterstadt fort gewesen war und wieder einmal, obwohl schon halb erwachsen, mit meiner Mutter über den Markt ging, erschollen auch für mich die Begrüßungsworte von allen Seiten, zugleich mit den Ausrufen der Bewunderung, wie groß ich geworden sei. *Wilhelm Schmidtbonn, 1935*

Körperliches und seelisches Wohlergehn

Im Hotel, in dem ich wohne, werde ich die ganze Zeit während meines Aufenthalts in Bonn bleiben, weil ich dort sehr höfliche Leute angetroffen habe, die mir das Leben nicht teurer machen als in Rom. Ich zahle für Schlafen und Essen nur vier Mark am Tag, das Licht am Abend inklusive, aber die Getränke sind nicht enthalten, die man je nach Konsum bezahlt. Ich nehme jeden Morgen Kaffee mit Milch in großer Menge, mit Brot und Butter. Um halb zehn geben sie mir ein belegtes Brötchen, um zwölf, zum Mittagessen, eine Brühe oder eine (sehr köstliche) Suppe, ein schönes Stück gekochtes Fleisch mit reichlich Beilage, einen Zwischengang, Obst, Nachtisch und Kaffee. Um vier, umsonst, entweder ein Bier, einen Kaffee oder ein belegtes Brötchen. Später um sechs zum Abendessen ein Fleischgericht oder Fisch, einen Salat, etwas Käse

71

17 Der Münsterplatz und die Münster-Basilika

und Obst. Ein Glas Rheinwein kostet 25 Pf. und ein Glas
Bier 15 Pf. Ich gebe also außer den vier Mark nur – je nach
Bedarf – dreißig oder fünfzig Pfennig am Tag für Getränke
aus und nie mehr.

Ich kann die Deutschen, die Deutsch sprechen, gut verstehen; aber die Bewohner Bonns nicht, die ihren rheinischen Dialekt sprechen. Freunde habe ich schon viele, aber
ich halte sie in einer gewissen Distanz, da ich vor allem die
Einsamkeit, meine traurige Braut, liebe. Am angenehm-
sten ist mir ein Engländer, ein gewisser William Henry
Madden, der bemitleidenswert Italienisch stottert, aber seit
fünf Tagen mein Englisch-Lehrer ist, so wie ich sein Italie-
nisch-Lehrer bin. Förster, Professor für romanische Philologie, dem ich ein sehr schmeichelndes Empfehlungs-
schreiben von Prof. Monaci aus Rom mitbrachte, hat mich
verliebt aufgenommen, ich sage zu Recht »verliebt«, weil
er wirklich in Italien verliebt ist, so daß der Arme, wenn er
spricht, beinahe kein Deutscher mehr zu sein scheint.

Von Bonn habe ich Euch, glaube ich, schon erzählt; es ist
eine sehr schöne Stadt und zählt fast fünfzigtausend Ein-

wohner, einundfünfzigtausend sind fanatisch katholisch. Die Stadt besitzt das reichste zoologische Museum, das ich bis jetzt gesehen habe, und all ihre Gebäude sind in ihrer Anmut entzückend.

Ich kann Euch aber sonst nicht viel Wissenswertes erzählen, weil ich fast den ganzen Tag (ausgenommen zu den Mahlzeiten und während der Unterrichtsstunden, die ich gerne an der Universität besuche) in der Kuppel der Kathedrale (Münster) verbringe, die gerade gegenüber meinem Hotel steht. Dieser neue Aufenthaltsort soll Euch nicht seltsam vorkommen. In diesen Tagen ist ein Italiener aus Venedig in Bonn, ein gewisser Giovanni Sambo, Mosaikenleger, der extra aus unserem Land gerufen wurde, um die Kuppel dieser Kathedrale auszugestalten. Er arbeitet seit zwei Monaten daran und wird noch zwei Monate damit beschäftigt sein. Ich klettere täglich mit ein oder zwei Büchern zu ihm auf das Gerüst und lerne, beobachtet von den Engeln und den Heiligen, die mein geduldiger Freund zusammenstellt.

Ich schreibe Euch diesen Brief aus der Kuppel, während Jesus Christus, auf dem Regenbogen sitzend, mit einer riesigen Nase versehen wird. Ich küsse Euch mit großer Zuneigung   Euer Luigi

Luigi Pirandello, 1889

»Bonn. Gruß an Beethoven«

Eines Tages fuhr ich nach der Stadt Bonn.

Sie hat nach Buchs und Blüten geduftet; ich kann den Abend nicht vergessen. Bonns Schönheit liegt heute nicht am Rhein, sondern in lieben Straßen und im Hofgarten – und im Duft. (Es ist ein Duft, so frisch und süß, wie die großherzige Nachbarschaft eines reichen Stroms mit fern verschimmerndem Gebirg' es wunderhold schenken kann.)

Als ich die Sachen untergebracht (und aus dem Garten des altköniglichen Gasthofs stieg abermals ein frischer Duft in meine Fenster), ging ich, es war gegen zehn Uhr abends, vor Beethovens Haus. Ich sah im schwindenden Licht ein paar Nachbarhäuser, die er noch gesehn; und eine Barockzeitkirche, auf die sein Blick auch gefallen ist, – und das Haustor, durch das er schritt. Und bei allem, was ich nachher sah, beim kleinen Rathaus und bei dem länglichen Schloß am abendlichen Garten, sprach ich: das hat er gesehn.

II.

Gegen elf saß ich, in einem versteckten Winkel des Marktes, in einem halb bäurischen Gasthaus mit der Aufschrift »Zur Blomen«. Es ist eine alte Volksbierstube, sie verschenken dort das »Kölske«. Es schmeckt bittrer als das münsterländer Gelbgegorene. Es erinnert an Ale, kostet einen Groschen für das Glas und steigt ziemlich zu Kopfe. Wenn die verwöhnten Menschen an meinem Wohnsitz vorgeredet bekämen, dieses Bier sei ein neu erfundener Leckerschluck, sie würden es fuderweis trinken.

Das »Kölske« steht jedoch hinter dem münsterländer

18 Beethovenhaus in der Bonngasse

19 Beethovens Geburtszimmer

»Altbier« zurück. (Dieser Westfalen-Volkstrank ist ein Gipfel an Vielfältigkeit im Geschmack. Für mich was Haftendes auf dem Felde der Kehlenwanderung. Es schmeckt wie ein Gemisch von Lichtenhainer, Gose, stout.)

Auf jeden Fall saß ich in der »Blomen«, trank, rauchte, sog den Frühlingsabendduft, der vom Markt in den halboffenen Raum floß – und sah das Hand-in-Hand-Sitzen schlicht rheinischer Paare nicht ohne Wallungen der eignen Brust.

Als die mir zu lyrisch wurden, aß ich ein Schwarzbrot mit Edamer Käse.

[...]

VI.

Am Morgen war ich wieder in der Gasse gewesen, Bonngasse heißt sie, wo das Haus steht. Ich ging mit der Kastellansfrau dort herum – wo er geboren worden ist.

Ein Zimmerchen, so klein wie ein Verschlag, und man stößt mit der Hand an die Decke. Man denkt, es ist ein Aufenthalt für Hühner. Hier hat ihn seine Mutter zur Welt gebracht – eines Lakaien junge Witwe, die darauf einen trunksüchtigen Musikus nahm.

Durch alle Räume ging ich, wo man vieles von seinem Erdenwallen zusammengetragen hat. Auch sein Flügel steht noch da. Fortwährend kämpft man mit irgend etwas Unbestimmtem. Denn an das Leid, an den Sturm, an die Tiefe seines Lebens mahnt alles.

Ich sage zu der schon älteren Frau, die mit mir durch die Stille geht: »Sind Sie Schlesierin?« – »Ja; aus Görlitz.« Sie spricht leise; wie wenn er gestern gestorben wär' – und nebenan läge. So gedämpft bleibt der Ton... weil er da ist. Man spricht wie in einem Trauerhause. Wie im Haus eines einzigen und einmaligen Sohns dieser Erde. Die Frau bleibt an einem Fenster und sieht ins Licht, so daß man allein vorwärts geht. Die Tränen fließen. *Alfred Kerr, 1920*

»Die Bonner Judengasse«

Ein anderer beachtenswerter Rest der Vergangenheit Bonns war die Judengasse, später Tempelstraße genannt, das frühere Ghetto; sie öffnete sich zum Rheinwerft und neigte sich ziemlich steil zu diesem hin, von ihm früher, d. h. vor meiner Zeit, durch die Stadtmauer abgeschlossen. Der untere Teil war den Überschwemmungen ausgesetzt. In meiner Jugend wohnten dort noch einige jüdische Familien in hohen Giebelhäusern. Dort befand sich auch die nach der Katastrophe von 1689 neu erbaute Synagoge, von der Straße unsichtbar hinter einem alten Haus, rings von hohen Hausmauern umgeben, so daß kein Sonnenstrahl durch die hohen Fenster drang. Ein feuchter Modergeruch umgab das Gebäude, zu dem man einige Steinstufen hinabsteigen mußte. Es war ein etwa quadratischer Zentralbau, mit Verwendung von viel Holz errichtet, mit einer fensterreichen Kuppel in der Mitte, durch die das Tageslicht einfiel und

20 Die Judengasse. Im Giebelhaus links
wurde 1812 der Sozialist und Zionist
Moses Hess geboren.

von der ein Kronleuchter herabhing. Eine große steinerne,
von Eisengeländer eingefaßte Empore (Almemor) war in
der Mitte, eine baufällig erscheinende Frauentribüne in
Stockwerkshöhe an der dem heiligen Schrein gegenüber
liegenden Wand. Die reich gestickten seidenen und samme-
tenen Vorhänge des Schreines und die ähnlichen Umhül-
lungen der Thorarollen erschienen dem Knaben überaus
prächtig, ganz besonders aber die alten silbernen und z. T.
vergoldeten Kronen und Schilder der altehrwürdigen Per-
gamentrollen. Die Gemeindemitglieder, hinter (ursprüng-
lich) weiß gestrichenen Pulten stehend oder sitzend, betru-

gen sich ziemlich laut und undiszipliniert. Orgel und Predigt gab es noch nicht (der Rabbiner war uralt), dagegen hatte der Vorbeter (Chasen) namens Josef Abraham eine wunderbare Stimme, die ihm auch am Versöhnungstage nicht versagte, obwohl er den ganzen Gottesdienst dieses langen Tages ohne Ablösung vortrug. Er war auch ein geschätztes Mitglied des »Bonner Männergesangvereins« und übte außerdem den Beruf eines Klempners aus; meine Mutter ließ von ihm ihre Blechbüchsen mit eingemachten Gemüsen und Obst zulöten. (Damals mußte jede Haushaltung ihr Eingemachtes selbst herstellen, auch gab es noch keine »Weck«-Vorrichtung.) – Nachdem die neue Synagoge (1879), an der Ecke der Tempelstraße gegen die Rheinfront erbaut, zugleich ein Rabbiner bestellt und der Gottesdienst einigermaßen reformiert war, wurde die alte Synagoge abgerissen; dasselbe geschah um die Jahrhundertwende mit dem daneben befindlichen alten Gemeindehaus, das mit meterdicken Mauern und engen steinernen Wendeltreppen augenscheinlich aus dem Mittelalter stammte; statt dessen wurde ein neues stattliches Gemeindehaus errichtet, das ebenso wie die neue Synagoge dem Ereignis vom November 1938 zum Opfer fiel, mitsamt allen Dokumenten, Büchern und liturgischen Geräten.

Alfred Philippson, nach 1942

Der Alte Zoll

Der alte Zoll, ein Name, der von einem Zollhause herrührt, das in früherer Zeit auf dieser ehemaligen »Bastion der Heiligen Drei Könige« stand, ist einer der schönsten Plätze am Rheinstrome, und sechzig Fuß über dessen Spiegel erhaben. Die Aussicht von demselben ist entzückend. »Man vergnügt sich so sehr an dieser Ansicht, äußerte Goethe, daß man sich eines Versuches, sie mit Worten zu beschrei-

21 Die Bastion »Alter Zoll«

ben, kaum enthalten kann.« Stromabwärts fällt der Blick
zuerst auf den Hafen, an den sich der schöne Sitz des
Oberbergamtes heranzieht, wobei einesteils aus den zu-
sammengedrängten Gebäuden hauptsächlich noch das
Glockentürmchen der Minoritenkirche und der Giebel der
vormaligen Welschnonnenkirche am nördlichen Ende der
Stadt emporragen, andernteils die Rheinseite derselben, die
Spitze der Gertrudenkapelle, das Rheintor, die Hôtels von
Belderbusch und Metternich, das Belvedere und der Wall
mit der Windmühle (eine Anlage aus späterer Zeit) sichtbar
bleiben. Dann gleitet das Auge schnell auf den glänzenden
Spiegel des Rheines, zu dessen Belebung die fliegende
Brücke, die beinahe allen Verkehr zwischen den beiderseiti-
gen Uferstätten auf sich nimmt, ihre Bogen hin und her
beschreibt, und die Dampfschiffe ihren majestätischen
Aufschwung zur Anlandung nehmen, hinabwärts bis wo
das vortretende jenseitige Ufer den Blick begrenzt.

Kaspar Anton Müller, 1851

Der Rhein als Trost

Eigentlich wäre ich lieber in Bonn geblieben, obwohl die Luft dort feuchter ist. Es ist schon so viel über diese berüchtigte Luft gesagt und geschrieben worden, daß ich mir die Beschreibung ihrer nachteiligen Wirkungen auf das Kreislaufsystem und den menschlichen Schaffensdrang ersparen kann. Ich halte sowieso nicht viel vom menschlichen Schaffensdrang... Ich wäre viel lieber im Rheinland geblieben. Das Rheinland hatte meistens einen sanften, grauen Himmel, einen etwas einschläfernden Himmel, der zum Nichtstun überredete.

[...]

Etwas anderes kam mir zu Hilfe: der Rhein. Die langen Spaziergänge an seinen Ufern gegenüber dem Siebengebirge wurden meine Therapie. Die Kinder liefen vor, neben und hinter mir her, aber sie wurden von den vorbeiziehenden Schleppern und Schiffen abgelenkt und vergaßen, sich wie üblich zu streiten. Oder ich hörte sie einfach nicht mehr. Manchmal versetzten mich das Tuckern der Schlepper, ein feuchtwarmer Wind, die grausilberne, wie ein Fließband sich bewegende Wassermasse in eine Trance... Ich weiß, es gibt immer noch Leute, die Bonn ein provinzielles Nest nennen. Diese Leute haben den Strom nicht gesehen. Sie sind blind für den Strom. Sie wissen nur, daß er verseucht ist und die Fische in ihm sterben. Aber sie sind blind für sein großräumiges Vorüberziehen, für den herrlichen Gleichmut dieses Vorüberziehens, der mehr als jedes hektische Großstadttreiben das eigene Schicksal nicht mehr ganz so wichtig erscheinen läßt.

[...]

Diese Leute wissen auch das Spektakel nicht richtig zu würdigen, wenn der Strom, meist zur Karnevalszeit, bedächtig über die Ufer tritt, an Böschungen, Bänken, Steintreppen, Laternenpfählen leckt und Menschen in ihren Kel-

**22 Rheinhochwasser am Mehlemschen Haus
in Beuel (Februar 1980)**

lern pumpen und lamentieren läßt. Die, deren Keller nicht
vom Wasser bedroht sind, ganze Familien mit Kindern und
Hunden, mit Säuglingen in Tragetaschen, wandern dann
abends bis zu den überfluteten Wiesen und Promenaden
und Straßen. Mit freudiger Erregung in den Gesichtern sehen sie auf die wild gewordene Wasserfläche, aus der die
Kronen der Bäume herausragen, an denen man sonst vor-
beispazierte. Man ist stolz auf seinen Strom, daß er so
mächtig ist, daß er Laternen und Straßenschilder ver-
schlingt, daß er die Feuerwehr in Bewegung bringt, daß das

andere Ufer so ungeheuer fern ist. Man kostet den Ernst der Lage aus, weil man selber nicht betroffen ist. Aus dem Spaziergang wird, da man nun einmal zu so vielen ist, eine Art rheinischer Volksbelustigung. Jeder spricht mit jedem. Man wundert sich, daß keine Würstchenbuden aufgeschlagen werden.

Caroline Muhr, 1974

Villa Hammerschmidt

Die Villa Hammerschmidt, Amtssitz des Bundespräsidenten, kann in diesen Tagen, zumindest inoffiziell, auf ihr 125jähriges Bestehen zurückblicken. 1862/63 stand sie zum ersten Male im Bonner Adreßbuch. Ihre Geschichte beginnt jedoch mit einem weißen Fleck. Weder ist das genaue Baujahr der Villa bekannt, noch existieren in den Archiven irgendwelche Bauunterlagen. Erst 1865 ist als erster Besitzer der Kaufmann Albrecht Troost verbürgt, der wohl auch der Bauherr gewesen ist. Das Anwesen in der damals idyllischen Lage am Rheinufer entwarf der Architekt August Dieckhoff, der zur gleichen Zeit in Bonn mehrere prächtige Universitätsgebäude schuf. 1868 verkaufte Troost die Villa inmitten eines 40000 Quadratmeter großen Parks an den Industriellen Leopold Koenig.

Er ließ die Villa großzügig durch den Bonner Architekten Otto Penner erweitern und gab ihr so das Erscheinungsbild, das im wesentlichen bis heute erhalten ist. Otto Penner verlieh der Villa »italienische Grandezza mit Formen der italienischen Renaissance«, wie das rheinische Denkmalpflegeamt in einer späteren Würdigung schwärmte. Im Volksmund trug der protzige Umbau der Villa dagegen den Namen »Zuckerbäckerschloß« ein. Als Hobbybotaniker legte Koenig auch großen Wert auf die Gestaltung des ausgedehnten Parks. 1899 erwarb der Geheime Kommerzienrat Rudolf Hammerschmidt von seinem Freund Koenig die

23 Villa Hammerschmidt vor dem Umbau (1959).
Bundespräsident Theodor Heuss mißfielen die Türme,
die er entfernen ließ.

Villa zum Preis von 700 000 Goldmark. Unter ihm stieg die Villa schnell zum gesellschaftlichen Mittelpunkt Bonns auf. Nicht nur als Geschäftsmann, sondern auch als feinsinniger Kunstsammler außerordentlich erfolgreich, stattete Hammerschmidt die Villa mit kostbarem Mobiliar und erlesenen Kunstgegenständen aus. Von all den Kostbarkeiten ist heute kaum mehr etwas zu finden. Nach dem Tod Hammerschmidts 1922 gab seine Witwe den großen Prachtbau auf, und seine heillos zerstrittenen Erben zerstreuten das bewegliche Hab und Gut in alle Winde. 1928 wurden die Einrichtungs- und Kunstgegenstände versteigert.

Das Besitztum pachtete ein Jahr später ein Makler, der die Villa in einzelne Mietwohnungen aufteilte. Den Zweiten Weltkrieg überstand der Gebäudekomplex relativ unbeschadet. Nach dem Kriege beschlagnahmten die Alliierten das Haus und gaben es erst 1949 wieder frei. Am 5.

April 1950 erwarb die Bundesrepublik für 700 000 Mark das Gebäude von den Erben Hammerschmidts als Amtssitz für das Staatsoberhaupt. Bei der gründlichen Renovierung wurde weder die Fassade noch die Innenaufteilung wesentlich verändert – auf ausdrücklichen Wunsch des neuen Hausherrn Theodor Heuss, der befand: »Wir müssen sparen.« Allerdings ließ er die »Protzenvilla aus der Gründerzeit« – wie er sich ausdrückte – vom »Zuckerguß« befreien.

Heuss selbst begnügte sich mit einem vier mal vier Meter großen Raum als Arbeitszimmer, das im linken Flügel untergebracht war. Denn trotz des nach außen mächtigen Kolossalbaus beherbergte er innen nur 15 Räume, die überwiegend für Repräsentationszwecke gebraucht wurden. Sein Nachfolger Heinrich Lübke betrachtete die weiße Villa als reinen Arbeitsort. Er zog es vor, privat in seinem Eigenheim auf dem Bonner Venusberg zu leben, wohin er allabendlich zurückkehrte. Anders sein Amtsnachfolger Gustav Heinemann. Er ließ sich die erste Etage der Villa als Wohnung herrichten.

Nach der Wahl Walter Scheels zum Bundespräsidenten zog 1974 erstmals eine Familie mit fünf Mitgliedern in die vornehme Villa, was vor allem einen Umbau der Privaträume erforderlich machte. Für kurze Zeit erwog Scheel sogar, in das Poppelsdorfer Schloß umzuziehen. Aus Kostengründen wurde jedoch der Plan, das von der Universität genutzte Schloß in eine Residenz umzubauen, wieder verworfen. Für 180 000 Mark ließ Scheel schließlich nur die Wege im Park der Villa Hammerschmidt asphaltieren, um Staatsgästen nasse Füße zu ersparen. Die weitläufigen Privaträume der Familie Scheel waren für den nächsten Bundespräsidenten Karl Carstens und seine Frau Veronika nun wiederum viel zu groß, so daß die Hälfte wieder in Repräsentationsräume umgewandelt wurde. Durch Zufall entdeckten die Handwerker dabei eine mit reichen Schnitzereien verzierte Holzdecke, die unter einer nachträglich eingezogenen schlichten Zimmerdecke verborgen war. Ein halbes Jahr schließlich mußte der jetzige Bundespräsident Richard von Weizsäcker auf seinen Einzug warten, da die über 60 Jahre alte, durchgerostete Heizung erneuert werden mußte. Bei dieser Gelegenheit wurde auch das Parkett ausgewechselt und neueste Sicherheits- und Fernmeldetechnik eingebaut. *Zeitungsnotiz, 1987*

»... wie schön könnte Bonn sein ...«

Hauptkommissar Freiberg, der Chef dieses Unternehmens zur Wahrung der Menschenwürde, stieg zu. Lupus ließ den Motor hochdrehen. Am Bundeskanzlerplatz, vor dem Palais Schaumburg, hatte sich der Verkehr verknotet. Adenauers Bronzekopf lächelte über die dahinhastenden Men-

**24 Adenauer-Bronzebüste
von Hubertus von Pilgrim
vor dem Palais Schaumburg**

schen. Der Alte schien sich über jeden Vogel, der seine Stirn traf, und jedes Hündchen, das an seinem Sockel das Bein hob, zu freuen. Dabei war die Lage noch nie so ernst: Freiberg pulte weiße Farbe von seinen Fingern.

Lupus war nach Motzen zumute: »Was haben die Machtwechsler sich damals eigentlich dabei gedacht, dieses Ungetüm von neuem Kanzleramt den Blicken der Menschheit auszusetzen? O Chef, wie schön könnte Bonn sein, wenn es solche Gebäude und unsere Leichen nicht gäbe. Und wie grenzenlos wäre unsere Liebe zu den Politikern.«

Georg R. Kristan, 1987

»Geschichte der Bonner Südstadt«

Offizieller Anlaß für die Entstehung der Bonner Südstadt war eine 1853 erfolgte Anordnung der königlich-preußischen Regierung, Bebauungspläne für die neu entstehenden Stadtteile aufzustellen. Entsprechende Forderungen dieser Seite hatten schon seit den 1830er Jahren bestanden, doch nachdem, einem Bericht eines späteren Stadtbaumeisters zufolge, das Bonner Stadtgebiet um 1815 erst zu zwei Dritteln bebaut war, stellte sich für die Bonner Stadtväter das Problem der Erschließung neuer Wohngebiete in der ersten Hälfte des 19. Jahrhunderts nicht, zumal Bonn kaum von der industriellen Entwicklung betroffen war. Die Stadtverwaltung hatte bewußt und konsequent die Ansiedlung größerer Industriebetriebe in der näheren und weiteren Umgebung verhindert, um den Ruf, den Bonn als ruhige und kultivierte Universitäts- und Rentnerstadt genoß, nicht zu gefährden. Die Wahl Bonns als Sitz des Oberbergamtes (1816), die Gründung der Universität (1818) und der durch die Rheinromantik geförderte Zuzug wohlhabender Rentiers (vornehmlich aus dem Ruhrgebiet) aber führten lediglich zu einem allmählichen Bevölkerungsanstieg.

Die oben erwähnte Anordnung der Regierung vom 28. 7. 1853 veranlaßte schließlich die Stadtverwaltung, einen Plan für eine Stadterweiterung in südwestlicher Richtung auszuarbeiten, weil man sich vor allem in diesem Gebiet eine rasch zunehmende Bautätigkeit erhoffte. Hier hatte zunächst an der Coblenzer Straße (Adenauerallee) im Süden und an der in der kurfürstlichen Zeit angelegten Poppelsdorfer Allee im Südwesten, die zu dieser Zeit »auf einem niedrigen Damme zwischen Aeckern« verlief, ganz behutsam die Errichtung von Villen und Landhäusern begonnen, der dann in den 1840er Jahren eine teilweise Bebauung der Weberstraße folgte.

Das ausgewählte »halbländliche« Gebiet, in dem sich bis in die 80er Jahre neben Gärten und Wiesen auch Kartoffel-, Rüben- und Kohläcker befanden, schien sich aufgrund der wenigen vorhandenen Verkehrswege und seiner spärlichen Bebauung für eine systematische Planung und Erschließung anzubieten. Als Problem erwies sich allerdings die sog. Gumme, ein von Godesberg kommender allmählich zugeschwemmter Rheinarm, der nicht nur erhebliche Niveauunterschiede in dem neuen Wohngebiet verursachte – sie sind bis heute an den häufig sehr viel tiefer liegenden Gärten oder den zweigeschossigen Kelleranlagen zu erkennen –, sondern sich auch insofern störend auswirkte, als er den teilweise kurvigen Verlauf einzelner Straßen veranlaßte, beispielsweise des Bonner Talwegs, der auf dem westlichen Höhenrand der Gumme verlief und von daher auch seinen Namen hat. Neben der Gumme existierten bis in die 70er/80er Jahre des 19. Jahrhunderts noch mehrere Bäche, die, rheinwärts strömend (sie wurden später von Straßen übertunnelt), feuchte Wiesen, Sümpfe und sogar Weiher bildeten. Sie erschwerten nicht nur die Planungen, sondern schufen auch durch ihre Vertiefungen günstige Voraussetzungen für die Ansammlung von Abwässern. Dieses Problem wurde erst 1867 durch den Bau eines Kanals gelöst, der die Abwässer durch einen Tunnel unter dem Hofgarten zum Rhein abfließen ließ.

[...]

Baugeschichte

Statt nach einem übergreifenden Planungskonzept vollzog sich die Bebauung des Gebietes nur etappenweise – beginnend bei den schon bestehenden Straßen und Wegen, wobei die Stadt jeweils für die zu bebauenden Teilstücke Fluchtlinien festlegte und Bauordnungen ausarbeitete. Das Aktenmaterial liefert den Beweis, daß sie infolge von Eingaben häufig nach den Wünschen der Bauherren und Grundstückseigentümer modifiziert wurden.

Zu den Straßen, die neben der schon erwähnten Coblenzer Straße (Adenauerallee) und der Poppelsdorfer Allee schon früh Bebauung aufwiesen, zählen die Kaiser- und die Weberstraße, es folgten in den 70er und 80er Jahren die König- und die Arndtstraße. Allerdings wurden immer nur Teilabschnitte der genannten Straßen bebaut, so wie insgesamt bis in die 80er Jahre die Erschließung des neuen Wohngebietes nur sehr zögernd vor sich ging. Das änderte sich in den 90er Jahren, in denen man einen regelrechten »Bauboom« ausmachen kann: Aus diesem Jahrzehnt datiert nicht nur die überwiegende Anzahl der Südstadthäuser, sondern es entstanden ganze Straßenzüge innerhalb weniger Jahre, so beispielsweise die Bismarck-, Roon-, Hohenzollern- und Goebenstraße. Meist waren es nur wenige Bauherren und Architekten bzw. Maurermeister, die eine ganze Häuserzeile errichteten, wodurch der bis heute zahlreiche Südstadtstraßen auszeichnende einheitliche Gesamteindruck entstand. Ein anschauliches Beispiel liefert der Architekt Paul Vosen, der 1894/95 im eigenen Auftrag mit *einem* Baugesuch die Errichtung von 12 Häusern in der Roonstraße (Wilhelm-Levison-Straße) beantragte (vier

89

Jahre später errichtete er noch vier weitere). Er benutzte dazu ein einziges Grundriß- und Fassadenschema, eine häufig geübte Praxis, denn sie erlaubte es dem Käufer dieser meist als Spekulationsobjekte erbauten Häuser, den Fassadenschmuck nach seinem eigenen Geschmack auszusuchen, d. h. nach Musterbüchern und -katalogen zusammenzustellen.

Nach der Jahrhundertwende klang die Bautätigkeit allmählich ab. Als Beispiel für einen geschlossenen in dieser Spätzeit entstandenen Straßenzug ist die Rittershausstraße anzuführen, die zugleich auch einige der in der Südstadt seltener vorkommenden reinen Jugendstilfassaden aufweist. Es wurden vereinzelt noch Baulücken geschlossen, bis mit Kriegsbeginn die Bautätigkeit ganz zum Erliegen kam. Nach dem Kriege entstanden vor allem an den Rändern der Südstadt (u. a. Bennauer Straße) Häuser, deren Fassaden sich durch einen von historischen Formen gereinigten = sachlichen Stil auszeichnen und die sich daher von den typischen Südstadthäusern unterscheiden. Für das Kerngebiet der Südstadt verzeichnet die Statistik für die Zwischenkriegszeit 144 Neubauten mit 409 Wohnungen; der Schwerpunkt lag im Gebiet um die Elisabethkirche.

Baustile – Haustypen

Trotz des insgesamt einheitlichen Gesamteindrucks dieses Viertels lassen sich stilistische Unterschiede ausmachen: Während die Fassaden der frühen Häuser sehr schlicht gehalten sind und über nur wenige architektonische Gliederungselemente im Stil der Neurenaissance verfügen, läßt sich im letzten Viertel des 19. Jahrhunderts ein allmähliches Zunehmen des Fassadenschmucks feststellen – eine Entwicklung, die bei den Fassaden der 90er Jahre, die ihre Bauornamentik aus allen verfügbaren Stilen bezogen und

25 Blick in die Weberstraße

diese auch hemmungslos mischten, ihren Höhepunkt fand.
Die schmuckreichen Fassaden dienten der architektoni-
schen Selbstdarstellung der Hausbesitzer und -bewohner;
sie sollten nicht nur ihren sozialen Status demonstrieren,
sondern verkörperten auch ihren Bildungsanspruch. Wie
schon ausgeführt, zeichnen sich die Fassaden der nach der
Jahrhundertwende erbauten Häuser wieder durch größere
Schlichtheit aus.

[...]

Bei der Südstadt handelt es sich im wesentlichen um eine
Reihenhausbebauung, selten sind freistehende Häuser (Villen) oder Halbvillen, d. h. Häuser, die nur an einer Seite
direkt an die Nachbarbebauung anschließen. Formal deutlich hervorgehoben durch Dachaufbauten wie Türme,

durch Erker und besonders reichen Fassadenschmuck sind meist die Eckbauten, deren Erdgeschoß gerne für Restaurants oder Geschäfte genutzt wird. Häufig sind mehrere Häuser zu einem Ensemble zusammengefaßt, eine Erscheinung, die sich vor allem dann beobachten läßt, wenn sie über gemeinsame Bauherren und/oder Bauausführende verfügen.

Das typische Südstadthaus wurde als bürgerliches Einfamilienhaus erbaut; die wenigen Mehrfamilienhäuser bilden die Ausnahme. Die Repräsentationsräume wie Eß- und Wohnzimmer (häufig auch als Salon bezeichnet) waren in der Regel im Erdgeschoß angeordnet, während die Küche im Souterrain lag und meist mit dem darübergelegenen Eßzimmer durch einen Speiseaufzug verbunden war; die erste Etage enthielt die privaten Wohn- und Schlafräume. Toiletten und Badezimmer (sofern vorhanden) befanden sich in den Zwischengeschossen, weitere Schlafzimmer – häufig auch Mädchenkammern, denn ein bis zwei Dienstmädchen waren in bürgerlichen Haushalten üblich – im zweiten Obergeschoß. Diese Etage wurde infolge der in den 20er und 30er Jahren zunehmenden wirtschaftlichen Schwierigkeiten nicht selten zu einer eigenen Wohnung umgestaltet.

Bevölkerungsstruktur und Entwicklung
nach 1945

Die Bevölkerungsstruktur der Südstadt war bis zum Zweiten Weltkrieg homogen: Neben den (teilweise zugezogenen) Rentiers wohnten hier vor allem Angestellte und Beamte (Universitätsangehörige – Professoren / Lehrer u. ä.) und in der Nähe der Ermekeilkaserne auch viele Offiziere. Eine Ergänzung erfuhr sie durch die Betreiber der zahlreichen Dienstleistungsbetriebe, die von Lebensmittelläden über Restaurants bis zu Handwerksbetrieben reichten und die, vervollständigt durch Schulen, Kirchen, Krankenhäuser, Kindergärten, karitative Einrichtungen etc., eine reiche Infrastruktur boten.

Den Zweiten Weltkrieg hat die Südstadt ohne nennenswerte Verluste überstanden, nur wenige Häuser wurden zerstört. Die so entstandenen Baulücken wurden größtenteils in den 50er und 60er Jahren durch Neubauten mit glatten Fassaden geschlossen. Sie weisen infolge der nun üblichen niedrigeren Raumhöhen bei gleicher Traufhöhe zumeist ein Geschoß mehr auf und sind damit rentabler als die Vorgängerbauten. Einige Hausbesitzer glichen ihre Häuser dem Stil der 50er Jahre an, indem sie den Stuck entfernten und die Fassaden »reinigten«. In manchen Fällen führte das nach der Wiederentdeckung der Gründerzeitarchitektur mit ihrer Stuckornamentik zu der grotesken Erscheinung, daß man die lediglich nur noch andeutungsweise vorhandenen strukturellen Gliederungen durch kräftige Farben von der übrigen Fassade absetzte und dadurch wieder hervorhob – dem inzwischen gewandelten Zeitgeschmack entsprechend.

Mit der Ausweitung der Kernstädte in den 60er Jahren und zusätzlich verstärkt durch die Etablierung Bonns als Bundeshauptstadt vollzog sich ein Strukturwandel in dem ehemals fast reinen Wohngebiet, denn es wurde zum bevorzugten Standort für Dienstleistungsbetriebe des tertiären Sektors (Versicherungen, Banken, Behörden) und für Wirtschaftsgruppen zur angestrebten »guten Adresse«. Den Expansionsplänen einzelner Unternehmen drohten ganze Straßenzüge zum Opfer zu fallen. Der Wiederentdeckung der Gründerzeitarchitektur und dem seit der Mitte der 70er Jahre verstärkten Engagement der Denkmalpflege für die Wohnarchitektur des 19. Jahrhunderts ist es neben dem engagierten Einsatz von Bürgerinitiativen zu danken, daß diese Gefahr gebannt werden konnte. Mit Hilfe von Veränderungssperren etc. gelang es, nicht nur den Status der Südstadt festzuschreiben, sondern darüber hinaus auch schon erfolgte Nutzungsänderungen wieder rückgängig zu machen.

Seitdem sich mit Beginn der 80er Jahre der Trend zu city-nahem Wohnen verstärkt hat, ist die Südstadt als Wohngebiet wieder gefragt. Es ist insbesondere der neue Mittelstand, der ihre Vorzüge für sich entdeckt hat: Neben der stadtnahen Lage, einer kompletten Infrastruktur, einer häufig gut funktionierenden Nachbarschaft und der vielfältigen Funktionsmischung als Ergebnis kontinuierlich und harmonisch gewachsener Stadtstrukturen sowie der Durchgrünung des Viertels (Alleecharakter der Straßen, Vor- und Hintergärten) bieten die Häuser, die in ihrer Aufteilung nicht so festgelegt sind wie die üblichen Neubauten, sondern variable Nutzungen ermöglichen, von ihrer inneren Funktion her einen wesentlich höheren Gebrauchswert für unsere heutigen Wohnbedürfnisse.

Leider hat die gestiegene Nachfrage nach Wohnungen in der Südstadt auch negative Auswirkungen: Immer mehr Häuser werden von Architekten- oder Finanzgruppen aufgekauft, einer Luxussanierung unterzogen und etagenweise als Eigentumswohnungen verkauft. Da die neuen Mieten mehr als das Doppelte der alten betragen (bei einer Wohnung von 120 m² beispielsweise von 650,– auf 1450,– DM angehoben werden), hat eine neue Verdrängung langjähriger Südstadtbewohner begonnen. Finanzierbar sind die hohen Quadratmeterpreise dagegen vom sog. neuen Mittelstand, den die Soziologie als obere Mittelschicht klassifiziert. *Wiltrud Petsch-Bahr, 1989*

Das Poppelsdorfer Schloß

Gleich einer Arena von dem sanft erhöhten Stadtareal gerade durch die zum Teil unebene Feldbahn des Bonner Tales bis zu dem Schlosse Poppelsdorf oder Clemensruhe beim Fuße des Kreuzberges, der hoch darüber herausragt, hinziehend, schließt die unter dem erstern Namen begriffene Doppelallee von Roßkastanien, deren Blütenpracht selbst von Köln aus die Freunde der Natur im Genusse des Frühlings häufig herbeilockt, in ihrer Mitte den sonst für Ritterspiele des Hofadels bestimmten Rasenteppich in sich, zu dem von der kurfürstlichen Residenz herab einst die schöne Marmortreppe stieg, und welcher unter Clemens August, der in dem jenseitigen Schlosse größtenteils seine Nächte zubrachte, die herrliche Idee verwirklichen sollte, in einen Kanal umgeschaffen zu werden, um an kühlen Sommerabenden im vertraulichen Lichte des silbernen Mondes, und zwischen den auf und ab wandelnden Reihen seiner beglückten Untertanen, sanft dahin zu schiffen. Noch immer ist dieser an beiden Enden rund zusammen gehende Weg, den ein rascher Schritt in zehn Minuten durcheilt, der belebteste zu allen Tageszeiten, durch die Verbindung der Poppelsdorfer Schloßgebäude und seiner Zubehörungen mit dem Residenzschlosse als jetzigen Universitätsgebäude, in dem sämtliche naturhistorische Sammlungen und Lehranstalten dorten versammelt und auf das schönste eingerichtet sind. Auch befindet sich hier der Sitz der Kaiserlich Leopoldinisch-Karolinischen Akademie der Naturforscher, welche schon im Jahre 1652 zu Schweinfurt gestiftet worden und von den Kaisern Leopold I. und Karl VII. ausgezeichnete Privilegien erhielt, vordem in Erlangen war und seit dem Jahre 1818 mit ihrer Bibliothek nach Bonn versetzt ward. Das Poppelsdorfer Schloßgebäude nebst Garten, ein Viereck von eintausend Fuß Länge und achthundert Fuß Breite, an dessen Nordseite die Landstraße aus

der Eifel nach Bonn vorüberzieht, ist mit einem Teiche umgeben, liegt eben so weit von dem Residenzschlosse ab, als
dieses wieder vom untersten Stadtende abliegt, und teilte
mit Bonn, zu dem es allernächst gerechnet ward, im Verlaufe der Jahrhunderte alle dessen Schicksale, die es oft noch
weit härter betrafen.

[. . .]

Das alleinige Thor zum Einfahren in das Schloß liegt an
der Seite nach Bonn hin, und man kömmt durch dasselbe
gerade in einen über einhundert Fuß weiten Hof, der mit
einer offenen Arkade von sechs und dreißig Abteilungen im
Kreise umgeben ist, welche sich an die vier Seiten des
Grundquadrats und unmittelbar an die inneren Portalsäle
als Rundgang anschließt, und hinter sich in den Winkelab-
schnitten die weniger bedeutenden Treppen nach oben, die
Degagements und einige kleine Höfe in sich faßt und be-
greift.

[. . .]

Unter der französischen Herrschaft benutzte man es erst
sechs Jahre lang zum Militairhospital und wüstete es, dann
sollte es zur Aufnahme des Lyzeums eingerichtet werden,
und endlich ward es eine der Sanatorien des Kaiserreiches,
und als solche wieder besser erhalten. Im Jahr 1814, bei der
Restauration der deutschen Regierung auf dem linken
Rheinufer, mußte es wieder zum Militairhospital dienen
und brannte zum Teil ab, dann ward es für die klinischen
Anstalten der neuen Rheinischen Universität bestimmt,
und ist endlich nun wieder gebaut und gebessert, nicht allein für die naturhistorischen Sammlungen, sondern auch
zur Wohnung der Lehrer und Angestellten dabei, königlich
eingerichtet.

Man wird beim Besuche dieses höchst erfreulich gedei-
henden und für jedermann durch seine auffallenden Schönheiten und merkwürdigen Seltenheiten so sehr anziehenden
naturhistorischen Museums gewöhnlich zuerst nordwärts

26 Poppelsdorfer Schloß und Botanischer Garten

in die bei weitem das Äußere des Gebäudes übertreffende
innere Gemächer desselben, und zwar zuerst in den noch so
benannten Grotten- oder Muschelsaal eingeführt. An dessen Verzierung mit Coquillage soll seiner Zeit der erste
Künstler La Potterie sieben Jahre lang gearbeitet haben, und
anstatt der Heizungen sprangen in dessen beiden Nischen
kühlende Wasser, die in weite Bassins zurückfielen; es ward
als Sommerspeisesaal auch durch die Gerichte versehen,
welche vermittelst eines unterirdischen Ganges unter der
Brücke hinweg von der jenseits der Straße liegenden Küche
beigebracht wurden. Dieser Saal liegt zugleich beinahe im
Mittel der Reihe von zwölf Gemächern, worin nacheinander über fünfzigtausend aus der unendlichen Reichhal-
tigkeit des Erdkörpers entnommene Exemplare zusam-
mengebracht und nach einer natürlich wissenschaftlichen
Anordnung verteilt sind, die von dem geringsten Atome der
Mineralien, durch das Gewächsreich und zu allen Stufen
der Tierwelt hinauf bis zu dem Herrn der Schöpfung, dem
Menschen, und seinem nach den intellektuellen Fähigkei-
ten der Seele bezeichneten Schädelbaue emporsteigt. Durch

den natürlichen Schmuck und die kunstmäßige Anordnung der verschiedensten und schönsten Muscheln bis zu dem beweglichen Gebilde des Geflügels ist der Eingangssaal selbst eine naturhistorische Merkwürdigkeit geblieben...

[...]

Von hier tritt man rechts in die eine der beiden Gallerien dieser Seite, zu der mineralogischen Sammlung von mehr als dreißigtausend Exemplaren, und findet in Glasschränken längs den Wänden herum die geognostische Abteilung bewahrt und bereichert mit den zehntausend Stücken der ausgezeichnetsten Petrefakten, welche uns heute noch einen belebenden Rückblick in die vegetabilischen und animalischen Gestaltungen der Vor- oder Urwelt erlauben.

[...]

Wieder in den Eingangssaal zurückkehrend, kommt man links nach der Nordseite des Schlosses in die anderweitige Gallerie, und nach Nebenbeseitigung des Botanischen, zu dem Anfange der zoologischen Abteilung des Museums, von mehr als zwanzigtausend Exemplaren.

[...]

Den darauf folgenden nordwestlichen Ecksaal füllt, so darf man sagen, die mit unbeschreiblicher Eleganz und Zierlichkeit aufgelegte mikrokosmische Abteilung von neuntausend Arten der Insekten, Krebse und Spinnen, wozu nun auch ein Herbarium von mehreren tausend Spezien mit vielen in Wachs nachgebildeten Schwämmen und ausländischen Sämereien und Früchten gekommen ist. Zu diesem Saale, so zugleich den Anfang von den fünf großen Gemächern an der Westseite des Schlosses bildet, führten sonst, wie auch an dem ihm gegenüberstehenden südwestlichen Ecksaale, breite steinerne Freitreppen von dem tieferliegenden Garten herauf, weil sie nebst dem Gartenplatz als Atrium für die Geistlichkeit und Weltlichkeit, die Vestibüle der Hofkapelle waren, deren Lokal in der Mitte dieser Seite liegt, und durch sie die feierlichen Prozessionen in das

Heiligtum hinein und heraus, zu dem unten liegenden natürlichen Kreuzgang und Garten, den die christliche Gemeinde Poppelsdorf, das andächtige Volk einnehmen durfte, geleitet wurden. Das nächste Zimmer war jedesmal das Vorzimmer für die Kapelle und dient jetzt zur Aufstellung der zoologischen Abteilung von ohngefähr eintausend Spezien der Reptilien, Amphibien und Fische. Durch die je doppelten Seitenthüren, die in allen diesen Gemächern wegen der Kamine in der Mitte der Seitenwände durchaus so angebracht sind, tritt man nun in das Lokal der vormaligen Hofkapelle selbst ein, welches seiner Länge von sechs und siebenzig Fuß nach in drei Abteilungen zerfällt, von denen die mittlere, bei weitem größere, welche mit dem Portal gegen Westen nach dem Kreuzgarten für das Hofgesinde und mehrere Andächtige ganz geöffnet werden konnte, als Dom emporsteigt, und auf der Höhe des Daches noch ein Glockenhaus trägt, die beiden kleinern an den Seiten aber als Kapitolien dem Kurfürsten, auch den obersten Staats- und Hofchargen, der Geistlichkeit und dem hohen Adel zur Beiwohnung des Gottesdienstes dienten. Noch steht das Innere dieses Gotteshauses voll Harmonie der Formen und Verhältnisse in seiner Art überraschend da, und die blendende Auszierung von Stuck im antiken Stile unterhalb mit Arkaden und oberhalb mit Lesinen römischer Ordnung, auch der große Spiegel des Gewölbes und vier kleinere desselben mit vortrefflichen Fresko-Gemälden, machen noch immer einen unbeschreiblichen großen und hehren Eindruck auf jeden, der diese heilige Halle besucht.

Bernhard Hundeshagen, 1832

Auf dem Kreuzberg

Um ein Uhr aßen wir im Hotel und fuhren dann in einem Wagen auf den Kreuzberg.

[...]

Nachdem wir alle zur Schönheit des Ausblicks unseren Kommentar abgegeben hatten, gingen wir geschlossen zu der Kirche, die früher zu einem Serviten-Kloster gehörte. Dieses Gebäude gilt als besonders geheiligt, weil es die Stufen besitzt, die zum Richterstuhl des Pontius Pilatus führten und von denen erzählt wird, daß sie immer noch mit den Blutstropfen, die von der Stirn unseres Erlösers durch die Dornenkrone gepreßt wurden, befleckt seien.

[...]

Genau in diesem Moment schreckten wir aufgrund eines lauten, deutschen Ausrufs des Wärters, der unmittelbar von einem leisen Aufschrei gefolgt wurde, zusammen. Und zu meinem großen Erstaunen sah ich meine Tante übereilt die Marmorstufen herunterspringen! Sie hatte wohl unbewußt den verbotenen Bereich betreten, und kaum entdeckte dies der Wärter, als er auch schon mit dem lauten Schrei, daß die Stufen heilig seien, ihren Arm ergriff, um sie zurückzureißen. Der plötzliche Ruf, die unbekannte Sprache, die drohende Gebärde und der zornige Ausdruck auf dem nicht eben einnehmenden Gesicht – das alles wirkte ungeheuerlich auf ihre schwachen Nerven und trieb meine Tante dazu, wie vor einem Irren zu fliehen.

Und nun entstand ein ernstes Problem. Die Frevlerin hatte genau auf halbem Wege angehalten und stand auf dem Heiligtum. Man konnte nicht von ihr erwarten, noch ihr erlauben, dort für immer stehenzubleiben. Doch wie sollte sie herunterkommen? Wenn sie wie ein katholischer Pilger auf den Knien gerutscht wäre, hätte sie für ein ganzes Jahr den Ablaß ihrer Sünden bekommen; das lehnte sie aber als überzeugte Protestantin ab. Und als anständige Frau wei-

27 Die »Heilige Stiege« von Balthasar Neumann
auf dem Kreuzberg (um 1929)

gerte sie sich, über das doppelte Geländer zu klettern, das sie von der normalen Treppe auf der anderen Seite trennte.

[...]

Sie befand sich in einem schrecklichen Dilemma, vor allem, da der Wärter lautstark protestierte, wenn die Verbrecherin nur versuchte, sich zu bewegen. Glücklicherweise drehte er sich um [...], meine Tante ging leise – nicht ohne Zittern – auf Zehenspitzen unbemerkt die heiligen Stufen herunter. *Thomas Hood, 1840*

»... in und um Godesberg ...«

Etwa tausend Schritt von Godesberg an der Heerstraße steht ein sehr fein und mittelaltrig arabeskisch gearbeitetes steinernes Kreuz. Von dem Schmuck desselben war durch die Zeit manches verwittert, anderes durch Ruchlosigkeit der Menschen abgeschlagen. Diese Schäden sind in dem jüngstverflossenen Jahrzehnt wieder ausgebessert, und das Kreuz, obgleich nur von der geringen Höhe von 35 bis 40 Fuß, hält doch durch die romantisch fantastische Buntheit und schlanke Jungfräulichkeit seiner Gebilde den Blick des Wanderers fest. Über den Ursprung und die Bedeutung desselben wird viel Unsicheres hin und her gefabelt, wahrscheinlich ohne irgend einen geschichtlichen Boden Fabelei und Erfindung der letzten in solchen Dingen kühnen Jahrhunderte. Der Inhalt dieser Sagen gibt so etwas von einem Bruderkampf um eine Art Braut von Messina, zu deutsch: von einem gräulichen Brudermord im Zweikampf. Zwei um ein schönes Fräulein nebenbuhlende Brüder nämlich sollen hier einen Kampf um sie gewagt und der eine den andern gefällt haben, und das Ende dieses Trauerspiels soll die Ächtung des Überlebenden und die Einziehung der beiden Bruderburgen Wolkenburg und Löwenburg durch das Erzstift Köln gewesen sein. Von dieser grausigen Mär aber gibt es keine urkundliche Spur, wohl aber wissen wir, daß die Löwenburg da-

28 »Das Hohe Kreuz bei Godesberg, gegen
Nord-Ost«, Stahlstich von Rauch nach
B. Hundeshagen (um 1835)

mals kein kurkölnisches Lehen war, sondern von dem Grafen vom Berge gehalten ward, dessen Gebiet zwischen den
kölnischen Städten Königswinter und Linz mit der Amts-
hauptmannschaft Löwenburg und Honnef nebst mehreren
Dörfern und der Insel Grafenwörth (eben nach dem bergi-
schen Grafen so genannt) bis an und in den Rhein hinab
zwischenschoß. Auch erzählt uns die Kölner Chronik, daß
Erzbischof Walram Graf von Jülich, nach andern sein Nach-

folger Wilhelm von Gennep, dieses Kreuz in der letzten Hälfte des vierzehnten Jahrhunderts errichtet habe.

Dieser Godesberg und die umliegenden Höhen, welche sich allmählich zu einer anmutigen Bergschlucht absenken, umfassen den Flecken Godesberg, der an beiden Ufern des zwischen der Bergschlucht hervorbrechenden unversiegenden Baches unter Obstgärten seine zerstreuten Häuser gebaut hat; doch. so, daß längs der Heerstraße eine lange Gasse mit stadtartig aneinander gebauten Häusern fortläuft. So liegt der hübsche Ort von der Burg und den westlichen Berghöhen gegen die heftigen West- und Nordwinde geschirmt gegen Osten und Süden offen.

Godesberg bildet eine eigne Gemeinde, wozu das Dörfchen Schweinheim und das ehemalige Kloster Marienforst gehören. Letzteres, dessen Hauptzierden längst zerstört und niedergerissen waren, hat sein gegenwärtiger Besitzer, der Kommerzienrat Weerth in Bonn, in den letzten Jahren zu einem recht hübschen Landgute umgestaltet. Diese Orte machen mit dem ansehnlichen Plittersdorf eine Bürgermeisterei aus.

Godesberg zählt etwas über 200 Wohnhäuser und wohl ungefähr eben so viel Scheunen und Ställe usw...

[...]

Hier in und um Godesberg, in diesem prächtigen Mittelpunkt der letzten schönsten Gegend des heiligen Rheins, ist in jeder Jahreszeit lustiges Treiben und Wohnen, vorzüglich aber in der grünen Zeit. Der Kranke kann hier Gesundheit und Stärke holen, der Bekümmerte Erweckung und Erheiterung durch die Natur, und auch derjenige, welcher für stille Studien oder für leises und sanftes Wirken der Kunst und Wissenschaft dem Getümmel der Welt zu entfliehen wünscht und sich nach dem zarten und frommen Anhauch der Natur sehnt, kann selbst mitten aus dem fröhlichsten und bewegtesten Gewimmel sich hier leicht in die vollste Einsamkeit retten und an vielen hundert Plätzen hier ganz

in der Nähe und in der Umgegend der einsamsten Stille
pflegen; endlich wer anderen Sinnes und Bedürfnisses
durch Geselligkeit und durch Wechsel der Orte und der
Menschen Mannigfaltigkeit und Verschiedenheit und in ihnen Erheiterung und Erlustigung sucht, findet hier häufig
Menschen aus den verschiedensten Ländern und hat einen
trefflichen Punkt, von welchem aus er mit der größten
Leichtigkeit und Bequemlichkeit auslaufen und wohin er
eben so leicht wieder zurückkehren kann.

Ernst Moritz Arndt, 1844

Landschaftsbild mit roter Bluse

Ein anderes Mal sollten wir die Ruine Godesberg abzeichnen und hatten uns zu diesem Zwecke auf einer Wiese im
Schatten eines Gebüsches gelagert. Ich hatte damals eine
knallrote Bluse mit weißen Tüpfchen, die man auf weite
Entfernung sehen konnte. Rot war damals die Mode, und
oft hat August sich getäuscht und ist einer Unbekannten
nachgelaufen, die eine ähnliche Bluse trug. Er machte damals folgendes kleine Verschen:

Ich wandle unter Bäumen, ich wandle in der Stadt
Und durch das stille Träumen wurde das Auge matt.
Der einzig süße Schrecken, der meine holde Muse
Kann aus den Träumen wecken, ist Deine rote Bluse.

Diese bewußte rote Bluse trug ich an dem Tag. Nach dem
Zeichnen trafen wir uns, und er erzählte mir, daß er oben
auf der Burg gestanden und durch den kleinen roten Punkt
gewußt habe, wo ich sei. Manchmal schwänzte ich auch
diese Zeichenausflüge, und wir machten für uns weite
Spaziergänge; er zeichnete mir dann nachher schnell etwas
in mein Skizzenbuch, gab sich Mühe, daß es etwas unbe-

holfen wurde, und wenn ich dann zu Hause gefragt
wurde, wo wir gewesen seien und was wir gezeichnet
hätten, konnte ich ruhigen Gewissens mein Buch vorzeigen. Unsre liebsten Wege waren die auf die Dörfer nach
dem Vorgebirge zu, durch die Gemüsefelder von Endenich und Dransdorf. Man sieht das weite von Feldern wie
Stoff karierte Land daliegen, und wenn das Wetter ganz
klar ist, kann man fern am Horizont zwei scharfe dunkle
Spitzen wie Nadeln erkennen, die Türme vom Kölner
Dom. In der Nähe die leichten Höhen des Venusberges
und des Kreuzberges mit der schönen alten Kirche. Wir
liebten diese heimatliche Landschaft mit wahrer Inbrunst.
Für August war jeder Stein, jeder Halm und jeder bunte
Kohlkopf eine Offenbarung tiefsten Lebens; er konnte
lange vor einem Grashalm, dessen zarte Spitzchen sich
zwischen schweren Steinen hervordrängten, stehen und
tiefbewegt dieses Wunder anstaunen. Er konnte weinen
über den dürren Zweig eines Heckenrosengebüsches,
über den zarten feinen Bau der Ästchen, die sich wie
Fühlerchen verzweigten. Er wußte jeden Käfer, jedes In-
sekt mit Namen und kannte jeden Vogel an seinem Ruf.
Das alles teilte er mir aus überquellendem Herzen mit,
und unser Glück war unsere gemeinsame Freude an den
tausend Schönheiten der Natur. Wohl nie war das Blau
des Himmels so strahlend, war das Grün der Wiesen so
leuchtend. Er deutete mir die sanften, sich überschnei-
denden Linien einer Landschaft, das schwarz-blaue Dar-
instehen der Wälder und das zarte Rot eines Daches. Ich
war aber auch eine gelehrige Schülerin mit offenem Auge
und warmem Herzen, sah bald von selbst all die Schönheiten, und wenn wir so gemeinsam fühlten, faßten wir
uns wie Kinder an der Hand und sprangen freudestrah-
lend über die staubige Landstraße, die wie ein silbernes
Band im Zickzack vor uns herlief.

    [. . .]

Unser liebstes Dörfchen war Meßdorf. Es lag mit seinen wenigen Häusern zwischen Büschen und Obstbäumen versteckt, im Frühling war es ein Blütenmeer. Ein kleiner Bach floß am Dorf entlang, zwischen einem Gebüsch von Weiden und Brombeeren versteckt. Wie oft haben wir dort aneinandergelehnt gesessen! Manchesmal nahmen wir ein Buch mit, und dann las mir August mit seiner schönen Stimme vor, ich hatte meist Äpfel und Birnen in der Tasche, und die schmeckten uns dann köstlich da draußen. Es war wie unsere Heimat, und wenn wir da im Grünen lagen, dünkten wir uns so reich; alle Wirklichkeit der Städte und Menschen, die unserem eigenen Fühlen oft hart und kalt schienen, war versunken. Wir lebten ganz im Einklang mit der Natur. Wenn wir dann am Spätnachmittag wieder herausstiegen aus unserem grünen, dichten Zelt, schien uns der Himmel wie eine weite Glocke, und es war eine feierliche, beruhigende Stille über der Landschaft. Nur ab und zu ein pflügender Bauer mit zwei dampfenden Rossen oder einer, der in Hemdsärmeln weit ausholte, um die harten Schollen aufzuhacken. Dazu als Hintergrund die immer größer werdende Sonne. »Wenn man das einmal malen könnte«, sagte August damals so oft.

[...]

Andere Lieblingsplätzchen von uns waren Lengsdorf, Ippendorf am Kreuzberg und Grau-Rheindorf unten am Rhein. Lengsdorf liegt am Abhang des Kreuzbergs, ein reizendes, langgestrecktes Dorf. Dort stehen alte, herrliche Bäume, das sogenannte Flodeling, wo auf den Wiesen oft Kesselflicker und Zigeuner lagerten. Durch einen alten Bauernhof gelangt man in das Katzlochtal, das fast von keinem Menschen begangen wird.

Es gibt da nur einen schmalen Pfad, und der ist so verwachsen, daß man sich gebückt durch das Gezweige drängen muß und sich in einem Urwald dünkt. Wir fanden da Früchte von Maiblumen, ein Zeichen dafür, wie einsam es war, da sie niemand geholt hatte. Dort waren wir einmal in strömendem Regen, wobei das Wasser hoch von der Erde aufspritzte. Das alles störte uns nicht. Wir hängten unseren Schirm in die Zweige und standen darunter, wie unter einem schützenden Dach, und sprachen bei dem Rauschen des Regens von den schönen Dingen in der Welt. – Ippendorf dagegen liegt auf der Höhe des Kreuzbergs. Man hat einen weiten Blick auf die Stadt, die sich froh und farbig in dem Ausschnitt dehnt, den das Auge vor sich hat. Nicht weniger lieb war uns der Rhein. Wir gingen allerdings nie nach dem Siebengebirge zu. Die Gegend nach Köln zu, die schon mehr den Charakter des Niederrheins trägt und fast holländisch anmutet, war uns unendlich viel heimatlicher. Bei jedem Wetter sind wir den Leinpfad unten am Rhein entlanggeschritten. Jede Jahreszeit hat hier in der breiten Flußlandschaft ihre besondere Schönheit: der Winter, wenn sich die schweren, fast bleigrauen Wellen übereinanderwälzten und schwarze Raben auf den vereinzelt treibenden Eisschollen hockten, und an klaren Tagen, wenn Massen von Möwen sich in der schneidenden Luft tummelten; oder die milden Frühlingstage, wenn es um die Ufer grünte und auf der anderen Seite die Wiesen der Sieg zu grünen anfingen und um die kahlen Äste sich schon ein warmer, blättriger Schimmer legte; wenn im Sommer die Schiffe ihren regen Gang stromauf- und stromabwärts zogen, schwere Schlepper unter dicken Rauchwolken; wenn unten an dem flachen Wiesenstrand bei Rheindorf die Jungens halb nackt wateten, Frauen darauf ihre Wäsche breiteten und die Angler wütend wurden, wenn wir unseren Hund, den treuen Begleiter, ins Wasser ließen. Im Herbst weideten manchmal Schafe unten an dem schmalen Hang am Wasser entlang, und man hörte das schnelle Streifen ihrer Füße auf dem Gras und das knabbernde, zupfende Geräusch des Fressens. Unten in Grau-Rheindorf dicht am Wasser lag ein kleines bäuerliches Gasthaus. Es war sehr beliebt bei den Studen-

29 Blick auf die Godesburg

ten, die hier Sommer und Winter abends mit ihren Laden-
mädels herauszogen und auf die Melodien eines Musik-
apparates tanzten. Im Sommer saß man in grün bewachse-
nen Lauben nach dem Rhein zu. Im Winter war ein kleines
Stübchen drinnen zum Platzen warm geheizt. Da haben wir
manchesmal gesessen und uns Eierkuchen mit Schinken
bringen lassen, was eine Spezialität dort war und immer so
reichlich bemessen wurde, daß wir nachher ganz schwer
und sattgegessen nur langsam uns in Bewegung setzten.

[...]

Manchen schönen Sommer- und Herbstabend haben wir
draußen gesessen; gleich unten war der Landungssteg eines
kleinen Dampfschiffes, das zwischen der anderen Seite und
Bonn verkehrte. Am Abend brannte da stets eine kleine La-
terne, und das Licht schwankte an den vom Wasser bewegten Balken auf und nieder und warf lange, zitternde Streifen
auf die dunklen Wellen. Oft hing auch ein großes Fischer-

netz über dem Wasser, das gab der flachen, einfachen Landschaft etwas Melancholisches, Träumerisches. August sah es immer wie einen japanischen Holzschnitt. Wir sind manchmal den Weg im Dunkeln am Wasser entlang heimgegangen; es begegnete einem kein Mensch als ab und zu ein leise flüsterndes Pärchen, das auf einmal noch schwärzer aus dem Schwarz auftauchte. Die Vollmondabende waren allerdings die schönsten. Es war ganz seltsam, wie wir dies alles liebten, wie es so zu uns gehörte und in uns hineinwuchs, ja, es war, als fühlte die Landschaft mit uns, als trüge sie mit uns Freude und Schmerz; denn wir sind in allen Gemütsstimmungen und zu allen Tageszeiten dort gegangen und fühlten, wie durch Schwingungen das schwere Trübe oder das leichte Helle der Landschaft in uns überging und anklang.

Elisabeth Erdmann-Macke, 1962

»Dieses Bonner Klima«

Abgesehen von England, wo es seit den Zeiten Wilhelms des Eroberers zum guten Ton gehört, sich sogar in recht kritischen Situationen angeregt über das Klima zu unterhalten, wird nirgends auf der Welt so viel über dieses Thema geredet, wie gerade in Bonn. Besonders in den Sommermonaten klagen beispielsweise selbst sehr kräftige Studenten darüber, daß es ihnen aus klimatischen Gründen nicht mehr möglich ist, auch nur ihren Füllfederhalter zu bewegen, und viele Neubonner mittleren Alters fühlen sich sogar ausgesprochen *kreislaufgefährdet*. Nicht wenige behalten trotzdem ihr altes, gewohntes Tempo, indem sie unter Mißachtung aller ärztlichen Ermahnungen weiter von Besprechung zu Besprechung hasten, bis es dann oft, viel früher als sie sich das vielleicht vorgestellt hatten, zur unwiderruflich letzten Besprechung mit anschließender Abreise in ein sehr unbekanntes Land und den entsprechenden schwarzumränderten Anzeigen kommt.

In diesem Zusammenhang ist es vielleicht nicht uninteressant, daß die älteren und ältesten Jahrgänge merkwürdigerweise die Bonner Luft oft besser ertragen können als jüngere Menschen.

[. . .]

Besonders aufschlußreich ist hier wieder einmal das, was der vorurteilsfreie Wissenschaftler zu sagen hat, und auf jeden Fall wird die Nachwelt sicher dem Wetterforscher Hubert Emonds noch einmal sehr dankbar dafür sein, daß er das Bonner Klima nicht weniger als zwei Jahre lang maß, beobachtete und analysierte, wozu er alle erdenklichen Geräte, ja sogar einen Fesselballon und einen »städtischen Kraftwagen für die notwendigen Meßfahrten« verwendete. Andere Leute hätten sich nach all den Meßfahrten im städtischen Kraftwagen wahrscheinlich ein bißchen Ruhe gegönnt, aber Hubert Emonds war glücklicherweise aus anderem Holz geschnitzt, da er außerdem noch insgesamt 77 verschiedene Bücher und Schriften in drei verschiedenen Sprachen durchackerte, bis dann endlich das Ergebnis all dieser Bemühungen in einer schönen kleinen Broschüre über »das Bonner Stadtklima« zusammengefaßt werden konnte.

Manches, oder besser gesagt, das meiste davon ist dem Nicht-Klimaforscher einigermaßen unverständlich, aber immerhin kann auch der Klima-Laie aus der Schrift ersehen, daß die Klagen über die Bonner Luft eben leider doch auf einigen Tatsachen beruhen. Emonds schreibt nämlich u. a., daß »die Ventilation in Bonn sehr wahrscheinlich schlechter ist als in irgendeiner anderen Stadt (mit Klimastation) in Nordwestdeutschland«. Außerdem hält Bonn mit 35,6 schwülen Tagen im Jahr sozusagen den westdeutschen Schwülerekord, während beispielsweise München-Bogenhausen mit 11,4 und Hamburg mit 13,8 Schwületagen weit besser dastehen und die beneidenswerte Zugspitze in fünf Jahren noch nicht einmal einen einzigen drückenden Tag erlebte.

[...]

Übrigens gedeihen leider nicht nur die Kreislaufspezialisten, sondern auch die Hals-, Nasen- und Ohrenärzte in Bonn meistens besser als ihre zahlreichen Patienten, während die stramme Frühjahrs- und Herbstbronchitis sozusagen zum normalen Jahresprogramm vieler Bonner gehört. Manche Ärzte vertreten jedoch, nach dem schönen Motto »Was mich nicht umwirft, macht mich nur stärker«, die Anschauung, daß gerade diese Art von Erkrankungen ganz ungemein zur Abhärtung beitragen.

Und außerdem hat das Bonner Klima ja glücklicherweise nicht *nur* Nachteile gegenüber dem, was in anderen Gegenden in dieser Hinsicht geboten wird. Die Bundeshauptstadt besitzt nämlich im Jahresdurchschnitt etwa 13 % mehr »Sonnenscheindauer« als Hamburg und 10 % mehr als Aachen oder Essen. Bonn wird daher von Fachleuten als ausgesprochene »Wärmeinsel« bezeichnet, was in trüben Jahreszeiten bekanntlich auch wieder recht angenehm sein kann.   *Herbert von Nostitz, 1961*

Alltagsleben

Die Bonner Mundart

Jedem Fremden fällt auf, daß die »Bonne« den r-Laut am Wortende überhaupt nicht und im Worte nur selten sprechen: z. B. Bonne-Männe-Jesang-Ve-ein, fott (fort), Kaat (Karte), kuet (kurz). Ferner beobachtet der Fremdling, daß die Bonner am Wortende kein »n« sprechen, manchmal sogar die ganze Endung gleichsam verschlucken. Dann stellt er fest, daß in Bonn die Verkleinerungssilbe -chen sehr häufig, manchmal sogar eine doppelte Verkleinerung, angewandt wird. So gibt es hier Jhsmännche und Kehrmännche, auch wenn sie Riesen von Gestalt sind. – Die Oma sagt: »Well dat Liebche noch e Zückeche en et Käffeche«, oder »Jäff dämm Jüppche noch e klitzekleen Stöckche Wuesch op et Bottebrütche!« – Interessanter ist es, den Unterschieden der Bonner und Kölner Mundart nachzuspüren. In Bonn deht, geht, steht, dehlt, in Köln deiht, geiht, steiht und teilt man. – In Bonn sagt der Junge: Ich donn net met, in Köln: Ich dunn nit mit. – In Bonn donn se fiere on jonn spaziere, in Köln dunn se feere un jonn spazeere. – Die Bonner Kinder komme us de Scholl, die Kölner kumme us de Schull. In Bonn loofe die Frauen, um zu koofe, die Kölner laufe, um zu kaufe. [...] – In Bonn sagt man: Du, lue (= lur) net su sue (= sur), in Köln: Do, loor nit so soor. – Die Bonner führe dat Höndche vüe de Düe, die Kölner föhre et Höngche vör de Dör. – In Bonn gibt Wuesch – Duesch, in Köln Woosch – Doosch.

Noch größer sind die Unterschiede gegenüber der Mundart des Bonner Landes. Im allgemeinen werden dort die Vokale gedehnter ausgesprochen als in der Stadt. Auch das »r«, und zwar das Zungen-r, wird auf dem Lande kräftig gesprochen, so daß man in der Stadt sagt, die »hann e Rädche em Hals!« –

Südlich Bonns spielt das Kend (Könd) mit dem Hond, nördlich davon spielt das Kenk (Könk) mit dem Honk. In Bonn haben wir keine Zick, im Ländchen keine Zitt. Während man in der Stadt in wigge, rigge, schnigge das schönste »g« spricht, hört man im Ländchen nur widde, ridde, schnidde! – In Bonn binge mir das Schäfchen an die Linde (Lönk), im Ländchen binne sie es an die Lönn. – In der Stadt wird dat Esse em Kessel gekoch, auf dem Lande das Eiße em Keißel gekauch. Die Bonner gebrauchen Lich on Luff zum Leben, die Landbewohner Leech on Luech. – In Bonn gehen die Kinder en de Scholl, im Ländchen en de Schöll.

[...]

Unsere Mundart besitzt gleich andern Dialekten eine Fülle von Wörtern und Umschreibungen für einen Begriff. Einige Beispiele mögen das beweisen: Statt »einen trinken« heißt es in Bonn – eene petsche, schluppe, bloose, pötte, häwe, ve(r)löhte, krie, genehmige, verkimmele, op de Lamp schödde, hinge de Bind jeeße, durch die Trankjaß jage. Mancher kann – ene Stiwel vedraage, joot bloose, süff wie e Loch, wie en lebendige Senk, und hat danach – eene klävve, eene em Ue, es em Näwel (= Nebel), hät Kuckeleboomswasse gedrunke, hät de Röggelche wärem. Für das Weinen hat der Volksmund folgende Ausdrücke: kriesche, knaatsche, bällke, schreie, hühle, logge, grängele, bauze, grauze, brölle; ein weinerliches Kind mäht e Pännche (verzieht den Mund zum Weinen), weil es noh ahn et Wasse gebaut hat und hühlt dann Rotz on Wasse.

[...]

Die Bonner lügen nicht, sie möke, kohle, färwe oder schwallke nur. Besonders hartgesottene Lügner leeje, wie gedruck oder wat se bedde. In Bonn ist man nicht geizig, sondern kniestig, kniepich, schrappig und kaaschtig; einen Geizhals nennt man Kniesbüggel, Schrappühl oder Äezezälle, weil er die Erbsen für das Essen abzählt.

[...]

Einen Dummkopf betitelt man u. a. mit Döppe, Dökes, Drickes, Klötsch, Dööfje und – Heini. Er ist su doof wie en Noß, su domm wie Bonnestrüh, su domm wie e lang ist, ja, zu dumm öm met ene Sau ze danze, wem-me im (= ihm) de Stätz en de Hand jitt. »Jeck« ist bekanntlich am Rhein kein Schimpfwort. Wer doll (närrisch) ist, bei dem es e Rädche loß, der ist – geflabb, verdötsch, gekatsch, m'em Bömmel gehaue, dem ist – en Pann verrötsch; der hät se net all en de Pöhl, der hät ene Fimmel, ene Hau met de Wichsbüesch, net all beienande, der hätt ene näwe sich jonn oder sogar sibbe Männche on sechs Stöhlche em Kopp. Ein närrischer Mensch, so hieß es früher, wiet m'em blaue Käeche geholt, weil damals die Geistesgestörten mit einer blauen Karre ins Irrenhaus auf den Michelsberg in Siegburg gebracht wurden. Oder man sagte: Du küß noch op de Miel, weil an der Miel oder der Kölner Chaussee die Provinzial-Heil- und Pflegeanstalt lag.

[. . .]

Redensarten und Sprichwörter enthalten die Erfahrungen von Generationen in anschaulicher, prägnanter Form. Auch an ihnen ist unsere Mundart keineswegs arm, wie diese kleine besinnliche Auswahl dartut.

Wat me net em Kopp hät, moß me en de Been hann.

Rähnt et net, dann tröpp et doch.

Me bingk de Sack manchmohl at zo, wenn e noch net voll es.

Me wiet su alt wie en Koh, on liet imme noch jett dozo.

Wäe joot schmiët, däe joot fiët.

Me kann ene Aesel ahn de Baach leede, äwe net maache, dat e süff.

Wick von Hus es rich doheem.

Räch häs de, schwigge moß de.

Dat fällt doch net alles op de Äed.

Wat däe een net mag, jeht dämm andere durch de Krag'.

E domm Schoof, wat sing Woll vüe haleve Mai fottjitt.

Me soll sich net ihe (= eher) usdonn, eh me sich schloofe
   lääch.
Een Fraulückshoa es stärke wie zehn Päed.
Bahl – es wick von de Zahl.
Däe Aesel wiet en singem Land net gekrönt.
Wäa lang hooß, wiet alt.

Josef Dietz, 1971

Feuer in der Stadt

Ludwig war kaum sechs Jahre alt, als er zum erstenmal die
Großartigkeit und die Furchtbarkeit einer entfesselten Na-
turkraft erlebte.

Es war am 15. Januar 1777, in der Frühe kurz nach drei
Uhr, als er durch einen gewaltigen Knall und das Klirren
der Fensterscheiben aus dem Schlaf geschreckt ward. Er
stürzte zu seinen Eltern hinüber. Da stand der Vater am
Fenster und schaute hinaus. »Lene, es brennt!« rief er. Der
nächtliche Himmel leuchtete in düsterer Glut. An allen Fenstern erschienen die Nachbarn. »Es brennt! Es brennt!
Feuer!« so erscholl es von allen Seiten. Johann warf sich in
die Kleider. »Mach, daß du in dein Bett kommst!« fuhr er
den Jungen an. Dann stürzte er davon. Aber Ludwig dachte
nicht daran, zu gehorchen. Er lief in sein Schlafzimmer, zog
sich in aller Hast an und eilte auf die Straße.

Die Sturmglocken heulten von den Türmen, die Feuertrommeln vollführten einen Höllenlärm. Die halbe Bevölkerung Bonns war auf den Beinen, viele nur notdürftig
bekleidet, trotz der strengen Winterkälte. Alles drängte in
der Richtung des Feuerscheines vorwärts. »Das Schloß
brennt!« schrie einer dem andern zu, »die Pulverkammer ist
in die Luft geflogen!« Ludwig ließ sich vom Gedränge der
Menschen vorwärts schieben und stand plötzlich dem
Schloß gegenüber, mitten im Gewühl des Volkes. Aber

schon drang die Kette der Brandschützen mit ihren großen Hellebarden auf das Getümmel der Neugierigen ein. Die Männer wurden ohne viele Umstände gepackt, erhielten einen Eimer in die Hand gedrückt und wurden nach dem Schloß zu gedrängt, um beim Löschen mitzuhelfen. Ludwig wurde mit einem Schwarm von Weibern und Kindern gegen die Häuserwand zurückgetrieben. Da stand er nun, in eine Gruppe jammernder Weiber eingekeilt, und schaute dem Brande zu.

Der ganze Dachstuhl des riesigen Schlosses stand hell in Flammen. Der Himmel war in einem einzigen Glutmeer aufgegangen. Der scharfe Südostwind trieb einen wahren Feuerstrom über die gegenüberliegenden Dächer. Auf der Straße herrschte ein wildes Durcheinander. Große Wasserbütten wurden herangefahren, die man in dem nahen Bach gefüllt hatte; das Fluchen der Fuhrleute, das Geknall der Peitschen, das ängstliche Schnauben der Pferde, das Geschrei der Menge mischte sich mit dem Geheul der Glocken, dem Dröhnen der Trommeln, dem Prasseln der Feuersbrunst. Ein paar Spritzen schleuderten dünne Wasserstrahlen in die Glut; aber es war, als ob damit die Wut des rasenden Elementes nur gereizt wurde; immer mächtiger loderten die Flammen in die von glutrotem Rauch erfüllte Luft empor.

[...]

Inzwischen hatte das Feuer sich bis zum ersten Stockwerk hinuntergefressen; immer gewaltiger braußten die Flammen gen Himmel, immer dichter wurde der Funkenregen, der sich auf die nahen Bürgerhäuser ergoß. Da schlugen von einem Dach an der Bischofsgasse Flammen auf. »Die ganze Stadt brennt!« schrie eine Stimme. Eine wilde Panik bemächtigte sich der Menge. »Die ganze Stadt brennt!« so heulte und schrie es aus hundert und aber hundert Kehlen. Die Männer ließen ihre Löscheimer fallen, die Pferdetreiber warfen ihre Gespanne herum; kein Befehlen und Fluchen und Zustoßen der Brandschützen half; alles drängte fort, heimwärts, das eigene Haus zu retten, und überließ das brennende Schloß seinem Schicksal.

[. . .]

Halb ohnmächtig wandte sich das Kind zur Flucht.

Daheim herrschte die größte Aufregung. Die Hausbewohner schleppten Eimer und Kübel voll Wasser hinauf zum Speicher. Dort hatten sich die Männer postiert und gossen Eimer um Eimer über das Dach hin, um zu löschen, was der Wind an Funken und glühenden Splittern herantrieb. Im Wohnzimmer saß der kleine Karl auf dem Sofa und heulte mit dem Brüderchen in der Wiege um die Wette. Mitten im Zimmer stand ein großer Korb, halb gefüllt mit allen möglichen und unmöglichen Gegenständen, die die verwirrte Mutter als wichtigsten und kostbarsten Besitz zusammengesucht hatte, um ihn zu retten, falls das Haus in Flammen aufginge.

[. . .]

Die Sonne war inzwischen aufgegangen, ohne daß man es bemerkt hätte; das brennende Schloß leuchtete heller als sie. – So verging ein furchtbarer Tag. Ein jeder schleppte Wasser bis zur Erschöpfung. Zwischendurch trafen Nachrichten ein, die vom Fortschreiten des Brandes erzählten. Gegen Mittag tat es einen ungeheuren Krach; die Marmortreppe im Schloß war eingestürzt. Die Hofkapelle stand in Flammen. Neue Brände in der Nachbarschaft waren ausgebrochen, es brannte jetzt an dreizehn Stellen. – Der Abend kam, aber er brachte kein Ausruhen. Nach wie vor loderte das Flammenmeer zum Himmel, nach wie vor galt es, das eigene Haus zu schützen. Niemand dachte daran, zu Bett zu gehen. Um Mitternacht ein neuer gewaltiger Krach, und eine Stunde später wußte man das Furchtbare: eine einstürzende Mauer hatte den allbekannten trefflichen Hofrat von Breuning samt dreizehn andern braven Männern bei den Rettungsarbeiten erschlagen.

30 Brand der Bonner Residenz. Radierung von J. Rousseau

Fünf lange entsetzliche Tage wütete das Feuer, fünf lange Tage dröhnten die Sturmglocken und rasten die Feuertrommeln. Am sechsten Tage ging die Sonne über einer rauchenden Trümmerstätte auf. Der größte und prächtigste Teil des Schlosses samt der Hofkapelle war vernichtet, unersetzliche Kunstschätze waren zerstört.

Wie war das Feuer entstanden? An vielen Stellen zu gleicher Zeit hatten die ersten Flammen emporgezüngelt. Und leise, aber einstimmig bezeichnete ganz Bonn den Baron von Belderbusch als den Brandstifter. Das Schloß habe brennen müssen, um die Spuren seiner verbrecherischen Verwaltung auszutilgen. So dachte man über den allmächtigen Minister, den eigentlichen Regenten des Landes. Aber es laut auszusprechen wagte niemand; es wäre ihm übel bekommen. Nach wie vor sah man den Minister an der Seite seines erlauchten Herren im Hofgarten lustwandeln, mit der Miene des Weltmannes, den nichts aus seiner vornehmen Ruhe bringen kann. Und auf dem Friedhof wölbten sich vierzehn frische Gräber.   *Felix Huch, 1927*

Husarenleben

Ich selbst fuhr von Köln nach Bonn, wo ich im Gasthof zum Stern abstieg. Bis spät nach Mitternacht hörte ich die Studenten auf dem Marktplatz die »Wacht am Rhein« singen. In gehobener Stimmung, berauscht von den Eindrükken dieses Tages, schlief ich ein.

Als ich am nächsten Morgen aufwachte, hingen mir nicht mehr so viele Geigen am Himmel. Ich kannte keinen Menschen in Bonn. Wie, wo, wann, bei wem sollte ich mich melden? Würde man mich fragen, ob ich die Einwilligung meines Vaters hätte? Die Geldsumme, die ich nach Oeynhausen mitgenommen hatte, war ziemlich verbraucht. Wie sollte ich ohne meinen Vater das zur ersten Equipierung notwendige Geld bekommen? Würden die Militärärzte mein Halsleiden entdecken? Das alles lag im Dunkeln. Da fiel mir ein, daß in Bonn beim Husaren-Regiment ein Fähnrich stand, dessen Bekanntschaft ich zwei Jahre früher in Lausanne gemacht hatte. Ich hatte ihn damals nicht viel gesehen, aber eine gute Erinnerung an sein feines, stilles, kluges Wesen behalten. Er hieß *Bodo von dem Knesebeck* und war ein Sohn des letzten hannoverschen Gesandten in Wien. Er war auch das Patenkind des Freiherrn Bodo von Stockhausen, des Gatten meiner Tante Klothilde Baudissin, des Vaters der von mir, leider nur aus weiter Ferne und in meinen Träumen, angebeteten Elisabeth Herzogenberg. Ich hatte gelegentlich gehört, daß Bodo Knesebeck bei dem Königshusaren-Regiment in Bonn stünde. Ich beschloß, ihn aufzusuchen. Er empfing mich in seiner Fähnrichswohnung mit der Ruhe und Freundlichkeit, die ihm auch später eigen blieben, als er am kaiserlichen Hof als Vize-Oberzeremonienmeister und Introducteur du Corps diplomatique fungierte und gleichzeitig der Kaiserin Auguste Viktoria als Kabinettsrat wertvolle Dienste leistete. Der Regimentskommandeur, Oberst Freiherr von Loë, meinte Knese-

**31 Bonner Königshusaren auf der Hofgartenwiese
(um 1900)**

beck, sei jetzt derartig in Anspruch genommen, daß er mich
schwerlich empfangen würde. Ich möge mein Glück bei
dem Major von Schreckenstein versuchen, der mit der Führung der Ersatz-Eskadron beauftragt sei.

Ich machte mich sogleich auf den Weg.

[...]

Der Major forderte mich nicht zum Sitzen auf, sondern
begnügte sich damit, mir, der ich vor ihm stand, in wenig
freundlichem Tone zu sagen, es meldeten sich jetzt so viele
Freiwillige, daß er weder Zeit noch Lust habe, die einzelnen
Fälle zu prüfen, ich möge nur bald wieder nach Hause fahren. Mit mehr Lebhaftigkeit, als meinem Alter und meiner
bescheidenen Stellung im Leben zukam, erwiderte ich, ich
sei nicht nach Bonn gefahren, noch dazu gegen den Willen
meines Vaters, um mich derartig abfertigen zu lassen. Einen
Augenblick fuhr Schreckenstein auf, dann aber sah er mich
freundlich an, reichte mir die wohlgepflegte Hand, an de-

ren Fingern einige schöne Ringe blinkten, und meinte lächelnd: »Sie gefallen mir, nichts für ungut! Können Sie reiten?« Ich entgegnete, jetzt natürlich in korrekter Haltung und in bescheidenem Ton, ich glaubte diese Frage bejahen zu dürfen. »Na«, meinte der Herr Major, »dann werde ich unsern alten Wachtmeister anweisen, Ihnen auf den Zahn zu fühlen. Melden Sie sich in zwei Stunden bei dem Wachtmeister Wunderlich in der Sterntorkaserne.« Zwei Stunden später stand ich auf dem Kasernenhof, nachdem ich mir rasch beim nächsten Schneider Stege an meinen Hosen hatte anbringen lassen. Ich ritt dem Wachtmeister den Schwadronsgaul, der schon bereit stand, im Schritt, im Trab und im Galopp vor, changierte im Galopp, kurz, zeigte meine Reitkünste. Ich erbot mich auch, jede Barriere zu springen. Wunderlich schien zufrieden. Er fragte mich, wo ich in Bonn abgestiegen wäre. Der Herr Major würde mir Bescheid sagen lassen.

Im Laufe des Abends erfuhr ich durch eine Ordonnanz, daß ich mich am nächsten Morgen wieder in der Sterntorkaserne einzufinden hätte. [...]

Das Exerzieren auf dem »Sand«, so hieß der eine kleine halbe Stunde von der Kaserne entfernte Exerzierplatz, gefiel mir noch besser als der Stalldienst. Ich ritt im ersten Zug, der Portepeefähnrich von dem Knesebeck war mein Zugführer. Er hat mich später bisweilen scherzend daran erinnert, daß ich damals vor ihm strammstehen mußte. Ich lernte Richtung halten und Fühlung nehmen, ich lernte, den Gaul fest zwischen die Beine zu nehmen und lose am Zügel. Trab, Galopp und Marsch-Marsch, alles wurde geübt. Man sang:

> Die Unteroffiziere an die Flügel,
> Fester Sitz und lose Zügel!
> Die Offiziere vor die Schwadron,
> Seht, jetzt geht's im Trabe schon!

Zum Schluß ging es durch den Sprunggarten, über Mauer, Block und Graben. Wenn ein Einjähriger herunterfiel, mußte er eine Bowle zahlen. Alles rief: »Eine Bowle fällig!« Auf dem Rückmarsch begrüßten uns die patriotischen Bonner Bürger mit: »Lehmop!«, dem alten Schlachtruf der Königshusaren, auf die ganz Bonn stolz war. Woher stammte der Ruf »Lehmop!«, der schon 1866 als Kriegsruf der »Blauen Bonner« in der Elbarmee berühmt geworden war? Wenn in Friedenszeiten das Königshusaren-Regiment mit lautem Sang und frohem Mut nach dem »Sand« ritt, kam die Schwadron an zahlreichen Ziegeleien vorbei, die der Stadt Bonn ihr Baumaterial lieferten. Die Arbeiter pflegten ihren Gehilfen unten in der Grube »Lehm op!« zuzurufen, wenn diese neuen Lehm heraufbefördern sollten. Die Husaren hatten den sonoren Ruf aufgenommen und stimmten ein kräftiges »Lehmop!« an, sobald sie an den Ziegeleien vorüberritten. Aus dem Marsch zum Exerzierplatz wurde anno Sechsundsechzig ein Ritt gegen den Feind und aus dem lustigen Morgenruf ein Feldgeschrei. 1870 wurde das Regiment zuerst von seinen speziellen Waffenbrüdern, seiner »Couleur«, den 8. Jägern, mit »Lehmop!« begrüßt, dann von allen Regimentern des rheinischen Armeekorps, und nach dem Kriege kannte die ganze Armee den Ruf. *Bernhard Fürst von Bülow, 1931*

Als protestantischer Pfarrer im katholischen Bonn

Es war im September 1874, als ich in Begleitung meines Vaters von Halle nach Bonn fuhr. Die Mutter war schon vorangeeilt, um mir die Wohnung, von deren Schönheit allerlei Wunderdinge kursierten, einzurichten. Wir übernachteten in Marburg.
[...]

Am andern Morgen trug uns der Zug durch das poetische Lahntal über die Rheinbrücke von Koblenz, damals bis Köln noch die einzige, rheinabwärts der neuen Heimat entgegen. Der rheinischen Sitte entsprach es damals, einen neugewählten Pastor schon an irgendeinem ferner gelegenen Orte zu empfangen und ihn dann feierlich in die eigene Gemeinde zu geleiten. Indessen hatte ich aus dem freundlichen Erbieten des Presbyteriums einer Begrüßung in Koblenz und des Geleits zu Schiff, doch die Empfindung herausgelesen, daß eine dankende Ablehnung nicht unwillkommen sein werde. Das war auch wohl tatsächlich der Fall. Aber das ließen die Herren sich nicht nehmen, mich auf dem Bahnhofe zu begrüßen, und so zog ich jugendliches Menschenkind, zum ersten Male in meinem Amt von grauen Häuptern geehrt, zwischen dem ehrwürdigen Kollegen Pastor *Krabb* und dem Gastfreunde vom Sommer her, Geheimrat *Dr. Fr. Bluhme*, den kurzen Weg zum Pfarrhause.

Wie freundlich war dort alles gestaltet! Die Begrüßungsansprache Krabbs brauchte nur die Auslegung des Schmucks von Blumen und Gastgeschenken, die die Gemeinde gestiftet hatte, namentlich eines schönen Bücherschrankes, zu sein, und ich konnte nur mit Goethe erwidern: Wie der Mensch nur sagen kann: hier bin ich, daß Freunde *schonend* seiner sich erfreun, so kann auch ich nur sagen: nehmt mich hin! Soll ich sie nennen, die teuren, trefflichen Männer, die meinen Eingang grüßten, deren Mitarbeit meine Bonner Zeit zu einer so leuchtenden gemacht hat, daß selbst alle Wolken, die nicht fehlten, goldene Ränder trugen? Auch heute, wo ich sie nicht mehr idealisiere wie damals, möchte ich sagen, daß schwerlich in vielen Gemeinden der Landeskirche so treue, verständnisvolle, tüchtige Kräfte sich freudig in den Dienst der Gemeinde gestellt haben, wie es hier der Fall war.

Die Bonner Gemeinde war nicht alt. Sie hatte sich erst

32 Die evangelische Stadtkirche (Kreuzkirche), 1901

**33 Robert-Schumann-Denkmal
auf dem »Alten Friedhof«**

im Jahre 1816 in dem katholischen Köln durch allerhand
zuziehende Protestanten konstituiert und die unbenutzt stehende, ehemals kurfürstliche Schloßkapelle als gottes-
dienstlichen Raum zur Benutzung zugewiesen erhalten.
Erst seit 1817 konnten, und zwar für »die Evangelischen
beider Kirchen« regelmäßige Gottesdienste gehalten werden.

[...]

Am andern Tage war die Einführung in der wundervol-
len neuen gotischen Kirche, die die Gemeinde völlig aus
eigenen Mitteln erbaut hatte. Man muß sich die schlichte
Gemeinde von Torgau und die bei aller Freundlichkeit, die

ich erfuhr, doch sehr bescheidene Stellung meines dortigen
Diakonats gegenwärtig halten, um den Eindruck der Feier
auf mich und auch auf meine Eltern zu ermessen. Denn
auch mein Vater empfing zum erstenmal den Einblick in ein
rheinisches Kirchenwesen, bei dem der Begriff der Gemeinde nicht nur eine rechtliche Tradition oder eine be-
hördliche Fiktion, sondern eine Wirklichkeit bedeutete,
von der jeder Dazugehörige durchdrungen war.

[...]

Bonn zählte nicht mehr als 5000 Evangelische, die sich
gegen 30000 Katholiken zu behaupten hatten, freilich ⅗ aller Steuern zahlten. Sie schlossen sich demgemäß unter
Rückstellung alles Parteiwesens, wie es in den östlichen
Provinzen, namentlich in Berlin, sein unerfreuliches und
zerstörendes Spiel trieb, eng zusammen.

[...]

In der Tat war eine so strenge Scheidung der Konfessio-
nen eingetreten, daß eigentlich jeder Verkehr abgebrochen
war. Wenn ich persönlich die Unbehaglichkeit dieses an
sich mir durchaus widerstrebenden Zustandes wenig empfand, so kam es nur daher, daß ich genug mit den neuen
Verhältnissen und neuen Persönlichkeiten zu tun hatte, um
von dem Hinausgreifen über diesen Kreis mich zurückzu-
halten. In der Geselligkeit erinnere ich mich kaum, einem
oder dem andern Katholiken begegnet zu sein.

Ernst von Dryander, 1922

Robert Schumanns Beerdigung

Bonn, 1. Aug. Gestern Nachmittag wurde hier der durch
seine Compositionen in den weitesten Kreisen und weit
über Deutschland hinaus bekannte und hochgeschätzte
Tonsetzer Dr. Robert Schumann zu Grabe getragen. Nachdem der Heimgegangene, im heißen Drang der Komposi-

tion, nach den verschiedensten Richtungen hin so viel Treffliches für Konzertsaal, Kammermusik usw. in den ersten Abschnitten seines Künstlerlebens geschaffen hatte und als eines der gefeiertsten Talente unter seinen Zeitgenossen galt, traf ihn bekanntlich im letzten Stadium desselben das harte Geschick, daß sein schöpferischer Geist plötzlich von der Nacht schweren Trüb- und Irrsinns umdüstert wurde. Mehrere Jahre verlebte der tiefbedauerte Meister in diesem beklagenswerten Zustande in der Heil-Anstalt zu Endenich bei Bonn, bis ihm der Todesengel am 29. Juli nachmittags 4 Uhr sanft das müde Auge zudrückte und ihn von diesen irdischen Fesseln befreite.

Unser Männergesang-Verein »Concordia« ließ es sich vornehmlich angelegen sein, dem Verstorbenen die letzte Ehre zu erzeigen, und wurde auch der bekränzte Sarg von Mitgliedern derselben unter den gedämpften Klängen der Musik hiesiger Garnisons-Kapelle getragen. Daran hatten sich noch viele andere Verehrer angeschlossen, und auch von auswärts waren manche Freunde herbeigeeilt, unter diesen in vorderster Reihe Kapellmeister Ferd. Hiller, Konzertmeister Joachim, der Pianist Brahms. An dem Grabe sprach Herr Pfarrer Wiesmann eine ergreifende Rede, worauf Trauermusik ertönte und unsere Concordia Bernh. Ans. Webers: »Rasch tritt der Tod den Menschen an« vortrug.

Der Leichenkondukt fand bereits viele Bürger Bonns, darunter die Damenwelt stark vertreten war, auf dem Gottesacker versammelt, und so war aller Absicht dahingerichtet gewesen, den sterblichen Überresten des Meisters, der aus den Tiefen seines Gemüts und Wissens so manche edle Perle des Gesangs hervorgeholt, den letzten Zoll der Verehrung darzubringen. Er ruhe sanft in Frieden!

Zeitungsnotiz, 1856

Jesuitenpredigt
oder zweites Frühstück

Im Frühjahr 1930 sollte ich in die Schule kommen. Zur Auswahl standen die für unseren Stadtbereich zuständige Münsterschule am Münsterplatz und die katholische Privatschule der Liebfrauenschwestern in der Königstraße. Meine Mutter, die sich gern spartanisch gab, plädierte für die Volksschule. Mein Vater war schon einverstanden, ehe er von seinen Schwestern, besonders von Tante Änne, aufgewiegelt wurde: »Für deine Stieftöchter bezahlst du ein Schweizer Pensionat, und dein eigenes Kind schickst du in die Volksschule.« Er unterlag diesen Einflüsterungen, und ich wurde bei den Schwestern angemeldet, die im Monat einundzwanzig Mark Schulgeld bekamen. Mein Vater ging mit mir zur Vorstellung dorthin. Nach beklemmendem Warten in einem der typischen kargen klösterlichen Sprechzimmer erschien Schwester Maria Johanita, die Direktorin, begleitet von Schwester Maria Bernardia. Wahrscheinlich wollte er mir meine Schülerlaufbahn ebnen, jedenfalls erzählte mein Vater eifrig, daß ich ein frommes Kind sei und ihn sonntags regelmäßig zur Messe begleite. Ich empfand das Schönwettermachen als peinlich. Es machte mich noch verlegener als ich ohnedies war. Kinder haben mehr Gespür, als Erwachsene oft ahnen. Außerdem stimmte die Sache nicht. Es war vielmehr so, daß ich jeden Sonntag vor der Entscheidung stand, entweder den Vati um elf Uhr in die Herz-Jesu-Kirche zu begleiten oder bei meiner Mutter zu bleiben. Mein Vater schätzte die Jesuitenpredigten dort. Ich langweilte mich beim Gottesdienst, freute mich aber auf den Besuch, den wir anschließend Tante Änne abstatteten. In Begleitung meines Vaters fand ich das kläffende Ströppchen nicht ganz so furchterregend. Etwas fiel dort immer für mich ab, Pröbchen aus der Drogerie oder Obst, das meine Eltern kaum kauften. Wenn ich mal leer ausging,

34 »Katholisches Haushaltungs-Pensionat ›Marienburg‹« in Bad Godesberg

zog Vati mir aus einem Automaten, der vor der Drogerie hing, ein »Dös'chen«. Der Automat, der zum Geschäft gehörte, gab abwechselnd blaue und rote Dös'chen heraus, beide mit Bonbons gefüllt, an denen mir nicht soviel lag. Aber die roten enthielten außerdem Überraschungen, kleine Ringe oder Spielfiguren. Man konnte am Automaten nicht erkennen, ob als nächstes ein rotes oder blaues kam, und ich genoß das Risiko des Glücksspiels.

Wenn ich bei meiner Mutter blieb, hatte ich die private Atmosphäre des Sonntags. Die Ladentür, einziger Hauseingang blieb geschlossen. Ich konnte mit meinem Roller durch das langgestreckte Café fahren. Und dann gab es das gemeinsame zweite Frühstück. Meine Mutter schnitt dazu die Kantenstücke des auf dem Herd brutzelnden Bratens ab, holte altbackene, zähe Brötchen vom Tag zuvor aus dem Laden und schickte ein Küchenmädchen zum »Hähnchen«, um ein Seidel Bier zu holen. So sehr ich dem faden ersten Frühstück mit Milchkaffee und Marmeladebroten ablehnend gegenüberstand, so sehr schätzte ich dieses sonntägliche zweite. Vati durfte auch davon wieder nichts wissen. Sicher trug es auch nicht zu seiner mittäglichen Hochstimmung bei, daß Frau und Kind appetitlos, mehr oder weniger gelangweilt am Tisch saßen. Es stand also jeden Sonntag eine religiöse Gewissensentscheidung für mich an, die mir nach den Flunkereien vor den Nonnen nicht leichter wurde: Jesuitenpredigt und Verwandtenbesuch oder zweites Frühstück mit Braten und Bier.

Marianne Kaatz, 1989

Beueler Wäscherinnen

Im vierten Jahrzehnt des vorigen Jahrhunderts wandten sich die »Rhingsche«, die Anwohner der am Rhein gelegenen Straßen, mehr und mehr der Lohnwäscherei zu. Ihre Häuschen mit den schwarzen Balken und den sauberen weißen Gefachen lagen recht anmutig zwischen den grünen Wiesen und großen Obstgärten. Sie waren alle irgendwie mit dem Rhein verbunden, diese Menschen, deren Wiege so nahe am Ufer stand. Jede Familie hatte ihren Nachen. Sommers und winters zogen sie mit ihren Netzen und Angelgerten aus, die Barben und Makrelen, die Barsche und Hechte und Aale zu fischen. Im Frühsommer füllten sie hohe Körbe mit Finten und Maifischen. Mit der Koppel oder dem Geel fingen sie den Lachs. Andere wieder ruderten in ihren großen hölzernen Nachen Frachten hinüber zu den Schiffen, die, vom Niederrhein kommend, an der Judengasse in Bonn festmachten.

Und nun bot den Fischern und Schiffern der Rhein mit seinem sonnigen kilometerlangen Wiesenufer eine neue Möglichkeit des Broterwerbs: die Lohnwäscherei. Wer um 1840 zuerst damit begonnen hat? Es weiß heute niemand mehr zu sagen. Die Thiebes, Beuels größte und weitestverbreitete Familie, gehörten sicher zu den ersten, die damals Beuels Ruf als Wäscherdorf begründeten. Aber auch die Burgunder und Lehmacher, die Bertram und Koll, die Richartz, Pohl und Dederich, die Hofbauer, Hei und Schmitz zählten zu den alten Beueler Wäscherfamilien, die Generationen hindurch ihrem Beruf die Treue gehalten haben. Fast jedes Haus an der Rheinstraße war damals eine Waschanstalt. Und dies hatte seinen Grund: es war der Duft, der die Beueler Wäsche weit und breit berühmt machte. Bis die Maschinen die Handarbeit ersetzten und sich viele Wäschereien zu modernen Großbetrieben entwickelten, mußten sich die »Rhingschen« redlich mühen und plagen, mit ihrer Arbeit fertig zu werden. Aber sie wurden niemals fertig, denn kaum war die frische Wäsche in »die Boot« geladen, dann standen schon wieder in langen Reihen die Körbe mit der schmutzigen vor der Haustüre, und aufs neue begann die Arbeit mit Einsetzen und Bürsten und Büschen und Bürsten und Bleichen und Auswaschen und Bläuen und Trocknen. So ging es weiter, tagaus, tagein, ja oft die Nächte hindurch. Es war ein hartes, sauerverdientes Brot. Und Burgunders Köpp, der 86jährige, Beuels ältester Wäschermeister, der uns dies aus seiner Jugend erzählte, meinte treffend: »Do ess ett höck dojähn nur noch Spellegonsärbeet!«

Drei große Bütten standen damals in jeder Beueler Wäscherei. Die erste war die Büschbütt, in der die eingeweichte und mit der Bürste vom gröbsten Schmutz gerei-

35 Wäsche wird zum Trocknen aufgehängt

nigte Wäsche gebeizt wurde. In großen Kesseln brodelte die Lauge, die sich in die Büschbütt ergoß. Sie wurde abgelassen, mit Handeimern wieder in den Kessel gefüllt und dann aufs neue zum Büschen gebraucht. So wiederholte sich dieser Vorgang oft 18 bis 20 Mal, bis die Wäsche gehörig gebeizt war. In der zweiten Bütte wurde jedes Stück in frischer, aus Kernseife hergestellter Lauge ausgebürstet und hernach auf die Rheinwiesen zum Bleichen ausgebreitet. Die Wiesen – es gab damals noch kein Werft – wurden alljährlich an die Wäscher verpachtet. Jeder von ihnen erwarb eine bestimmte Fläche, für deren Nutzung 50 bis 80 Mark Pachtgebühren an die Gemeinde gezahlt wurden. Nach dem Bleichen wurde die Wäsche im offenen Rhein ausgewaschen. In der dritten Bütte wurde dann die Wäsche gebläut, und endlich durften die Männer sie an den langen Leinen am Ufer zum Trocknen aushängen. Es war dies eine Arbeit, die stets vom Wetter abhängig war und die im Winter oft tagelang wiederholt werden mußte, bis endlich das Ziel erreicht war. Im Bügelzimmer erhielt die Wäsche dann ihren letzten Schliff.

Nicht geringere Arbeit erforderte das Waschen der oft mehrere hundert Meter langen Leinentücher. Wenn das Leinen in der Büschbütt »reif« geworden war, wurde es im Rhein ausgewaschen und mit den »Plätchen« (kleinen flachen Holzbrettern) geschlagen, damit es glatt wurde. Die Tuchbleicher breiteten dann die langen Stücke am Ufer aus. Nachts blieb die Wäsche meist draußen. Wilhelm Thiebes, genannt Hänschen, der Vater von Jüppela und Kirni Thiebes, war ein solcher Tuchbleicher. Er hatte sich am Rheinufer eine Hütte gebaut, in der er häufig nachts mit seinem Hund »Sedan« Wache hielt.

In den Wäschereien mußte die ganze Familie mit Hand anlegen. Den Kindern schob man schon zeitig einen Holzklotz unter die Füße, damit sie mit ihren Händen tief in die großen Waschbütten hineingreifen konnten. Oft begann die Arbeit schon um Mitternacht, wenn die Lauge in den Kesseln brodelte. Dann wurden die Frauen und Mädchen geweckt, und schon lange vor dem Morgengrauen standen sie an der Waschbütte, und sie arbeiteten fast pausenlos den Tag hindurch bis abends 8 Uhr.

Vom Wasserpumpen am »Johannes« bis zum Trocknen und Bügeln der Wäsche war es ein weiter und beschwerlicher Weg. Die Frauen und Mädchen hatten dabei den wesentlichsten Teil der Arbeit zu leisten. Die Männer holten die schmutzige Wäsche heran, sie kochten die Lauge, hingen die sauber gewaschenen Stücke zum Trocknen auf, drehten die Mangel und brachten die Körbe mit der frischen Wäsche wieder zum Nachen. Die Kunden in Bonn, Godesberg, Köln und anderen Städten des Rheinlandes ahnten nichts von der Mühe, die ihnen den »Beueler Duft« in die blitzblanke Wäsche zauberte. Sie erfreuten sich an diesem Duft, den die Beueler ihrem Fleiß, dem Rhein und den sonnigen Wiesen verdankten. Und wenn einmal ein Beueler eine Reise machte, Verwandte oder Bekannte zu besuchen, dann konnte es geschehen, daß er sein Taschentuch in der

Runde herumreichen mußte, weil jeder einmal den »Beueler Duft«, dieses eigenartige Fluidum, das man an der Beueler Wäsche lobt, einatmen wollte.

Johann Ignaz Schmitz-Reinhard, 1949

Gäste des milden Klimas

Es ist ein guter Sommer für Penner und Bettler gewesen, für Straßensäufer, ziehende Musikanten, Stadtstreicher, für ambulante Kleinwarenverkäufer, arbeitslose Eckensteher, alte Leute auf Parkbänken, Spielplatzmütter und -kinder, sonnenhungrige Rollschuh- und Rollstuhlfahrer, Hippies, Punks, schulschwänzende Schulkinder und Straßenlokal-Ganztagsgäste – für alles, was angewiesen ist auf ein mildes Klima. Auch der Herbst zeigt sich noch bis in den November hinein freundlich, trocken und oft genug spätsommerlich warm. Das ist schön für mich, die ich jetzt so viele meiner Tage streunend verbringe, und doch geht es mir gegen den Strich: So dürfte ein Oktober, ein November ohne Tiger nicht sein. Ist es wirklich ganz zu Ende? Ich warte und warte und kann es nicht glauben.

[...]

Auf meinem Weg zum Stadtzentrum, Richtung Post, muß ich einen kleinen Platz am Parkrand passieren, und da sitzen sie wieder. Es ist der feste Treff einer Gruppe von Alkoholikern. Vier auf der Bank und drei davor, und zwei stehen am hundert Meter entfernten Kiosk für Nachschub an, keineswegs nur ältere Männer. Sie trinken meist Bier, haben den Flaschenvorrat in großen alten Einkaufstaschen neben sich stehen, pinkeln hinter den Büschen der Anlage, und an kühlen Tagen polstern sie die Bank unter sich mit einer Zeitungsschicht.

Nachmittags liegt die eine oder andere Gestalt schlafend auf der Wiese. Vielleicht verbringen sie auch die Nacht im

36 Am Kaiserplatz

Gebüsch? Nein, sagt der Kellner der Pizzeria unter den Kastanien zur Zeitungsfrau und behält dabei die Gruppe über seinen Zaun hinweg fest im Auge, die kommen morgens alle aus der Tankstelle da drüben gekrochen, der hat da wohl ein Matratzenlager. Im Sommer, sagt der Kellner, war fast jeden Abend Polizei hier, oft genug von uns alarmiert, weil die Streit anfangen und lästig werden, dann ab in die grüne Minna, wenn sie sich nicht vorher noch rasch wegmachen. Aber am nächsten Morgen sind sie alle wieder da.

Mir machen diese Gestalten auch angst, obwohl ich nur selten erlebt habe, daß sie Vorübergehende ansprechen; sie sind immer viel zu intensiv mit sich selbst und höchstens miteinander befaßt; manche schwingen prahlerische Reden, von weit ausholenden Gesten der bierflaschenhaltenden Hand begleitet, abgehackte Sätze; es kommt auch schon mal vor, daß sie sich knuffen und vor die Brust puffen mit schwerfällig verlangsamten Bewegungen, in denen Provokation und freundschaftliche Aufmunterung nur schwer zu unterscheiden sind, und auch die lauten unkon-

138

trollierten Stimmen geben zu Mißverständnissen Anlaß. Manche sitzen nur stumm und teilnahmslos herum. Zwei Frauen kommen manchmal dazu, und einmal wurde ich Zeugin, wie die dicke Alte erst Flaschen aus ihrer Einkaufstasche verteilte und dann Kamm, Bürste und Spiegel hervorholte und sich die Männer nacheinander zur Toilette vornahm, ihnen die Haare glattkämmte über ihren unrasierten, roten, zerstörten Gesichtern – eine hilflose, rührende und zugleich abstoßende Fürsorglichkeit. Und dann saß sie bei einem Mann auf dem Schoß, von einem zweiten umarmt, und sie soffen gemeinsam weiter.

Herrad Schenk, 1984

Bonn ist hart –
für Klatschkolumnisten

»Und du mich auch, du dumme Pute.« Anna knallte wütend den Hörer auf die Gabel. Kurz vor sechs, kurz vor Redaktionsschluß, und sie hatte ihr *Bonner Panoptikum* noch nicht im Kasten. Dafür hatte sie sich fünfzehn Minuten lang von dieser versnobten Wirtin bequatschen lassen: Wer mal wieder was bei ihr gespeist und sich königlich amüsiert hatte. Im Gegenzug für ein paar Hunderter, versteht sich, denn billig war ihr Plüschlokal gewiß nicht. Winzige Portiönchen zu horrenden Preisen. Anna seufzte. Sie ging natürlich auch dahin, wenn sie es nicht bezahlen mußte. Schließlich war es eines *der* Feinschmeckerrestaurants in Bonn. Für Spesenesser und Leute mit dicken Brieftaschen und dünnen Freundinnen. Obwohl, man konnte dieser Art Essen alles nachsagen, nur nicht, daß es satt oder dick machte. So große weiße Teller und nix drauf: ein bis zwei Karotten, liebevoll arrangiert, ein Klecks Sauce, ein Kartöffelchen, ein Hauch von Seeteufel . . .

[. . .]

37 Pressetribüne im Plenarsaal des Deutschen Bundestags
während des Mißtrauensantrags von CDU/CSU und FDP
gegen Bundeskanzler Helmut Schmidt (1. 10. 1982)

Das Telefon klingelte schon wieder, und Anna kaute verbissen an ihrer Zigarette. Woher Klatsch nehmen und nicht stehlen? In Bonn war einfach nichts los. Selbst in den Nachtclubs gähnten die Nutten. Sie hatte wirklich Lust, mal wieder was zu erfinden. Petra Kelly: Herbert Wehners letzte Liebe. Quatsch. Als letzten Ausweg konnte sie immer noch den nahenden Bundespresseball mitnehmen: Wer Karten bekam und wer danach hechelte. Wer was für die Tombola stiftete, damit er nur ja eine Einladung kriegte. Wer in Bonn dazugehörte und wer nicht. Fad. Sollte sie in einem anderen Leben nochmals Klatschtante werden, dann überall, nur nicht in Bonn.

»Na, Anna, wie war dein Interview mit Hannelore?«

»Kappes.« Anna funkelte die Kollegin vom Ressort »Mode« böse an. Wie konnte man diesen Computer füttern, wenn entweder das Telefon klingelte oder ein Kollege auf einen Tratsch anhielt. Außerdem lief die Moderedakteurin in Klamotten rum, die Anna mit ihrer Ober- und Unterweite im Traum nicht anziehen konnte.

»Wundert mich gar nicht. Ich hab mal eine Modeserie mit ihr machen wollen, aber als der Ressortleiter die Fotos im Hausmütterchen-Look sah, brach er in Tränen aus. Igitt. Was hatte sie denn an, als du mit ihr sprachst?«

Anna wies schweigend auf die Fotos auf ihrem Schreibtisch. Hannelore Kohl, geblümt. Und ein Interview, bei dem der Chefredakteur wohl ebenfalls in Tränen ausbrechen würde: die guten alten Werte. Pflichtbewußtsein, Treue, Vaterlandsliebe. Anna hatte sich während des Interviews zweimal zusammengerissen, um nicht zu gähnen.

[. . .]

Anna tat sich leid. War sie doch ein gesellschaftliches Trüffelschwein in einer Stadt, in der es nichts zu schnüffeln gab. Es stank nach Kohlrouladen.

Sie hämmerte verbissen in den Computer. Bundespresseball. Karussell der Eitelkeiten. Gästeliste. Wichtig war nur, am richtigen Tisch zu sitzen, möglichst nahe an dem des Bundespräsidenten. Phillip würde einen guten Platz haben, mit seiner Frau. Sie würde wieder diese Welle von Haß spüren, wie immer, wenn sie den beiden bei offiziellen Anlässen begegnete. Und dies lächelnd verbergen. Küßchen links und rechts und ein Messer im Herzen. Sie beschloß, nach Düsseldorf zu fahren und sich ein neues Abendkleid zu kaufen. In Schwarz.

»Bist du fertig? Ich brauch den Computer.«

Holger Mertens, Ressort Politik, stand hinter ihr und zupfte sie an den langen roten Haaren. »Liebchen quält sich mal wieder mit Bonner Banalem ab.«

Anna drückte die letzte Taste. »Fertig. Weißt du, ich würde gern das Ressort ›Kirchen und Friedhöfe‹ übernehmen. Da ist sicher mehr los.«

[...]

Sie ging grußlos rüber zum Glaskasten, in dem der Chef vom Dienst seinen Schreibtisch hatte. Sie wühlte in dem Stapel von Einladungen und Terminen. Vier Botschaftsempfänge, Tee bei Frau Kohl, ein Abendessen Staatsbesuch, »Brotzeit« in der bayerischen Landesregierung, eine Modenschau, zwei Ausstellungen... Die Woche war mal wieder dicht, und Anna fluchte vor sich hin. Phillip würde ihr gewiß vorhalten, daß es nicht an seinen Verpflichtungen, sondern an ihrem Terminkalender lag, wenn sie sich kaum sahen. Als ob er nicht wüßte, daß sie so gut wie alle Termine kippen würde für die Gnade seiner Gegenwart, ein bißchen Liebe. Aber das war es ja, was er an ihr mochte: Selbständigkeit, Stärke, Unabhängigkeit. Die rundum bequeme Geliebte, die keine Szenen machte und genügend Humor besaß, über den eigenen Frust zu lachen. Dumme Anna! Frauen wie sie würden nie gegen Ehefrauen aufkommen, gegen die schwachen, abhängigen, allein so hilflosen Frauen, die man doch nicht verlassen konnte, nicht mal verletzen. Nur betrügen, so klammheimlich, und schließlich hing ja noch eine Karriere dran. Kluge Frauen wie Anna mußten so etwas doch verstehen. Taten sie auch. Und weil man ja keine Kopie der Ehefrau sein wollte, waren Jammern und Wehklagen und emotionale Erpressung nicht angesagt. Dafür gab es ab und zu mal ein Bonbon: ein Wochenende in New York, eine Nacht in Berlin . . . Und viele, viele Nächte dazwischen, in denen man sich selbst verfluchte: Warten auf Godot.

Der Chef vom Dienst kam rein. Er sah gehetzt aus, aber das war er immer kurz vor Redaktionsschluß. »Frau Marx konnte es mal wieder nicht erwarten, ihre Termine an sich zu raffen. Übrigens, Ihre Kolumne hat diesmal keinen Pep. Ist nichts los in dieser Stadt, oder was ist los?«

Ekliger Fettsack. Statt selber zu schreiben, mäkelte er an den Manuskripten rum. Anna steckte schweigend ihre Termine in die Handtasche. Am meisten ärgerte er sich, wenn man seine dämlichen Kommentare ignorierte. »Gute Nacht, ich muß noch zur Österreichischen Botschaft, vielleicht ist dort was los. Sollte der Botschafter mich mit ausgestreckten Armen begrüßen, werde ich es Ihnen umgehend durchgeben.«

Christine Grän, 1988

Feste und Vergnügungen

Casanova auf dem Ball

Ich stellte mich pünktlich ein. Als aber der Graf mich vorstellte, spielte ich einen Augenblick eine ziemlich traurige Figur, denn der Kurfürst war von fünf bis sechs Hofleuten umgeben, und da ich ihn nie gesehen hatte, suchte ich einen geistlichen Herrn, und meine Augen fanden keinen. Er bemerkte meine Verlegenheit und beeilte sich, ihr ein Ende zu machen, indem er in schlechtem Venezianisch zu mir sagte: »Ich trage heute das Kleid eines Großmeisters des Deutschritterordens.«

Trotz seines Gewandes beugte ich vor ihm, wie üblich, das Knie; als ich ihm aber die Hand küssen wollte, wehrte er ab, indem er meine Hand freundschaftlich drückte. »Ich war in Venedig«, sagte er, »als Sie unter den Bleidächern saßen, und mein Neffe, der Kurfürst von Bayern, hat mir mitgeteilt, daß Sie sich nach Ihrer glücklichen Flucht einige Zeit in München aufgehalten haben. Wären Sie damals nach Köln gekommen, so hätte ich Sie nicht fortgelassen. Ich hoffe, Sie werden uns nach Tisch die Geschichte Ihrer Flucht erzählen, zum Abendessen bleiben und an einer kleinen Maskerade teilnehmen, bei der es lustig hergehen wird.«

Ich erklärte mich gern bereit, meine Geschichte zu erzählen, vorausgesetzt, daß er die Geduld hätte, mich bis zum Schluß anzuhören, da der Bericht zwei Stunden dauern würde.

»Man langweilt sich nicht, wenn man auf etwas Lust hat«, hatte er die Güte zu antworten. Sodann ließ er sich mit Vergnügen das Gespräch berichten, das ich mit dem Herzog von Choiseul über dieses Thema hatte.

Während des Essens sprach der Fürst fortwährend Venezianisch mit mir und sagte mir die freundlichsten Dinge. Er

38 »Die neue Residenz Bonn«, gemalt von Franz Rousseau,
gestochen von Jakob Rousseau, um 1779

war ein heiterer, jovialer, gutmütiger Herr, seine ganze Erscheinung machte den Eindruck blühender Gesundheit, man hätte ihm kaum sein nahe bevorstehendes Ende voraussagen können; er starb schon im folgenden Jahr.

Sobald wir vom Tisch aufgestanden waren, bat er mich, mit meiner Erzählung zu beginnen. Ich war in guter Stimmung, und zwei ganze Stunden hindurch hatte ich das Vergnügen, die höchst glanzvolle Gesellschaft zu fesseln. Meine Leser kennen die Geschichte, deren Interesse auf einer wahrhaft dramatischen Situation beruht, aber es ist unmöglich, ihr schriftlich das ganze Feuer mitzuteilen, das sie bei einem guten Vortrag gewinnt.

Der kleine Ball beim Kurfürsten verlief sehr angenehm. Wir waren alle als Bauern kostümiert, und die Kleider wurden uns aus der Privatgarderobe des Kurfürsten geliefert. Die Damen hatten sich in einem anstoßenden Salon angekleidet. Es wäre lächerlich gewesen, andere Kostüme zu wählen, da der Kurfürst selbst einen Bauernrock angelegt hatte. Der General Ketteler war von der ganzen Gesellschaft am besten verkleidet, denn er war Bauer von

Natur. Meine Schöne war zum Entzücken. Man tanzte nur Kontertänze und Allemanden. Es waren nur vier oder fünf Damen der vornehmen Gesellschaft eingeladen, die übrigen, mehr oder weniger hübschen gehörten zum intimen Kreis des Fürsten, der sein ganzes Leben lang ein großer Liebhaber des schönen Geschlechts war. Zwei seiner Damen konnten die Furlana tanzen, und es machte dem Kurfürsten ein außerordentliches Vergnügen, uns bei diesem Tanze zuzusehen. Ich habe schon gelegentlich erwähnt, daß die Furlana ein venezianischer Tanz ist und daß es keinen ungestümeren gibt. Er wird bloß von einem Herrn und einer Dame getanzt, und da die beiden Tänzerinnen ein Vergnügen darin fanden, sich abzulösen, so ermatteten sie mich zu Tode. Man muß schon sehr kräftig sein, um zwölf Touren zu machen, und als ich nach der dreizehnten einfach nicht mehr konnte, bat ich sie, sich meiner zu erbarmen.

Bald darauf wurde ein Reigen getanzt, in dem man bei einer gewissen Tour eine Tänzerin ergreift und küßt; ich war nicht zurückhaltend und fand jedesmal Gelegenheit, meine Schöne zu erwischen und zu küssen; das tat ich mit großem Feuer, worüber der Bauern-Kurfürst laut lachte, während der Bauer-General vor Ärger platzte.

Während einer kurzen Pause fand diese reizende und sehr originelle Frau Gelegenheit, mir heimlich zu sagen, daß alle Kölner Damen am Mittag des nächsten Tages abreisen wollten und daß es mir zur Ehre gereichen würde, wenn ich sie alle zum Frühstück in Brühl einlüde. »Schicken Sie einer jeden ein Billet mit dem Namen ihres Kavaliers und vertrauen Sie sich dem Grafen Verità an, der alles aufs beste besorgen wird, wenn Sie ihm sagen, Sie wollten das Frühstück in derselben Weise veranstalten wie vor zwei Jahren der Herzog von Zweibrücken. Verlieren Sie keine Zeit. Rechnen Sie mit etwa zwanzig Personen und bestimmen Sie die Stunde. Achten Sie besonders darauf, daß Ihre Einladungsschreiben schon um neun Uhr morgens verteilt sind.«

Alles dies wurde mit einer erstaunlichen Geschwindigkeit vorgebracht, und ich, geradezu bezaubert von der Herrschaft, die diese Frau über mich ausüben zu können glaubte, dachte nur daran, ihr zu gehorchen, ohne mir darüber Gedanken zu machen, ob ich richtig handelte. Brühl, ein Frühstück, zwanzig Personen, wie der Herzog von Zweibrücken, Billets für die Damen, Graf Verità: ich wußte so genau Bescheid, wie wenn sie mir ihren Plan eine Stunde lang auseinandergesetzt hätte.

Ich ging in meinem Bauernkostüm hinaus und bat einen Pagen, mich in die Gemächer des Grafen Verità zu führen. Der Graf lachte, als er mich in diesem Aufzug erblickte. Ich trug ihm mein Anliegen mit einer Wichtigkeit vor, als ob es sich um eine Staatsangelegenheit handelte, und das brachte ihn vollends in gute Laune.

»Ihre Sache ist leicht besorgt und macht mir keine Mühe«, sagte er. »Ich brauche nur ein paar Worte an den Haushofmeister zu schreiben, und das werde ich sogleich tun. Aber sagen Sie mir, wieviel wollen Sie sich's kosten lassen?«

»So viel wie möglich.«

»Sie wollen sagen, so wenig wie möglich.«

»Nein, ganz im Gegenteil, so viel wie möglich; denn ich will die Gesellschaft prachtvoll bewirten.«

»Sie müssen indes eine Summe angeben, der Haushofmeister verlangt das.«

»Nun gut – zwei-, dreihundert Dukaten. Ist das genug?«

»Zweihundert. Der Herzog von Zweibrücken hat nicht mehr ausgegeben.«

Er schrieb das Billet und gab mir sein Wort, daß alles nach Wunsch gehen werde. Ich verließ ihn, wandte mich an einen sehr flinken italienischen Pagen; dem sagte ich, ich würde dem Kammerdiener, der mir sogleich Namen und

Adressen der nach Bonn gekommenen kölnischen Damen und der sie begleitenden Kavaliere verschaffe, zwei Dukaten geben. In der Zeit von noch nicht einer halben Stunde hatte ich das Gewünschte, und ehe ich den Ball verließ, konnte ich meiner Dame melden, daß alles in ihrem Sinne geordnet sei.   *Giacomo Casanova, 1760*

»... Mangel an öffentlichen Vergnügungen ...«

An öffentlichen Vergnügungen ist Bonn eigentlich arm; das Schauspielhaus, in welchem ein Teil der Kölner Truppe höchstens einmal die Woche spielt, verdient kaum den Namen eines solchen, obgleich es für eine Stadt wie Bonn geräumig genug ist. Unerachtet seiner auffallenden Uneleganz werden die Bälle ebenfalls in demselben gegeben, weil in der ganzen Stadt kein anderer Ballsaal vorhanden ist; ein unerklärlicher Mangel für einen Ort, in welchem so viele junge Leute versammelt sind, dem aber bei der jetzigen Baulust hoffentlich abgeholfen werden wird.

Noch schlechter als um den Tanz, steht es um die Musik. In Familienkreisen wird sie zwar mit Liebe und Eifer gepflegt und betrieben; auch gibt es einen Singverein in Bonn, aber keine öffentlichen Konzerte; wer Musik hören will, muß nach Köln gehen, wenn irgend ein berühmter Virtuose sich dort hören läßt, oder in dem dortigen Theater eine große Oper, so gut es eben gehen will, gegeben wird, denn öffentliche Konzerte, an bestimmten Tagen, gibt es dort eben so wenig als in Bonn.

Dieser Mangel an öffentlichen Vergnügungen hat indessen wenigstens das Gute, daß er die häusliche Geselligkeit befördert; auch wird es wenig kleinere Städte in Deutschland geben, wo sie geistreicher und anmutiger sich gestaltet als in Bonn. Die große Anzahl berühmter und hochgebildeter Männer, die aus allen Gegenden Deutschlands mit ihren Familien hier versammelt sind, die täglich ankommenden Fremden, die oft längere Zeit hier verweilen, verbannen jene geisttötende Einseitigkeit, die in aus lauter Eingebornen bestehenden Zirkeln so leicht fühlbar wird. Alles Spiel ist aus Privatzirkeln verbannt; ob dieses durchaus ein Gewinn für die Gesellschaft sei, wage ich nicht zu entscheiden, Gespräch allein muß die geselligen Stunden ausfüllen, aber zum Glück dreht es sich auch noch um andre Gegenstände als um Politik, Zeitungsnachrichten und Stadtgeschichten. Gewöhnlich wird es mit vielem Witz und guter Laune geführt, besonders wenn der Abendtisch die ganze Gesellschaft versammelt. Denn da man in Bonn allgemein schon zwischen ein und zwei Uhr zu Mittage ißt, so haben die Tees die Soupées noch nicht zu verdrängen vermocht, die von jeher die Beförderer heiterer und geistreicher Geselligkeit waren. *Johanna Schopenhauer, 1831*

Die Einweihung
des Beethovendenkmals

Es erschien der dritte und Hauptfesttag
Dienstag der 12te August.
Gemäß dem ausgegebenen Programm versammelten sich die zum großen Festzug gehörigen Personen (mit Ausnahme der Ehrengäste, welche sich auf dem Rathause vereinigten), in dem Garten des Gasthofes »Zur schönen Aussicht« vor der Stadt an der Koblenzer Straße. Von da an bewegte sich der Zug nach der Münsterkirche in folgender Ordnung:
Voran
1) ein Musikchor; sodann
2) die Schützengilde;
3) die Studierenden zu vier und vier;

4) das engere Komitee mit den beiden Künstlern;
5) die übrigen Mitglieder des Fest-Komitees, mit den Ehrengästen, welche letztere am Rathause abgenommen wurden;
6) die hiesigen Zivil- und Militärbehörden, die Geistlichkeit, die Professoren und Privatdozenten der Universität, die Lehrer des Gymnasiums, der Stadtrat etc.;
7) eine Deputation der Studierenden;
8) eine Deputation der Bonner Bürger;
9) Musikchor;
10) die Bürger;
11) die Gewerke; worauf
12) eine Militärabteilung den Zug beschloss.

An dem Haupteingang der Münsterkirche angekommen, bildeten die Studierenden ein Spalier, ließen den ganzen Zug durchpassieren und zogen dann selbst ein. Ihnen nach strömte die Volksmasse, und in einem Nu war die Kirche so gedrängt voll, daß viele im buchstäblichen Sinne des Wortes auf den Schultern der andern getragen wurden. Das Komitee führte die Ehrengäste nicht ohne große Mühe auf die für sie bestimmten Plätze unmittelbar vor dem Hochaltar. Die Kirchstühle auf beiden Seiten waren von Damen eingenommen, welche von dem Komitee hierzu besondere Eintrittskarten erhalten hatten. Statt des Hochaltars am Ende des Chors, dessen ganzen Raum das Sänger- und Orchesterpersonale ausfüllte, war auf dem vordern Raume zwischen den beiden Treppen ein Hülfs-Altar errichtet und mit Topfpflanzen derart verziert, daß von dem hinter demselben aufgestellten Sängerchor und Orchester nichts sichtbar war, und es soll dadurch, wie ich von vielen vernommen, die Wirkung der Musik ungemein erhöht worden sein.

[...]

Um 11 Uhr holte das Komitee die abermals auf dem Rathause versammelten Ehrengäste ab und geleitete sie nach dem Münsterplatz auf die für sie reservierten Ehrenplätze zur rechten Seite des Monuments. Es waren nämlich auf beiden Seiten erhöhte Sitz- und Stehplätze angebracht und von den ersten die besten für die Ehrengäste ausgesucht worden. Den Raum vor und hinter dem Monument hatte man absichtlich nicht erhöht, damit auch das Volk dasselbe frei und ungehindert zu sehen imstande sein möchte. Unmittelbar vor dem Monument hatten alle beim Feste mitwirkenden Sänger und Sängerinnen sowie Instrumentalisten Platz genommen. Hinter demselben war ein Musikchor aufgestellt, welches die Zeit, in welcher auf die höchsten Herrschaften gewartet werden mußte, mit Ausführung Beethovenscher Ouvertüren und Symphonien ausfüllte, denen es aber erging, wie meinem Festchor, indem nur die allernächste Umgebung etwas davon zu hören vermochte.

Gegen 12 Uhr verkündigte das Glockengeläute die Ankunft der Majestäten, welche in dem gräflich Fürstenbergischen Palais abstiegen. Das engere Komitee begab sich auf Befehl Sr. Majestät dahin und präsentierte Allerhöchstdenselben die von dem Komitee-Mitglied, Herrn Universitätsrichter *von Salomon* entworfene, auf Pergament geschriebene Stiftungs-Urkunde mit der untertänigsten Bitte, daß es Sr. Majestät und den übrigen höchsten Personen gefallen möge, sie zu unterzeichnen. Se. Maj. befahlen hierauf, Ihnen die Urkunde vorzulesen, belobten deren Fassung, und geruhten sodann nebst Ihrer erhabenen Gemahlin und der Königin von England MM., des Prinzen von Preußen, der Prinzessin von Preußen, der Prinzen Wilhelm und Friedrich von Preußen, des Prinzen Albert von Sachsen-Coburg-Gotha kk. HH., sowie des Erzherzogs Friedrich von Österreich k. k. H. dieselbe in duplo zu unterzeichnen. Das Komitee begab sich sodann wieder auf den Platz zurück, um die feierliche Enthüllung des Denkmals vorzunehmen.

[...]

39 Beethovendenkmal und Postamt am Münsterplatz

In diesem Augenblicke fiel die Hülle, und Tausende von Stimmen begrüßten mit lautem Rufe, begleitet vom Donner der Geschütze und dem Geläute der Glocken, das Abbild des unsterblichen Meisters.

Heinrich Karl Breidenstein, 1846

Ein Fest für den Kronprinzen Friedrich Wilhelm IV.

Des Kronprinzen Rheinfahrt hat mir auf eine geraume Zeit alle ordinären Pläsierlichkeiten verleidet, denn Großartigeres habe ich nie erlebt. Der Prinz kam Mittwoch nach Bonn zum Ball, und Donnerstag früh langte das Dampfboot von Köln hier an, mit allen Flaggen der Uferstädte geschmückt, rings mit Laubkränzen behangen, Geschütz und Regimentsmusik an Bord, nebst etwa 150 Herren, den Festgebern und den Geladenen. Eine Deputation holte den Prinzen dahin ab. Die Fahrt ging nun stromaufwärts zwischen den mit den Bewohnern der Dorfschaften besetzten Ufern; die Leute hatten sich mitunter in höchst pittoresken Gruppierungen unter Anführung ihrer Behörden aufgestellt, bald mit Liedern grüßend, bald mit Böllerschüssen salutierend, hier die Dorfjugend mit Lanzenfähnchen Tänze aufführend, dort in geschmückten Kähnen heranrudernd, während auf dem Schiffe Musikfanfaren mit eigens für das Fest gedichteten Liedern wechselten und seine Kanonen die jubelnden Grüße erwiderten. Eins der Lieder, von Everhard von Groote, lege ich bei. So ging die Fahrt an den schönen Bergen vorüber bis Linz, wo der Landrat und der Fürst von Neuwied an Bord kamen und der Kronprinz, den Wünschen der Bürger nachgebend, ausstieg. Dann fuhr man zurück nach Nonnenwerth, wo das glänzende Dinner nach 4 Uhr begann. – Derweil war hier in Bonn das niederländische Dampfschiff »Ludwig« angelangt, das der Direk-

40 Unterhalb des »Alten Zolls« am Rhein. Links im Bild das ehemalige Oberbergamt, das jetzige Historische Seminar der Universität (um 1908)

tor der Dampfschiffahrtsgesellschaft, Röntgen, gemietet hatte, um seiner Frau und sechzig Damen aus Köln und Bonn ein Fest zu geben; es war mit Flaggen geziert, hatte die Musik des 25. Regiments und Kanonen an Bord, fuhr musizierend und salutierend an, um die Gräfin Beust, meine Wenigkeit und noch vier Damen abzuholen, und steuerte nun auch stromaufwärts, der Insel zu. Als wir uns näherten, dämmerte es schon; wir fuhren vor dem Kloster vorüber, den Prinzen mit Kanonenschüssen grüßend; er trat von der Tafel mit sämtlichen Gästen an die Fenster, uns freundlichst zurufend. Raketen stiegen auf; sein prachtvoll geschmücktes Schiff, das dort vor Anker lag, salutierte uns nach allen Konventionen, und nun, während wir ein paarmal um die Insel fuhren unter Kanonenschüssen, Musikfanfaren und dem lauten Jauchzen der am Ufer gescharten Volksmenge, erleuchtete sich die Insel, entzündeten sich die Feuer auf allen Bergen, unabsehbare Fackelzüge bewegten sich den Drachenfels hinauf und in verschlungenen Reihen durch die Uferebenen. Alle Ortschaften an beiden Seiten des Stroms illuminierten, alle Landhäuser prangten in buntem Feuer; Pyramiden, Tempel, Bogen, von tausend Lampen aufgebaut, schimmerten durch die Nacht. Festgesänge erschallten längs den Ufern, Jauchzen von den Bergen und Freudenschüsse begrüßten stromentlang die Fahrt des geliebten Königssohnes, der endlich in Bonn anlangte, wo unser Schiff ihn schon erwartete und sich dann seiner Fahrt nach Köln anschloß. Die Häuser rheinwärts in Bonn waren prachtvoll erleuchtet, die Landebrücke mit Musikchören besetzt, das Ufer mit jubelnden Menschen, zwischen denen glänzende Feuerwerke lustig aufstiegen.

Sibylla Mertens-Schaaffhausen, 1833

Hochzeitsgesellschaft
in der »Lese«

So war's Herbst geworden, als für eine Musik in der »Lese« eine Kapelle gebildet ward. Der erste Kapellmeister der Stadt, der sonst während der schönen Jahreszeit in einem nahen Bad die Kurmusik leitete, jetzt aber zu besonderer Gelegenheit herunterkam, während der Stamm seiner Kapelle unabkömmlich war, hatte notgedrungen Ergänzung suchen müssen und damit den wackeren Konrad Euskirchen betraut. Der aber sicherte sich zuerst seinen Schützling Anton Demme, dann Knoll und zuletzt noch einige andere. Die Musiker wurden förmlich ausgesiebt, denn das Programm des Kapellmeisters sah allerlei ernste Stücke vor, selbst neuere Musik.

[. . .]

Und als sie in das Haus der Lesegesellschaft traten, das breit und behäbig mit seiner grauen schlichten Fassade dem Tor der Universität gegenüber lag, und die läuferbelegte Treppe zum ersten Stock hinaufschritten, wurden sie sofort auf die Galerie des großen Saals verwiesen. Drunten auf der

41 Gartenansicht des Gesellschaftshauses der »Lese- und Erholungs-Gesellschaft«, Koblenzer Straße (nunmehr Adenauerallee). Heute steht auf diesem Grundstück das »Haus der Evangelischen Kirche«.

Straße rollten Kutschen auf Kutschen vor. Schwatzend und rauschend harrte die Gesellschaft im kleineren Nebensaal, bis alle versammelt waren.

Dann wurden die hohen Türflügel aufgestoßen, der Musikdirektor hob den Taktstock, und mit dem Krönungsmarsch aus dem Propheten begrüßte die Musik die leuchtenden und blitzenden Paare, die drunten an den gedeckten Tafeln Platz nahmen.

Ein flammendes Nebelmeer von hellen Farben wogte drunten im Saal; die junge Damenwelt in Weiß und Creme, die gesetztere Frauenwürde in gedeckten Farben bis zum tiefen Violett. So breitete jedes weibliche Wesen einen rund ausladenden Schimmer um sich her, der von einem zum andern überfloß, daß die schwarzen Männergestalten fast ganz darin untergingen, und nicht geringe Zeit brauchte es, bis jede der vielen Krinolinen mit Anmut und Bequemlichkeit zwischen Stuhl und Tisch verstaut war. Dann aber sah man nur mädchenzarte und fraulich weiche Büsten und

159

Arme weiß und leuchtend aus lichten Seidenstoffen schimmern, und viele süße und recht viel schöne Gesichter unter Frisuren, die gescheitelt und gewellt, kunstreiche Toupets bildeten und an den Schläfen zierlich geringelte Herrenwinker niederrieseln ließen. Dazwischen die Herren im schwarzen Frack; aus weißen Spitzkragen und straffen weißen Binden hoben sich jugendliche Gesichter mit leichtherzigem Frohsinn; aus dem breiteren Rahmen weißer Vatermörder, um die mehrfach geschlungen das weiße seidene Halstuch strenge sich schloß, manch eindrucksvolles Denkerhaupt mit dichtem Vollbart und spärlich besträhntem Scheitel, mit scharfblickenden Augen, die hinter dem schwarzen Stahlgitter und den blitzenden Gläsern der Brille wie in sicherem Gewahrsam gefangen saßen. Von droben her gossen die großen aus zahllosen Glasprismen zusammengefügten Kronleuchter, die an gläsernen Armen rote Gasflammen flach wie Fächer entfalteten, breite Lichtströme auf die Tafeln, auf denen das neusilberne Eßgerät, die Gläser und hochstehenden Fruchtschalen aus Kristall miteinander in eifersüchtigem Wettbewerb funkelten.

Als der Marsch verrauscht war, ließ Anton die Blicke hinabtauchen in dieses glitzernde Gewoge, dem die purpurroten Vorhänge an den Fenstern ein seltsam ruhiges Bollwerk boten. Das also war der Teil der Menschheit, dem das Verständnis für höheren Genuß, auch für die Musik des Meisters vorbehalten sein sollte. Die feinen Leute, wie die einen, Universitätsprofessoren, wie die anderen sagten.

Ludwig Ewers, 1912

Maskenfreiheit
mit bürgerlichem Taktgefühl

Der Karneval, von den Bonnern mit Schmerzen her-
beigesehnt und vom Leihhaus, das alljährlich sechs Wochen
vor diesem Feste seine Pforten schloß, damit die braven
Bürger nicht Betten und Hemden versetzten, gewis-
sermaßen amtlich inauguriert, bedeutete für uns in der
Buchhandlung eine willkommene Unterbrechung der Re-
mittierarbeit. Begannen auch die Sitzungen der vielen
karnevalistischen Gesellschaften schon am 11. 11. um 11
Uhr abends, so kamen Leute, die wie wir von früh bis spät
angestrengt zu arbeiten hatten, doch kaum vor Mitte Februar in die richtige Stimmung. Eine Ausnahme machte
nur Schmickler, unser erster Ausläufer. Vom 1. Januar an
versagte er sich, um Geld zurückzulegen, das gewohnte
Frühstück, ging mit tiefsinniger Miene umher und blätterte
verdächtig viel in Kostümwerken und kulturgeschicht-
lichen Handbüchern. Konnte er mich allein erwischen, so
hatte er immer ganz seltsame Fragen in Bereitschaft, so
z. B. ob der Degen eines spanischen Toreadors einen Korb
oder bloß eine Parierstange habe, ob die alten Römer beim
Reiten Hosen getragen hätten, oder ob die Beduinen ihren
Burnus mit einem Gürtel schlössen – Anzeichen dafür, daß
sich der Fünfundsechzigjährige mit großen Plänen trug.

Am Karnevalssonntag wurden dann die Tage ausgelasse-
ner Lust mit einem üppigen Frühstück eingeleitet, das uns
der Chef – o selige Zeit des patriarchalischen Verkehrs! – im
Privatkontor auftischen ließ. Als ich die Sache zum erstenmal mitmachte, traute ich meinen Augen nicht, so stark
waren die Batterien von Rhein- und Bordeauxweinfla-
schen, so hoch die Berge von Lachs-, Gänsebrust- und
Schinkenbrötchen, so umfangreich der Kübel Malossolka-
viar.

[...]

Nach dem Frühstück wurde das Geschäft geschlossen, und wir brauchten uns erst am Dienstag wieder für einige Stunden einzufinden. Natürlich ging es schon am Sonntagnachmittag in der ganzen Stadt hoch her, aber die üppigsten Blüten trieb der allgemeine Frohsinn erst am Rosenmontag. Dann durfte sich niemand ohne Maske oder doch ohne karnevalistisches Abzeichen auf den Straßen zeigen, wenn er nicht von den bezopften »Bönnschen« Stadtsoldaten arretiert und auf die Wache geschleppt werden wollte, wo er sein Vergehen wider den Geist der Narrheit mit einer Spende an die Armen sühnen mußte. Daß gelegentlich aber doch einmal jemand übersehen wurde, und sogar einer, der gerne die Bekanntschaft des Arrestlokals gemacht hätte, das sollte der junge Baron Rothschild aus London erfahren, der mit einem geradezu märchenhaften Wechsel in Bonn Naturwissenschaften studierte. Er spazierte an allen drei Tagen ohne Fastnachtsabzeichen, aber mit reichgespickter Brieftasche in der Stadt umher und beklagte sich am Aschermittwoch bei mir bitter, daß sich die Stadtsoldaten gar nicht um ihn bekümmert hätten, während er doch die Absicht gehabt hätte, auf der Wache so nach und nach dreißigtausend Mark auszupacken.

Der Rosenmontagszug pflegte vom Kaiserplatz seinen Ausgang zu nehmen, weshalb schon vom frühen Morgen an in den Wohnräumen meines Prinzipals ganze Scharen von Freunden und Bekannten versammelt waren, um vom Balkon aus die Auffahrt der Festwagen, die Aufstellung und Einordnung der einzelnen Gruppen und das bunte Gewühl der Masken zu beobachten. Daß man dabei nicht »trocken saß«, versteht sich von selbst, wie denn überhaupt jedes wohlhabende Haus an den Karnevalstagen offene Tafel hielt und sogar jedem Fremden, wenn er nur die Grenzen des Anstandes nicht überschritt, weitgehende Gastfreundschaft gewährte. Harmlose Scherze und kleine Freiheiten wurden nicht übelgenommen, und wer Damen begleitete,

42 Weiberfastnacht in Beuel, 1988

durfte keinen Einspruch erheben, wenn man diesen im Vorbeigehen einen Kuß raubte. Daß solche Maskenfreiheit so gut wie nie ausartete, spricht für das feine Taktgefühl, das den echten Rheinländer auch in den Stunden der höchsten Ausgelassenheit nie verläßt, und das, wie ich glaube, ein Ergebnis vielhundertjähriger Kultur ist. Auf Grund meiner späteren Erfahrungen wage ich zu behaupten, daß man nur am Rhein Feste zu feiern versteht, denn auch diese Kunst wird nicht von heute auf morgen erworben, sondern setzt uralte geschichtliche Traditionen voraus, die natürlich sehr verschiedener Art sein können. In Frankfurt z. B. wurzeln sie in den prunkvollen Veranstaltungen der Kaiserkrönungen, in Köln in dem Gepränge des Zunftlebens und des früh erstarkten, seiner Macht bewußten Bürgertums, in Bonn in den höfischen Lustbarkeiten der kurfürstlichen Zeit.

Wie es den anmutigen Töchtern des Hauses am Kaiserplatz und ihren Freundinnen an Verehrern nicht fehlte, so wurde der Flor junger Damen auf dem Balkon auch von der unten hin- und herwogenden Menge beachtet, und von den Festwagen flog mehr als ein Veilchenstrauß, mehr als eine Handvoll Konfetti hinauf.

In das Gewirr der Zugteilnehmer war inzwischen Ordnung gekommen; berittene Herolde mit Trompeten, von denen Fahnentücher mit dem Bonner Stadtwappen niederhingen, setzten sich an die Spitze, die Instrumente der Musikkorps blinkten und blitzten im Sonnenlicht des lauen Vorfrühlingstages, Prinz Karneval mit der hermelinverbrämten Schellenmütze und dem Pritschenzepter hatte, umgeben von seinem närrischen Hofstaat, den schwankenden Thron bestiegen, und die schweren belgischen Lastpferde stampften schon ungeduldig das Pflaster, da sprengte auf herrlichem Rappen ein Reiter in der Tracht eines spanischen Stierkämpfers heran, parierte seinen Gaul mitten im Galopp gerade vor dem Balkon, salutierte mit dem Degen galant zu den Damen hinauf und eröffnete dann ein lebhaftes Bombardement mit Apfelsinen, die er den Halftern des Sattels entnahm. Es war Freund Schmickler, der erste Ausläufer, der heute wieder einmal seinen großen Tag erlebte. Geschminkt und gepudert, mit schwarzer Perücke, glattrasierter Oberlippe und angeklebten Bartkotelettchen, auf dem Kopfe ein rundes schwarzes Barett mit leuchtend rotem Pompon, über der linken Schulter ein kurzes Mäntelchen, so saß der alte Mann, beweglich wie ein Jüngling, zu Pferde und schwelgte im Genuß seiner Wirkung. Er hatte sich solches freilich auch ein schönes Stück Geld kosten lassen und, wie er mir später gestand, allein für den Anzug mehr als hundert Mark ausgegeben.

Nachdem sich der Zug in Bewegung gesetzt hatte, strömte alles nach dem Markt, um dort von den Fenstern der hohen Häuser aus noch einige Male das farbenprächtige Wandelbild der Wagen und der unzähligen Gruppen zu genießen und selber in den Wogen des Frohsinns unterzutauchen, die dort am höchsten gingen, und ein Lustspieldichter im Stile des alten Goldoni hätte hier den Stoff zu tausend heiteren Intrigen finden können. Denn der Bonner Markt, auf den sieben Gassen münden, ist so recht der Festsaal der Bürgerschaft, eine Bühne, die das schöne alte Rathaus mit seiner kunstvoll umgitterten Freitreppe, der altehrwürdige Gasthof zum Goldenen Stern, der kurfürstliche Obelisk und manche bemerkenswerte Hausfassade als wirksame Dekoration umrahmen. Heute wurde der anheimelnde Eindruck noch durch all die Tische verstärkt, an denen unter einem Wald von Fichten vor dem Rathaus Männlein und Weiblein in ungebundener Lust bis tief in die Nacht hinein pokulierten.

[. . .]

Was soll ich sonst noch vom Karneval erzählen? Daß man in jeder Kneipe, wo »etwas los war«, sein Schöppchen trank, daß man den am Spieß gebratenen Ochsen, der durchaus nicht gar werden wollte, erwartungsvoll umstand und sich bald hier, bald dort in das bunte Getriebe eines Maskenballes mischte, versteht sich von selbst. Eines aber will ich noch vermelden: daß ich am Spätnachmittag unsern Toreador wiederfand. Aber wie hatte er sich unter der Einwirkung des Weines verändert! Hätte ich ihn nicht an seinem Rappen erkannt: ich würde ihn für einen Fremden gehalten haben. Einer entblätterten Rose nicht unähnlich, hing er zusammengeknickt auf dem Gaul; ohne Barett, ohne Perücke, das mit Schweiß verklebte dünne graue Haar borstig gesträubt, statt des Degens eine leere Flasche in der Rechten, starrte er aus glasigen Augen auf das Menschengewühl und überließ es seinem Tier, sich einen Weg durch die Menge zu bahnen. Ich hielt es für meine Pflicht, mich der gefallenen Größe anzunehmen, holte ihn mit Hilfe mitfühlender Seelen aus dem Sattel und bettete ihn im Hintergelaß einer bescheidenen Kneipe auf eine Strohschütte.

Auch im fröhlichen Bonn folgt auf den Karneval ein

Aschermittwoch, und wenn sich der Puder auch nicht so
bald aus dem Haar verlor, wenn vor dem inneren Auge
auch manchmal eine namenlose holde Gestalt auftauchte,
mit der man im tollen Getriebe der Fastnachtslust die sonst
nur in Briefen vorkommenden »Grüße und Küsse« ge-
tauscht hatte, so zog doch die Arbeit junge und alte
Schwärmer bald wieder in ihren Bann, und das Geschäfts-
leben nahm seinen gewohnten Gang.

Julius R. Haarhaus, 1921

Die Lindenwirtin

Im Jahre 1871 wurde hier in Godesberg ein Turnverein ge-
gründet, und es interessierte sich damals mein Vater besonders dafür. Weil der Verein keine Heimstätte hatte, entschloß sich mein Vater, in unserm Garten eine Turnhalle zu
bauen; als die Halle fertiggestellt war, zerfiel der Verein infolge Unstimmigkeiten, und mein Vater richtete nun die
Halle mit einem schmalen langen Seitenbau zu einem großen Tanzsaale ein. Der alte Tanzsaal an der Straße im alten
Hause wurde nun zu Fremdenzimmern umgewandelt, und
die Festlichkeiten zu Ostern, Pfingsten und Kirmes sowie
Fastnacht fanden jetzt im neuen Saale statt. Als der Saal nun
fertig war, da erhielt mein Vater von dem Bonner S. C. eine
Anfrage, ob sie im neuen Saal ein Fest feiern könnten? Mein
Vater war sehr erfreut und bat die Herren, ihm vorher Mit-
teilung zu machen, damit er alles vorbereiten könnte. Am
folgenden Tage trafen unzählige Wagen mit den Studenten
hier ein, es waren etwa 80 Personen. Die Kutscher beschäf-
tigten meinen Vater mit Bestellungen, so daß derselbe sich
vorerst noch nicht um die Studenten im Saal kümmern
konnte. Ich bekam den Auftrag, nachzusehen und Bestellungen anzunehmen. Da sah ich nun, wie eine Anzahl Koffer ausgepackt wurden und allerlei Sachen zum Vorschein

166

kamen, so daß ich glaubte, es würde Theater gespielt. Der Tanzkreis wurde mit Sand bestreut, die Herren traten zur Mensur an in ihrem Paukzeug. Noch immer glaubte ich, es sei ein Scherz, bis ich das Blut fließen sah. Ich schrie auf vor Angst und lief zum Vater. Mein Vater war denn auch sehr überrascht und ging sofort zu den Herren in den Saal. Diese ließen sich nicht stören und paukten weiter. Die Sache ging wie ein Lauffeuer durch unser damals noch kleines Dorf, und es wurde die Polizei mobil gemacht. Die Kutscher paßten aber fein auf, und als die Polizei ankam, hatten die Kutscher im Saal alles beseitigt, und die anbandagierten Studenten saßen in unserm verschlossenen Weinkeller, und ein Teil war durch die Saalfenster in den Godesberg entwischt. Die Polizei mußte unverrichteter Sache wieder abziehen. Dann stärkten sich die Zurückbleibenden auf diesen Schrecken mit dem nötigen Stoff und befreiten ihre Corpsbrüder aus dem Keller. Die Paukerei hatte ein jähes Ende gefunden. Die Kutscher hatten die Koffer mit den Waffen in der Scheune auf dem Heuboden versteckt. Mein Vater schrieb einen Brief an die Musensöhne, daß die Koffer hier abgeholt werden müßten und Mensuren in unserm Gasthause nicht erlaubt wären, daß sie sonst aber stets willkommene Gäste seien. Die Koffer wurden anderntags abgeholt und ins Hotel Styrum gebracht, dasselbe lag an der Bahnhofstraßen-Ecke, wo die Mensuren noch weiter abgehalten worden sind; dasselbe ist aber dann nach ein paar Jahren eingegangen. Der Studentenverkehr in unserm Gasthause wurde immer größer, und weil wir außer dem kleinen Zimmer an der Straße noch keine separaten Klavierzimmer hatten, mußten die Korporationen sämtlich in dem langen Nebensaal neben dem Hauptsaal untergebracht werden, der für diesen Zweck mit einzuhängenden Glasfenstern und großen Türen von dem großen Saale abgetrennt wurde. Bei großen Tanzfestlichkeiten wurden diese wieder entfernt. Eine Reihe von langen Kneiptischen und die nötigen Stühle

43 Die »Lindenwirtin« Aennchen Schumacher

wurden der Länge nach an beide Seiten des langen Saales
hingestellt. An der Eingangstüre stand ein kleines Büfett,
um für den Vorrat an Flaschenbier Platz zu schaffen, ebenso
für diverse Schnittchen, besonders Klosterkäse und Leber-
wurst. In der Woche war der lange Raum in zwei Teile ge-
teilt, auch durch Einhängen von Fenstern und einer Tür abgeschlossen, so daß eine Gesellschaft dort allein ihre Kneipe
abhalten konnte. Zu dieser Zeit gab es noch keine Gegen-
sätze unter den verschiedenen Verbindungen, es herrschte
stets Einigkeit und Frohsinn. An Sonntagen wurden öfter
die langen Tische aneinandergeschoben, und so saß eine
Verbindung neben der anderen friedlich zusammen. Nachmittags zwischen vier bis fünf Uhr sah man die Musensöhne scharenweise auf der Landstraße nach Godesberg

wandern, aber auch der Weg über Casselsruhe und den Hö-
henrücken wurde sehr viel benutzt, auch die Bahn und das
kleine Bähnchen brachten viele Besucher. Damals gab es
nur Kellner zur Aushilfe, wenn der Verkehr zu groß wurde.
Die Studenten holten sich das Flaschenbier selbst an dem
kleinen Büfett. Die Flaschen standen bei jeder Korporation
in Reihen auf den Tischen, und zum Schluß der Kneipe
wurden die Studenten gezählt und die Flaschen verteilt, so
daß jeder gleich viel zu zahlen hatte. Lange Zeit ließ sich das
aber nicht durchführen, und es mußten die Kellner später
die Bedienung und Abrechnung vornehmen. Am Klavier
durfte nur ich selbst die Lieder begleiten, die von allen gemeinsam gesungen wurden. Zu diesem Zwecke hatte ich
mir ein Kommerslieder-Potpourri in zwei Abteilungen an-
geschafft. Der erste Teil stieg um fünf Uhr und der zweite
Teil gegen Abend. Es wurden mir Reden gehalten und bekam ich öfter einen Salamander als Dank gerieben. Frau
Schüffelchen und ihre Schwester, zwei Blumenverkäufe-
rinnen, brachten im Frühjahr die ersten Veilchensträuß-
chen, Maiglöckchen, wie die Jahreszeit diese bot. Diese
Blumen erhielt ich von den Musensöhnen verehrt, und
mein Schürzenband war rund um mich herum mit Blumen
besteckt. Jeder Student erhielt ein Kommerslieder-Text-
buch, und ich nahm dazu die kleinen Taschenliederbücher
von Reclam. Abends neun Uhr neun Minuten fuhr die
letzte Staatsbahn nach Bonn und nahm alle Musensöhne
wieder mit zur Alma mater Bonnensis – – –

Aennchen Schumacher, 1929

»Op de Kuhle Kirmes«

Landauf, landab gibt es manche Kirmes, wo es hoch hergeht, aber eine »Kuhle Kirmes« gab es nur einmal! Zunächst eine Frage: Warum Kuhle Kirmes? Um dies klarzustellen, muß man mit mir einen kurzen Gang in die Nordostecke der alten Stadt Bonn machen.

Dort stand vordem auf einer Anhöhe eine Windmühle, die ihre langen Arme lustig im Winde drehte. Von ihr führte zum Rhein hinab eine Gasse mit einigen winkligen Häuslein, die seit dem Jahre 1770 die »Kuhl« oder Kaule genannt wurde. Erst kurz vor 1900 ist sie, wie das Adreßbuch beweist, in »An der Windmühle« umgetauft worden. Zudem nannte man seit Menschengedenken das ganze Viertel zwischen Theater- und Josefstraße »et Kuhleviédel«, seine männlichen Bewohner »Kuhlejunge«, im Scherz die Stiftskirche auch »Kuhledom«.

Das führt zur zweiten Frage: Was hat die Stiftskirche mit dem Kuhleviertel zu tun? – In alter Zeit gar nichts! Nanu, wieso? Bis zu ihrer Zerstörung im Jahre 1673 lag die alte Dietkirche draußen vor der Stadt in dem Winkel zwischen Rosental und Rheindorfer Straße. Zu ihrem ausgedehnten Pfarrbezirk vor den Mauern gehörte in der Stadt nur ein kleines Gebiet um die Kapelle St. Paul (zwischen Stiftsgasse und Kasernenstraße). Dies änderte sich auch nicht, als im Jahre 1729 der Kuppelbau der alten Stiftskirche an Stelle der jetzigen Kirche errichtet wurde. Erst zur französischen Zeit (1804) kam das Kuhleviertel, das bis dahin zur Remigiuspfarre gehört hatte, zum Stift.

Ist denn die Kuhlekirmes nicht uralt? Sicher. Bis zum Jahre 1373 feierte die alte Dietkirche, deren Patrone St. Peter und St. Johann der Täufer waren, ihr Kirchweihfest oder ihre Kirmes auf den 2. September. Am 26. August des genannten Jahres bestimmte Erzbischof Friedrich III. von Köln, daß das Kirchweihfest von nun an am Sonntag nach

St. Johannes' Enthauptung (29. August) begangen werden sollte. Und so blieb es durch die Jahrhunderte bis auf den heutigen Tag. Die Bewohner der Kuhl aber feierten, das dürfen wir ruhig annehmen, auch als sie noch nicht zur Stiftspfarre gehörten, »Kuhle Kirmes«.

Versetzen wir uns nun einmal für einige Augenblicke in die »gute, alte Zeit«. Soeben haben die Glocken vom Stift am Samstagabend die Kirmes eingeläutet. Feierabend! Aber nicht für unseren Bezirk. Wie flinke Heinzelmännchen regen sich allenthalben die Bewohner, um ihre Häuser und Straßen zu schmücken. Und wenn am Sonntagmorgen die Sonne in das Viertel lacht, dann sieht sie auf ein Gewirre von Girlanden, bunten Fahnen und langen dichten Reihen von »Maien« an den Häusern entlang. Am Eingang erheben sich reichverzierte Triumphbogen, und inmitten der Gassen hängen große mit hunderten Eiern geschmückte Kronen herab. Als gewissenhafter Chronist muß ich noch darauf hinweisen, daß hier und da ausgestopfte lebensgroße Puppen an Hausgiebeln oder an Seilen über die Straßen hingen oder sogar an einem Triumphbogen baumelten. Um ihren Hals trugen sie eine Tafel mit Spottversen oder bissigen Inschriften. Wenn sich nämlich in der Stadt irgendeine Persönlichkeit mißliebig gemacht hatte, so wurde sie auf diese Weise »erhöht« oder an den Pranger gestellt. Die genannten Darstellungen waren vielfach so humorvoll, daß Tausende aus der Stadt zur Kuhle Kirmes strömten, nur um davon Kenntnis zu nehmen. Nach dem Hochamt, zu dem sich alt und jung einfanden, begann die eigentliche Kirmesfeier, die wie auf dem Lande vom Reih, der Vereinigung der Junggesellen, geleitet wurde.

Zunächst holten vier Ehrenjungfrauen, in späteren Jahren einige Frauen, die Festkrone, eine besonders reichausgestattete Eierkrone, von der Wirtschaft, in welcher der Reih tagte, mit Musik ab. Wie sah dieses Kunstwerk aus? Geschickte Mädchenhände hatten tagelang zu tun, um es fertigzustellen. Zunächst wurde ein breites Gestell aus starken Faßreifen mit Tannenzweigen umwickelt und mit Blumen verziert. Nun mußte eine Menge langer Ketten aus hohlen, grellbemalten Eierschalen hergestellt werden. Zwischen je zwei Eier wurde ein rotes Läppchen und ein kurzes irdenes Pfeifchen gesteckt. Vorsichtig wand man dann die Ketten in großen und kleinen Bogen bis zur Spitze der Krone. Aus deren Mitte hingen noch mehrere Stränge aus bunten Tonröhren und dazwischen gereihten Gold- und Silbersternen herunter. Zuletzt setzte man auf die Spitze noch einen bunten Strauß von Feldblumen. Solche Kronen wurden in alter Zeit auf Johannes' Geburt (24. Juni) an vielen Orten aufgehängt und darunter von der Jugend getanzt. Auch die Pfingstkronen, die noch heute in Küdinghoven und anderen rechtsrheinischen Orten aufgehängt werden, gleichen der unsrigen.

[. . .]

Am Nachmittag, wenn der Sauerbraten genossen war, begann die Völkerwanderung zur Kuhle Kirmes. Am Eingang zum Viertel erhoben die Reihjungen Eintrittsgeld. Wer ein »Kaastemännche« (25 Pfg.) oder sogar mehr spendete, mußte mit dem Reih – man ließ sich nicht lumpen – einen großen Humpen Rotwein oder eine Kanne Bier leeren. Und nun stürzte man sich in den Trubel hinein. Das war ein Gedränge, ein Geschiebe und Gewoge, es hob sich wirklich, aber weiter kam man schließlich doch. Erst allmählich konnte man auf das einzelne achten. Man bewunderte die stattlichen Kronen, betrachtete schmunzelnd die Puppen mit den angehängten Spottversen, die fein aufmontierten »Damen« (Puppen), die in Spitzenkleidern mit Schleier und Sonnenschirmchen an einem Fenster oder einer Tür saßen. Man sah reichgezierte Häuser, auch manche, die vor dem Eingang eine Sommerlaube hatten. Und überall saßen zwischen dem Grün lustige Männlein und Weiblein bei einem Fäßchen Bier oder Wein. Glücklich der Besucher, der nach all dem »Gewöhl« endlich in einem Haus, an dem ein »Strauß« von Wacholder herausgesteckt war, ein ruhiges Plätzchen fand, wo er bei einem »Möthchen« Wein sein seelisches Gleichgewicht wiedererlangen konnte.

Wenn der Abend niedersank, wurden Tische und Stühle aus dem heißen Zimmer auf die kühlere Straße gestellt. Ein mit Wein gefüllter Eimer stand mitten auf dem Tisch und diente als Bowle ... Der alte Mond aber lächelte über das ausgelassene Völkchen, das unten im Kuhleviertel seine Kirmes feierte. In ähnlicher Weise verliefen auch die anderen Kirmestage, bis am Mittwoch Taschen und Beutel leer waren. *Josef Dietz, 1971*

»Pützchens Markt«

Pützchens Markt – das war ein Zauberwort. Pützchens Markt, das war ein Ereignis, nein, ein Erlebnis, das sich niemand beiderseits des Rheins zwischen Bad Godesberg und Köln entgehen ließ.

Es war schöner als Karneval, denn es fand Anfang September statt, wenn die Dunsthitze des Sommers in diesem Landstrich langen goldenen Tagen und langen blauen Nächten wich.

Pützchens Markt bewegte die Mädchen und Frauen dazu, neue Lippenstifte auszuprobieren und in diesem Jahr endlich den New Look, den Dior kreiert hatte, mit den engen Taillen und den weitschwingenden Röcken und den hochhackigen Sandaletten. Besonders getupfte Stoffe waren beliebt, rotweiß und weißrot und blauweiß und weißblau, und es waren Stoffe, die nicht mehr nach dem ersten Waschen ihre Farbe verloren oder einliefen oder kratzten.

Susanne Erichsen wurde von den Mädchen zum Idol erhoben und von den jungen Frauen eifrigst nachgeahmt. Sie schminkten sich große rote Münder und spuckten eifrig in die Maskarakästchen, um mit den kleinen Bürsten ihren Wimpern den richtigen dunklen Schwung zu verleihen.

Die jungen Männer bevorzugten blaue Jacketts und graue Hosen und wienerten ihre Schuhe so blank, wie es nur eben ging, oder erstanden – zum Teil auf Raten – dunkelrote Wildlederschuhe mit weißen Kreppsohlen, auch der letzte Schrei!

Die Friseure machten Überstunden, desgleichen die Bierbrauereien und Metzger und Bäcker. In den Fischgeschäften wurden Zwiebelringe für die Lachsbrötchen geschnitten, bis die Tränen den Fisch zusätzlich salzten.

Das kleine, sonst so geruhsame Pützchen breitete sich mit einemmal aus, als sei es zur Großstadt erklärt worden. Hunderte von Fahrzeugen karrten Zelte, Karussells, die besonders beliebte Raupe mit dem grünen Verdeck und sogar ein Riesenrad heran. Darunter mischten sich Zigeuner mit einem kleinen Zirkus, dessen größte Attraktion ein zweijähriger Fuchs war, der in seinem kleinen Gehege unablässig im Kreise lief. Schön rot war er und garantiert nicht tollwütig, was der zuständige Veterinär überprüft hatte, und seine Rute war dicht und buschig und blieb es, obwohl er sie ständig über den Boden schleifen lief. Wahrsagerinnen gab es nun wieder und Fiedler und natürlich auch den Plünnenmarkt, und vor allem gab es große und kleine Wirtshäuser, in Torbögen und in Zelten, in Gärten.

Alexandra Cordes, 1983

Universität

»Wenn die Einwohner von Bonn ihre Stadt zum Sitz einer Universität empfehlen ...«

Während man nun diese Zeit über mit aufgeklärten und, im echten Sinne, freidenkenden Personen umging, so kam die Angelegenheit der ehemals hier vorhandenen Universität zur Sprache. Da man nämlich schon längst an der Wiederherstellung der veralteten hohen Schule in Köln verzweifelt, habe man den Versuch gemacht, eine neue in Bonn zu gründen. Dieses Unternehmen sei deshalb mißlungen, weil man, besonders in geistlichen Dingen, polemisch und nicht vermittelnd verfahren. Furcht und Parteigeist zwischen den verschiedenen Glaubensgenossen sei indessen beschwichtigt, und gegenwärtig die einzig mögliche und vernünftig herbeizuführende Vereinigung der Katholiken und Protestanten könne nicht auf dogmatischem und philosophischem, sondern allein auf historischem Wege gefunden werden, in allgemeiner Bildung durch gründliche Gelehrsamkeit. Eine bedeutende Universität am Niederrhein sei höchst wünschenswert, da es der katholischen Geistlichkeit und somit auch dem größten Teil der Gemeinde an einer vielseitigern Geistesbildung fehle. Die Abneigung, ja die Furcht vor der Gelehrsamkeit sei früher daher entstanden, daß die Trennung der Christenheit durch Philologie und Kritik geschehen, dadurch sei die alte Kirche in Schrecken gesetzt, Entfernung und Stillstand verursacht worden. Bei veränderten Umständen und Ansichten jedoch könne dasjenige, was die Kirche getrennt, sie nun wieder vereinigen, und vielleicht wäre eine so schwer scheinende Aufgabe bei gegenwärtiger Gelegenheit, im oben angedeuteten Sinne, am sichersten zu lösen.

44 Ehrenpforte zur Inauguration der kurfürstlichen Universität, des Vorläufers der Preußischen Rhein-Universität, von Peter Beckenkam (1786)

Wenn die Einwohner von Bonn ihre Stadt zum Sitz einer Universität empfehlen, ist es ihnen nicht zu verargen. Sie rühmen die Beschränktheit ihres Orts, die Ruhe desselben. Sie beteuern die Achtung, welche dem Studierenden hier zuteil würde als notwendigem und nützlichem Mitbewohner; sie schildern die Freiheit, die der Jüngling genießen würde in der herrlichsten Gegend, sowohl landwärts als rheinwärts und überrheinisch. Die Ursachen, warum der erste Versuch mißlungen, kenne man nunmehr und dürfe nur die ähnlichen Fehler vermeiden, so habe man die völlige Gewißheit, diesmal zum Ziele zu gelangen.

Diese und ähnliche Gespräche wurden auf der Terrasse des Schloßgartens geführt, und man mußte gestehen, daß die Aussicht von demselben entzückend sei: der Rhein und die Siebengebirge links, eine reichbebaute und lustig bewohnte Gegend rechts. Man vergnügt sich so sehr an dieser Ansicht, daß man sich eines Versuchs, sie mit Worten zu beschreiben, kaum enthalten kann.

Johann Wolfgang Goethe, 1814

»Aus allen Enden Europas kommen sie ja herbei . . .«

Für eine große Universität aber ist kein Ort der diesseitigen Rheinländer in jeder Rücksicht geeigneter als Bonn.

[. . .]

Und wo am ganzen Rheinstrome, wo in ganz Deutschland, findet sich eine Gegend, die sich mit der von Bonn messen könnte? Von dem freundlichen Charakter, den diese Stadt schon in ihrer ganzen Bauart hat, nicht zu sagen, so ist dem Künstler, wo er sich in der Gegend von Bonn stellen mag, eine malerische Ansicht eröffnet. Faßt er seinen Standpunkt in der Stadt selbst, in einem der an dem Rheine gelegenen Häuser oder auf der öffentlichen, beinah in ihre Mauern gehörigen Spazieranlage (dem sogenannten alten Zoll), liegt der herrliche Rhein vor ihm, mit einer wie durch die Kunst ersonnenen Krümmung desselben, mit einem herrlich angebauten Uferland, hinter welchem sich das in so vielen Rücksichten merkwürdige Siebengebirge erhebt.

[. . .]

Und welchen Gang der Wanderer in der ganzen Umgegend von Bonn wählen mag, nirgends leicht verlassen ihn jene ungeheuren Grenzsteine, welche die freundliche Gegend umschließen, in der die Stadt liegt.

[. . .]

Wie schön ist eine Jugend, die ihre frohsten Jahre auf einem so reizenden Fleck der Erde, sorglos einzig den Wis-

45 Die Universität, vom Hofgarten aus gesehen

senschaften lebend, dahin bringen kann! Aus allen Enden
Europas kommen sie ja herbei, um die schöne Natur am
Rheine zu genießen, und alle gestehen es sich, daß bei Bonn
die herrlichen Rheingegenden sich in ihrem schönsten
Punkte endigen. Welch ein Reichtum froher Erinnerungen,
den der Jüngling sich hier während seiner Universitätszeit
für sein spätestes Alter sammelt! Wonach Tausende aus weiter Ferne kommen, wonach sich so viele ihr ganzes Leben
durch sehnen, in dem Genuß einer der schönsten Gegenden
von Europa gaukelt er die Jahre hin, die seine Zukunft be-
gründen müssen. Den Genuß der reizendsten Natur verbindet er mit den erhabenen Genüssen der Wissenschaft.
Die Heiterkeit, zu der ihn jene einladet, bringt er zu dieser,
und das Studium wird wunderbarlich gefördert durch den
Wechsel von süßer Ruh und sanfter Bewegung, in welchem
das Gemüt, umgeben von einer schönen Natur, dahin
schwebt. Wer mag sich in Bonn am heitern Abend in eine
dumpfe Bier- oder Weinstube setzen, um Geist und Frohsinn in niedrigem Sinnen-Genuß und schalem Gewäsche

180

wegzudampfen? Wird er nicht lieber hinausgehn in die schöne Natur, die ihn überall mit freundlichem Lächeln empfängt? Da kann er still und einsam wandeln im schattigen Gebüsch und dem Gedanken an das Ewige nachhängen, an das der tiefer eindringende Denker alles menschliche Wissen knüpft.

[...]

Hat der Jüngling einmal das Interesse für Bonn von einer so großen Seite aufgefaßt, mit welchem Eifer tritt er in das Studium der Geschichte und ihrer Hilfswissenschaften ein! Für den Sammler von Altertümern ist hier sogar der fruchtbarste Boden vielleicht in ganz Deutschland, und unter den Mauern der Stadt selbst sind eine Menge köstlicher Überreste des römischen Altertums gesammelt worden. Wie vielen Wert gewinnen dergleichen Studien, wenn er sie unmittelbar mit großen Epochen der römischen Weltherrschaft in Verbindung setzt! Wie merkwürdig wird ihm die Geschichte, wenn er sich auf dem Boden, auf dem er sie studiert, eine Frau denken kann, deren eigener hoher Wert wie der ihres Gemahls es ein ganzes Jahrhundert bedauern ließ, daß die Furcht vor beider Tugenden sie um den Thron der Welt gebracht hatte. Agrippina, des edlen Germanicus Gemahlin, lebte geraume Zeit in Bonn und hielt durch männlichen Mut den Geist der Römer empor, während ihre Legionen in dem Zug gegen die Deutschen die erste echte Erfahrung machten, daß jedes Volk unüberwindlich ist, wenn es unüberwindlich sein will. Wahrscheinlich ward zu Bonn die Intrige entworfen, durch welche Vitellius in Köln zum Kaiser ausgerufen wurde; denn lange lag in jener Stadt die erste Legion, deren Führer, Fabius Valens, solches gewagt hatte.

An dergleichen Erinnerungen ist der Boden von Bonn reich, und sie laufen fort, um sich mit den interessantesten Epochen der spätern Geschichte zu verbinden.

[...]

Andre Studien noch begünstigt die Lage von Bonn besonders. Das Bergwerkswesen ist für die sämtlichen Länder des Niederrheins von ganz außerordentlicher Wichtigkeit, und für den künftigen Staatsdiener derselben muß eine höhere Unterrichtsanstalt in dieser Rücksicht ganz besonders sorgen. Unter denjenigen Wissenschaften, welche die nächste Vermehrung des Nationalreichtums zum Ziele haben, wird daher die Mineralogie mit den ihr verwandten Studien eine der ersten Stellen auf der künftigen Universität des Niederrheins einnehmen.

Wenn es daher wahr ist, was kein Kenner des Menschen leugnen kann, daß der Mensch immer zuerst das ergreift, was zunächst vor seinen Augen liegt, so gibt es nicht leicht einen Fleck in den Ländern des Rheinstroms, welcher dem Freund der Mineralogie so glücklich gelegen wäre als Bonn.

So wie daher der malerische Charakter des Siebengebirges, das gerade vor den Augen jedes Bewohners dieser Stadt liegt, den fühlenden Menschen zuerst befängt, so kann der studierende Mineraloge eben dadurch seine Wissenschaft keinen Moment aus dem Auge verlieren. Schon die Form dieser Berge zieht sein dem Schönen offenes Gemüt an; doppelt aber ergreift sie den wissenschaftlichen Verstand. Diese Form ist nämlich rein vulkanisch, und das Auge, welches große vulkanische Gebirge öfters gesehen hat, wird bei dem ersten Blick auf das Siebengebirge an Vulkane erinnert. Diese ganze Gruppe von Gebirgsmassen scheint ihm der Rest eines ungeheuren feuerspeienden Bergs. Aber die Kenntnis von der übrigen Gegend diesseits des Rheins zeigt ihm, daß in diesem Strich von Ländern einst schreckliche vulkanische Bewegungen gewesen sind.

[...]

Gleiche Aufmunterung und Bequemlichkeit findet der Studierende für manches andere Fach auf dem freundlichen Boden der Umgegend von Bonn. Wie reichlich belohnen sich die Exkursionen des Botanikers auf demselben, und welche herrlichen Genüsse der Natur verbindet er mit denselben! Welch ein großer Horizont eröffnet sich dem Astronomen selbst nur von den Türmen Bonns! Wie erleichtern sich dem Jüngling die Studien der neuern Sprachen in einer Stadt, die beinah auf den Grenzen von Deutschland, Frankreich und den Niederlanden liegt! Die Volkssprache selbst zieht ihn durch manche Eigentümlichkeit an, und der Kreis seines Wissens und noch mehr seines Interesses für die Wissenschaft erweitert sich ihm bei jedem Schritte.

Wie merkwürdig kann er darum auch seine Vakanzen in Bonn anwenden! Einige Wochen reichen hin, um das Merkwürdigste zu sehen, was ganz Holland und Belgien enthält, und er entfernt sich nie zu weit von dem deutschen Vaterlande und dem nächsten Punkte seiner eigenen Bildung. Ein kleiner Ausflug nach Köln kostet ihn einen Tag; aber er genießt in demselben manches große Werk der Kunst und den Anblick einer Stadt, welche den Charakter deutscher Wohlhabenheit und deutscher Kunst aus sehr frühen Jahrhunderten auf jede Weise ausspricht und für einige Tage dem Beobachter ein großes Interesse gewähren kann.

Philipp Joseph Rehfues, 1814

»Die Bürger wußten nicht, was aus ... ihrer guten Stadt Bonn noch werden sollte«

Die Universität Bonn war am 18. Oktober 1818 durch Friedrich Wilhelm III. gestiftet. Schon zu Michaelis fanden sich einige Professoren und Studenten ein, eröffnet wurde sie eigentlich erst zu Ostern 1819 und zwar mit 219 Zuhörern.

Unter den Professoren waren bedeutende Namen, besonders in der philosophischen Fakultät. Bald zeigte sich, daß sie als Lehrer ebenso unbedeutend waren als früher bedeutend durch ihre Schriften. Der Kollegia, die unser einer hören mochte, waren wenig, und diese wenigen entsprachen durchaus nicht den Erwartungen, mit denen man in den Hörsaal trat.

So las Schlegel Geschichte der neueren deutschen Literatur. Das war nicht viel besser, als wenn man gelegentlich einem Fremden erzählt, daß wir Deutschen auch eine schöne Literatur haben. Dabei brachte er alle wichtigen Erscheinungen mit sich in Beziehung, und wenn er auf Goethe und Schiller zu sprechen kam, so vergaß er nie ›mein unsterblicher Freund‹ hinzuzufügen.

[. . .]

Die Bürger wußten nicht, was aus ihnen und ihrer guten Stadt Bonn noch werden sollte. Sie hatten weder von einer deutschen Universität noch von deutschen Studenten die geringste Ahnung. Sie kannten nur die französischen Bildungsanstalten; was im Vaterlande bestand und vorging, war ihnen fremd geblieben. Sie wunderten sich nicht wenig, daß Professoren so hochangesehene Leute waren, bei ihnen hieß ja jeder Schulmeister (selbst unser Poppelsdorfer) Professor. Daß Studenten ganz was Besonderes sein sollten, konnten sie nicht begreifen; waren sie doch selbst Studenten gewesen, denn wer eine Schule besuchte, besonders eine sogenannte lateinische, war ein Student. Es dauerte eine Zeit, ehe sie an das freie muntere Wesen der Studenten und ihre Sitten und Gebräuche sich gewöhnten, und sich darein fanden, mit ihnen die besuchtesten Vergnügungsörter teilen zu müssen.

Übrigens kam nach und nach das Studentenleben und Treiben in seiner ganzen Eigentümlichkeit den guten Bonner Philistern zur Anschauung.

Heinrich Hoffmann von Fallersleben, 1868

»In keiner Stadt hört man soviel Lachen...«

In Bonn kommen Studenten und Bürger gut miteinander aus. Die Nähe der sieben grünen Berge, die am Ende jeder Straße stehen, die nach Süden geht, die Allgegenwart des sonnenbreiten Rheins, der, von Schiffen und Nachen bedeckt, in weitem Bogen an der Stadt vorüberzieht, die weiche Luft, die von den Küsten des Meeres herweht, die bunte Fülle des Obstes und die begrünten Stangen der Weinberge, die Gärten, die jedes Haus wie ein kleines Paradies umgeben, das unzählbare Volk der Vögel, das diesen Erdenfleck mit jedem Frühjahr überflutet und fast zur Last wird – das alles macht die Herzen der Menschen hier weit offen für jede Freude. Die vielen Fremden, die jedes Jahr mit den Vögeln kommen, werden angesteckt von der Heiterkeit des Lebens hier, fühlen sich zu Hause und sind, wenn sie scheiden, für immer krank an der Sehnsucht nach dem Paradies, das sie zurückgelassen haben. In keiner Stadt hört man soviel Lachen und Singen aus den offenen Fenstern. Die Leute, die auf den Straßen aneinander vorübergehen, sind sich alle Freund, auch wenn sie sich nie gesehen haben.

Die Studenten gehören aber auch zu Bonn. Wenn sie im Frühjahr und im Herbst, zu den Ferienzeiten, aus den Straßen verschwinden, dann ist Bonn gestorben. Die Straßen sind grau und still, die Fenster geschlossen, die holzgetäfelten Zimmer und die blumengefüllten Veranden der Wirtshäuser leer. Aber wenn nach einigen Wochen die ersten Studenten wieder in den Straßen auftauchen, dann zeigt es sich, daß die Stadt nur geschlafen hat. Jetzt wacht sie wieder auf, ein Dornröschen, aus der Verzauberung geweckt durch die zweitausend jungen Männer, die mit ihren langen Schritten, ihren lachenden Augen eine Flut von Jugendkraft um sich ausbreiten und alles in ihren Bann ziehen.

Alte Leute, die wieder jung werden wollen, sollten nach

46 »Mensuren des Bonner S. C. auf dem Knabengarten«

Bonn kommen, um in diesem Jungbrunnen unterzutauchen.

Die, die von selber, mit weiten Armen und frohen Füßen
in diesen Bann hineinlaufen, das sind die jungen Mädchen,
deren hier so viele wie die Vögel sind. Hinter allen Gardi-
nen schimmern lockige Haare und neugierige Augen, hinter allen Zweigen im Hofgarten und in den umgitterten
Vorgärten der Häuser leuchten helle Röcke. An den Nach-
mittagen ziehen die Pensionate in langen Reihen, zwei und
zwei, die kleinen Mädchen voran, die großen hinterher, an
den Spiegelscheiben der Läden vorbei, in denen ihre Kleider
von allen Seiten widerscheinen, oder unter den breiten
Ästen der Anlagen her, durch deren Lücken die Sonne tausend spielende Flecken herabwirft. Am Ende des Zuges
geht die Erzieherin mit der ältesten der jungen Damen, und
es ist ein Glück, daß sie, so scharf sie auch sieht, doch nicht
durch die Köpfe der jungen Mädchen zu sehen vermag.

Wilhelm Schmidtbonn, 1935

»God save the King« – 1830 in Bonn

Diesen Brief, liebste Mutter, schreibe ich Dir aus einem Dorf, das am allerschönsten Teil des »Vaters der Flüsse« liegt. Als ich kürzlich in Frankfurt am Main war, traf ich dort einen Deutschen namens Schulte wieder, den ich aus Cambridge kenne. Er schlug mir vor, gemeinsam mit ihm hier in Godesberg Quartier zu nehmen, weil der Ort so billig und die Landschaft so idyllisch sei. Stadt und Universität Bonn liegen etwa drei Meilen entfernt. Vor ein paar Tagen sind wir dorthin gewandert. Schulte begegnete einem alten Freunde, der uns auf sein Stübchen einlud und mit Tee bewirtete. Dann nahm er uns mit zu einem *Kommershause*, wo an die dreißig oder vierzig junge Männer rauchend, schwatzend, trinkend und singend beieinander saßen. Man empfing uns sehr höflich. Die jungen Burschen machten einen derben, ungepflegten und rauflustigen Eindruck. Sie trugen knappsitzende Mützen und schmauchten aus langen Tabakspfeifen.

Nach einer Weile tauschten einige besonders kecke Zechkumpane die kleinen Becher gegen große Humpen aus. Ein halbes Dutzend von ihnen nahmen sich gegenseitig das Ehrenwort ab, nacheinander vier solcher Weinkrüge leeren zu wollen.

Alle Anwesenden waren Mitglieder des sogenannten *Rhenanier-Clubs* – für dessen richtige Schreibweise ich mich freilich nicht verbürgen kann. An der Universität zu Bonn gibt es noch drei weitere solcher Kongregationen – die *Preussen*, die *Westphalen* und die *Burschenschaft*.

Seltsamerweise sind alle vier sehr darauf bedacht, einander durch ehrenrührige Reden zu Fechtduellen zu provozieren, an denen man offenbar großes Vergnügen hat. Jeder Club besitzt einen Präsidenten und einen Vizepräsidenten, welche diese Ehrenämter vor allem ihren Fechtkünsten verdanken.

**47 Korpsstudenten der »Borussia« vor ihrem Stammlokal
in der Baumschule (1838)**

Der Präsident der *Rhenanier* war von mir so sehr begei-
stert, daß er mich zu einem großen Meeting des Clubs, das
demnächst mit allen dreihundert Mitgliedern stattfinden
wird, eingeladen hat. Außerdem forderte er mich auf, einer
Reihe von Duellen beizuwohnen, die am kommenden
Montag in einem nahen Gasthof ausgefochten werden sollen.

Übrigens sangen die *Rhenanier* nicht übel. Reihum
mußte jeder ein Lied vortragen. Ich konnte mich davon
nicht ausschließen und tat also meiner Sangespflicht Ge-
nüge, indem ich voll patriotischer Inbrunst unser *God save
the King* in die Gaststube schmetterte. Zu vorgerückter
Stunde sprang die ganze Kumpanei plötzlich wie ein Mann
auf. Alle rissen die Mütze vom Kopf und sangen mit dröh-
nender Stimme eine Hymne auf den Rhein.

Montag:
Heute war ich in dem Bonner Gasthof bei den Duellen zugegen. Während des jeweiligen Fechtganges standen mit

188

gezückten Degen zwei »Sekundanten« dicht dabei und schoben, wenn ein Hieb getroffen hatte, die Säbel der beiden Kombattanten nach oben. Manche Duelle waren auf zwölf, andere sogar auf vierundzwanzig Fechtgänge angesetzt. Sobald aber einem der Gegner eine Schnittwunde von gebührender Tiefe und Länge zugefügt worden war, wurde der Zweikampf sofort abgebrochen.

Mein deutscher Reisegefährte, der in Heidelberg und Göttingen studiert hat, rümpft über die Bonner Fechtbrüder nur die Nase. Er erzählte mir, daß an jenen viel berühmteren Universitäten oft mit schweren Säbeln und ohne jeglichen Schutz gefochten wird. Sein Gesicht ist denn auch mit großen Narben, die er in solchen Duellen eingeheimst hat, reichlich gepflastert. Hier in Bonn genießt er als Meister der Fechtkunst großen Respekt, und ich werde, falls man mich in irgendwelche Ehrenhändel verstricken sollte, nicht zögern, ihn um deren Austragung an meiner Stelle zu bitten.

William Makepeace Thackeray, 1830

Studentischer Fleiß und nächtliche Ständchen

Zuerst, liebe Mutter, will ich Dir heute ein kleines Bild meines hiesigen Lebens so wie eine Übersicht meiner Zeitverteilung entwerfen, und bei der Gelegenheit die einzelnen in Deinem freundlichen Briefe vom 18. und 19. dieses Monats aufgeworfenen Fragen beantworten. Gewöhnlich stehe ich des Morgens um 7 Uhr auf, nachdem ich mich mit aller Muße angezogen, esse ich zwei Weißbrötchen, die etwa so groß wie unsere Semmeln sein mögen, und trinke ein Paar Gläser frisches, leider etwas weich schmeckendes Wasser dazu, welches mir das Mädchen immer gegen acht Uhr heraufbringt. Dann gehe ich nach den verschiedenen Tagen um acht oder um neun Uhr ins Kolleg, nach dessen

Beendigung ich sogleich auf meine Stube zurückkehre, um dort bis gegen eins zu arbeiten. Um ein Uhr bringt mein Stiefelputzer (denn einen solchen muß sich hier jeder Student halten, da die Hausmädchen sich nicht mit Schuhputzen und Kleiderausklopfen abgeben) mein Mittagessen mir aufs Zimmer, und zwei Berliner mit Namen Sotzmann kommen ebenfalls, um mit mir zu essen. Wir haben den Tisch auf diese Weise etwas wohlfeiler, da zwei Portionen für unsern Hunger gewöhnlich hinreichen. Die Kost ist übrigens nicht von der Art, um uns zu übermäßigem Genusse zu verleiten. Ziemlich dünne Fleischsuppe, Fleisch, das fast nur aus Fasern und Sehnen besteht, gehacktes Gras mit Essig und Zucker, und Kartoffeln, die für diese Jahreszeit noch recht gut sind, bilden die gewöhnlichen Gerichte. Wenn wir hingegen einmal Mehlspeisen oder Geräuchertes bekommen, haben wir keine Ursache zu klagen, da beides hier zu Lande vortrefflich bereitet wird. Nach Tische lese oder schreibe ich gewöhnlich bis vier Uhr. Dann muß ich wieder ins Kolleg, das bis sechs, an drei Tagen der Woche aber bis sieben Uhr dauert. Ist das Wetter schön, so mache ich des Abends bald allein, bald in Gesellschaft einen weiteren Spaziergang nach Kessenich, Dottendorf oder Godesberg, regnet es aber, wie häufig in der letzten Zeit es der Fall war, so muß ich in die Einsamkeit meines Stübchens mich zurückziehen, wo es mir jedoch nie an Beschäftigung fehlt. Gegen halb neun Uhr stecke ich meine Lampe an, (es ist eine alte von Bleek, die er mir freundlich geliehen, natürlich, ohne von mir dazu aufgefordert zu sein) und speise mit ein paar mächtigen Butterbroten und einem Glase Bier zu Nacht. Die Zeit nach dem Abendessen ist dem Studium der neueren Literatur gewidmet; besonders gern vertiefe ich mich in Shakespeare, Lord Byron und Goethe. Die Stunde des Schlafengehens ist wie früher in Lübeck immer noch unbestimmt und hängt von dem Grade meiner Müdigkeit ab, selten aber lege ich mich vor elf Uhr nieder. Mein Wirt, ein noch ziemlich junger Mann, der sich übrigens bei jeder Gelegenheit höchst artig und zuvorkommend gegen mich benimmt, hat bereits eine Frau und zwei Kinder, von denen das älteste, ein dreijähriges Mädchen, mich bisweilen auf meiner Stube besucht, und mit seinem allerliebsten rheinischen Kauderwelsch mir viel Spaß macht. – Die Bezahlung meiner fünf Kollegien mit drei Louisd'or geht mit ganz natürlichen Dingen zu, da zwei derselben sogenannte Publica sind, d. h. solche, für deren Besuch man außer den geringen Auditoriengeldern nichts zu entrichten hat. An meinem Gelde werde ich bis Johanni, wie ich jetzt genau berechnet, vollkommen genug haben, für das neue Quartal aber möchte nicht viel übrig bleiben, da die Reisekosten, Immatrikulation Kollegiengelder, Anschaffung der notwendigen Kleinigkeiten usw. meine Kasse etwas angegriffen haben. Bei dieser Gelegenheit erinnere ich an den nicht zu vergessenden Termin meines Grabauschen Stipendiums, der in die Mitte Juni oder Juli fällt.

[...]

Das Studentenleben hat doch auch seine romantische Seite. Vor nicht gar langer Zeit hatte ich Gelegenheit, bei einem Ständchen zugegen zu sein, das ein Student seiner Schönen brachte. Es war eine stille hellgestirnte Mitternacht, als die zwölf Sänger, lauter ausgesucht schöne Stimmen, sich leise unter das Fenster verfügten. Ein Tisch mit brennenden Kerzen ward mitten auf die Straße gestellt, von beiden Seiten durch eine dichte Reihe von Freunden vor jedem Andrang geschützt, und eine lange erwartungsvolle Pause trat ein. Kein Lüftchen regte sich, selbst die Lichtflammen schwankten kaum, das Atemholen der Umstehenden war vernehmbar. Da erhob der Dirigent den Arm, und tief und klangvoll strömte der vierstimmige Gesang empor in die Nacht, und die weichen Töne der Waldhörner flossen dazwischen wie ein melodischer Geistergruß. So wurden sechs kleine Lieder gesungen; die Menge, worunter

**48 Wohnhaus Ernst Moritz Arndts an der heutigen
Adenauerallee (heute Museum), um 1910**

viele Landleute und Matrosen, stand horchend umher und
wagte nicht durch ein Wörtchen die Musik zu stören, und
als alles vorbei war und die Kerzen verloschen, ging man so
leise und ruhig auseinander, wie man gekommen war. Das
hätte in Lübeck nicht geschehen können. – Noch feierlicher
als dies war aber der große Fackelzug, der dem diesjährigen
Rektor bei seinem Abgange gebracht wurde. Da er jedoch
von den Verbindungen ausging, so konnte ich, als keiner
Farbe angehörig, keinen Teil daran nehmen. Ich befand
mich auf dem Markte, als ich ihn zuerst erblickte. Ein roter
Schimmer wälzte sich über den Köpfen an den Häusern dahin; dann erst vernahm man die voranerklingende Musik,
und endlich erschienen in blutigem Glanze die zweihundert
Fackeln. Paarweise zogen sie dahin, zwischen ihnen die
Führer und Chargierten mit farbigen Schärpen, wehenden
Federbüschen und blanken Klingen. Der Zug ging auch an
einem Hause vorbei, in dessen oberem Stock es traurig und
düster aussah. Dort lag ein Student an schwerer Brust-
wunde tödlich krank darnieder, er hatte als Katholik bereits

die letzte Ölung empfangen und erwartete in der Nacht sein Ende. Rührend war es, wie die Musik unter seinem Fenster wehmütig verklang, und wie die Rhenanen, seine Genossen, schweigend die Fackeln senkten, als wollten sie ihm damit die letzte Ehre erweisen. Nachdem der Rektor sich in einer kurzen Rede für die ihm erwiesene Ehre bedankt, und die Führer freigiebig mit Champagner bewirtet hatte, setzte sich die Menge wieder in Bewegung und zog vors Tor. Hier ward auf einem weiten von hohen Pappeln rings umschlossenen Grasplatze ein großer Kreis gebildet, und alle Fackeln zu einem ungeheuren Scheiterhaufen zusammengeworfen. Und um die lodernden Flammen stehend, die ein rötliches Zauberlicht in die schlanken Wipfel der Pappeln, ja bis zu den dunkelgrauen Wolken emporwarfen, sangen wir zu Trommelgetön und Trompetengeschmetter allesamt: Gaudeamus igitur. Dann ward das Feuer gelöscht, und alles löste sich auf.

Emanuel Geibel, 1835/36

»Der äußere Rahmen«

Als wir im April in Bonn eintrafen, kamen wir mitten in den Frühling, der mit Singen und Klingen und Blüten ohne Ende das Rheintal füllte. Rheinischer Frühling! Man muß ihn einmal erlebt haben, um zu ermessen, wie groß dieser erste Eindruck war, den wir empfingen. Und doch, denke ich an unseren ersten Eintritt in Bonn zurück, so fröstelt mich noch heute. Wir waren durch die heimelige Enge des norddeutschen Familienverkehrs, der sich fast nur im Hause abspielt, verwöhnt, wie wir ihn in der Heimat, in Rostock und in Halle kennen gelernt hatten – der eine wußte genau vom anderen und kümmerte sich um sein Freud und Leid, im Guten und Bösen, im Großen und Kleinen. Nun kamen wir in das reiche, freie, ungebundene rheinische Leben, das mit seinen Rheinausflügen und Hümpchen die Menschen zu heiterem Genuß zusammenführte, aber doch im übrigen jeden völlig für sich leben ließ, gleichgültig, ob es ihm gut oder schlecht ging. Die Professoren wohnten fast jeder in seinem eigenen Hause als Freiherr, und jeder ließ den anderen leben, wie er wollte. Dazu kam, daß auch der wesentliche Charakter der Stadt nicht der einer wissenschaftlichen Arbeitsstätte war und daß nicht das Hauptgewicht immer darauf gelegt wurde, was der Einzelne wissenschaftlich leistete, oder doch wenigstens nicht das einzige Gewicht: der äußere Rahmen, in dem jemand lebte, war für seine Stellung in hohem Maße entscheidend. Uns, die wir aus der puritanischen Einfachheit guter altpreußischer Beamten- und Offizierskreise stammten, mutete es unerfreulich an, welche Rolle der Reichtum spielte. Endlich waren wir zugewanderte, protestantische Altpreußen und galten doch schließlich mehr oder weniger den Einheimischen als eine Art Eindringlinge. Denn immer noch zitterte damals der katholische Westen von den Erschütterungen, die der unselige Kulturkampf gebracht hatte. Ich flechte hier ein: niemals habe ich in all den langen Jahren meiner Bonner Wirksamkeit auch nur die leiseste Schwierigkeit konfessioneller Art in amtlichem Verkehr mit den Kollegen und mit den Studenten gespürt, obwohl ich mit meiner Meinung nie hinter dem Berge gehalten habe. Jede konfessionelle Hetzerei war mir freilich, von welcher Seite immer sie kommen mochte, von jeher in den Tod zuwider.

Aber all diese Schwierigkeiten wurden überwunden. Wir gewöhnten uns bald an die anderen Lebensformen, und obwohl wir anfänglich keinen Menschen kannten, gestalteten sich unsere äußeren Verhältnisse doch sehr angenehm.

Ernst Zitelmann, 1923

»... die Höhe meines Lebens«

Von den 13½ glücklichen Jahren, die wir am Rhein verlebt haben, ließe sich manches erzählen. Sie waren die Höhe meines Lebens. Aber es war von vornherein meine Absicht, die Plaudereien auf die ferner zurückliegende, in der Erinnerung ganz abgeklärte Jugendzeit zu beschränken, und die Jugend geht ja spätestens mit dem vierzigsten Jahre, mit dem Eintritt in das Schwabenalter zu Ende. So möchte ich nur noch ein weniges aus den ersten Jahren in Bonn erzählen.

Als wir dort ankamen, standen die Kastanienbäume vor unserer Wohnung in der Poppelsdorfer Allee 32 schon in vollem Blätterschmuck, während in Rostock die ersten Knospen an den Büschen eben zu schwellen angefangen hatten. Es war ein anheimelndes Gefühl, in Zukunft den Winter um einige Wochen verkürzt zu wissen. Und auch im Verkehr mit den Menschen bekam man bald die Empfindung einer sich leichter mitteilenden Wärme und des schneller pulsierenden Lebens.

[...]

Es dauerte nicht lange, bis wir uns an dem neuen Wohnort heimisch fühlten. Viel trug dazu die landschaftliche Schönheit der Umgegend bei, die sich in jedem kleinen Spaziergang dem Auge erschloß.

[...]

Als ich dann aber in dem Garten unseres Bonner Hauses ein hübsches Stallgebäude mit Boxen für drei Pferde, Wagenremise und einer Kutscherwohnung vorfand, konnte ich dieses nur als einen Wink des Himmels ansehen, und es dauerte nicht lange, bis unten ein munterer Schimmel und oben ein braver Kutscher mit seiner Familie einzogen. Ein Wagen folgte bald. Für mich und die ganze Familie wurden Pferd und Wagen eine Quelle vieler Freuden. An manchem Sonntagmorgen in aller Frühe ging es zu Pferde in munterer

49 Partie im Kottenforst

Gesellschaft hinauf auf den Venusberg und auf waldigen Pfaden nach dem Rodderberg an den Rand des alten Vulkankraters, von dem der Blick über den Rhein auf das Siebengebirge und die Höhen des Westerwaldes und südwärts weithin über die Eifelberge schweift. Dann ging's hinunter nach Rolandseck und durch die Ebene in lustigem Trabe wieder nach Hause. *Friedrich Trendelenburg, 1924*

Bonn, 10. Mai 1933

So verbrenne denn, akademische Jugend deutscher Nation, heute zur mitternächtigen Stunde an allen Universitäten des Reichs, – verbrenne, was du gewiß bisher nicht angebetet hast, aber was doch auch dich wie uns alle verführen konnte und bedrohte.

Wo Not an den Mann geht und Gefahr im Verzug ist, muß gehandelt werden ohne allzu großes Bedenken. Fliegt ein Buch heute Nacht zuviel ins Feuer, so schadet das nicht so sehr, wie wenn eines zu wenig in die Flammen flöge. Was gesund ist, steht schon von allein wieder auf.

Aus dem erlauchten Kreis um Stefan George, vom Dichter Ernst Bertram bekamen wir folgenden Weihespruch mit auf den Weg:

Feier der Jugend.

Laßt euch nicht irren: tragt
Nur Reisig für euer Gericht!
Allzu duldend besteht
Jugend nicht vor dem Herrn.

Verwerft, was euch verwirrt,
Verfemt, was euch verführt!
Was reinen Willens nicht wuchs,
In die Flammen mit was euch bedroht!

Aber zu sondern wißt
Den heilig fremderen Keim:
Flamme des Dankes dereinst
Lodert Geschontem hinauf.

Einen weiseren Ratgeber als diesen können wir uns nicht denken. Heilig Fremdes, das uns bereichern kann, das wir uns anzuverwandeln vermögen, soll nicht der Flamme geweiht sein. Irren ist menschlich, aber *gemeint* haben wir nur das unheilige Fremde, was reinen Willens nicht wuchs. Da nun habt ihr, liebe Kommilitonen, unbekümmert zugegriffen, rasch, nach dem edlen Vorrecht der Jugend.

Wir wollen eine symbolische Handlung begehn. Dies Feuer ist ein Symbol und soll weiter wirken und brennen als eine Aufforderung an alle, ein Gleiches zu tun; fortwirken soll es aus der Studentenschaft in das Bürgertum.

Wir schütteln eine Fremdherrschaft ab, wir heben eine Besetzung auf. Von einer Besetzung des deutschen Geistes wollen wir uns befrein.

Manche unserer öffentlichen Leihbibliotheken enthielten einen Lesestoff, den meist erst die beiden letzten Jahrzehnte über uns ausgegossen haben und der in Weltanschauung und Sitte so schamlos auflösend und zersetzend war, daß wir uns bei der Durchsicht der Kataloge erschüttert fragten, wo blieben die Behörden, wo blieben die beiden Kirchen, wo blieb die innere Mission? Zu allermeist ist dies Schrifttum, das wir heute symbolisch vernichten wollen, fremdrassigen und fremdländischen Ursprungs gewesen, – aber vielleicht hat es bei uns mehr als im Ausland selber gewuchert, und es bildete – so gesehn – geradezu eine Fortsetzung des Krieges gegen Deutschland, nur jetzt mit anderen, feineren und verruchteren Mitteln und an noch verwundbareren Stellen. Wie immer, so war auch hier der internationale vaterlandslose Geselle besonders an diesem Krieg gegen Deutschland beteiligt.

Es ist, als hätte er sich verschworen gehabt, nichts heilig zu lassen an unseren Gütern, weder Familie noch Heimat noch Vaterland, weder Gott noch Tugend noch Freundschaft noch Liebe, weder Mut noch Ehre noch Wehrhaftigkeit. All dies wurde in Spott und höhnische Zersetzung gezogen, für animalisch erklärt, als primitiv, als ungeistig, als überholt, spießbürgerlich und veraltet bezeichnet, lächerlich gemacht, hinweg analysiert und in ein Zerrbild zerlöst, um unseres Volkstums letzte Stützen so infam wie planmäßig zu unterwühlen. Mit dem allem mag sich vielleicht die Wissenschaft weiter befassen, um es mit ihren Mitteln endlich zu entwaffnen; dem lebendigen Leben der Nation, der Leihbibliothek, der Bühne, dem Lichtspiel, dem Rundfunk soll es entzogen sein wie Gift.

Aber wir wollen die Vorgänge dieser Nacht noch tiefer fassen. Wir kämen zu billig davon, glaubten wir, mit dieser Verbrennung sei schon alles getan. Wir gehen noch einen Schritt weiter, wir wollen noch tiefer, wir gehen noch zu uns selbst, *in* uns selbst. Dies Feuer ist ein Symbol und soll auch eine Aufforderung sein an uns selbst, unsere eigenen Herzen zu läutern. Wir haben das allzumal nötig, alle ohne Ausnahme; richten wir alle auch über uns selbst!

Genau so hat es unser oberster Führer bei jenem gewaltigen Appell verlangt am 8. April dieses Jahres von jedem Einzelnen bei Hunderttausende seiner SA. und SS. aus Deutschland und Österreich. Nichts Allzumenschliches soll in uns bleiben, wir werfen es heute mit jenen schlimmen Büchern ins Feuer. Dieser Frühlingssturm der deutschen Bewegung war zu hinreißend schön; er soll nicht durch irgendwelche allzumenschliche Schwächen getrübt oder gefährdet sein.

Die Welt hat schon einmal in unserem Leben den Sturm eines deutschen Aufbruchs gesehn, im August·1914; vergleichbar dem Frühlingssturm von 1933; Fortsetzung überhaupt der eine des andern; vergleichbar beide an unerhörter

Wucht und Präzision und Eleganz, vergleichbar beide in der Aneinanderreihung, der stürmischen, von Sieg an Sieg. – Bis dann damals, an der Marne, der unbegreifliche Tag kam, wo dunkler allzumenschlicher Kleinmut den Aufbruch völlig zunichte gemacht hat. Wir schwören, so soll es nicht wieder werden!

Wir greifen in unsere Herzen, wie wir in unsere Schränke gegriffen haben und werfen in die Flammen das Allzumenschliche: den Kleinmut und auch den Übermut, die Verzagtheit wie auch die Unbescheidenheit, die Unreinheit und die feige Angst, die heimliche Angeberei und das heimliche Hetzen, das Nach-dem-Munde-Reden und die ganze erbärmliche Gesinnungslumperei, die Kriecherei und jegliche Würdelosigkeit überhaupt. Das alles ist ebensowenig deutsch wie jenes Schrifttum.

Wuchert es, so freut sich wiederum nur das internationale vaterlandslose Gelichter. Wir reißen es aus und verbrennen es hier auf dem Markte. »Wie sollen wir dieses Volk sonst schaffen«, hat der Führer an jenem Abend gesagt, »wenn wir nicht selbst uns zwingen und meistern, wenn wir nicht selbst in uns all das überwinden, was wir als verderblich ansehn in unserm Volke!« Dergleichen untergrabe die Disziplin und die Autorität. Aber wir wollen nicht mehr die Untergrabung der Autorität. Auch das war ein fremdrassiges Geschäft, erfunden uns zu vernichten!

Wenn Sie zu mir auch nur das geringste Vertrauen haben, liebe Kommilitonen, – und wäre dem nicht so, so stünde ich jetzt wohl nicht hier –, so schenken Sie mir bitte Ihr Vertrauen auch bei *diesen* Worten!

Wir wollen die Bindung und die Reinheit, den Edelmut der Gesinnung, die Unterordnung und Gliederung. So wollen wir es für unsere *Herzen* und so wollen wir es auch für unser *Schrifttum*.

Es mag meines besonderen Amtes sein, auch hier noch rasch einen Schritt weiter zu gehn, vom Negativen zum

Positiven, von der Abwehr zum Angriff, von der Vernichtung zum Aufbau.

Wir wollen ein Schrifttum, dem Familie und Heimat, Volk und Blut, das ganze Dasein der frommen Bindungen wieder heilig ist. Das uns zum sozialen Gefühl und zum Gemeinschaftsleben erzieht, sei es in der Sippe, sei es im Beruf, sei es in der Gefolgschaft oder in Stamm und Nation. Das zum Staat erzieht und zum Führertum und zur Wehrhaftigkeit, ein Schrifttum, das also im besten und edelsten Sinne politisch ist.

Der Dichterbegriff muß sich wieder ändern.

Wir wollen den Literaten nicht mehr, wir wollen den verantwortlichen, den *Dichter*. Wir wollen aber auch den *Dichter* nicht mehr, der sich damit begnügt, in seiner Dachstube still für sich zu träumen und den lieben Gott einen guten Mann sein zu lassen, sondern wir wollen den Dichter, der seine Werke mit Forderungen aktiviert, der in die Zeit geht und eingreift, der uns erzieht, der uns richtet, der uns Gesetze gibt, dem Dichten ein Amt ist, der sich zum Boten des Herrn aufwirft und der das lebendige Gewissen unseres Staates, unserer Nation, unseres Volkes, des deutschen Reiches, unseres neuen heiligen Reiches ist.

So hatten wir früher Walther von der Vogelweide und seine Schüler, so hatten wir später Klopstock und Hölderlin, Schiller und Kleist. Sie waren das lebendige Gewissen der Nation. Gott sei Dank: so haben wir heute *Stefan George und Ernst Bertram*. Einer oder wenige können dies Ziel nur immer erreichen, aber die andern mögen sich in Graden und Stufen hin zu ihnen ordnen.

Das Heilige wollen wir und das Heroische. Kühnheit wollen wir und Geist, so ist es germanische, so ist es deutsche Art. Wir wollen die kühne fromme und starke Gerechtigkeit. Der Weg ist frei dahin. Die Hindernisse, die ihn versperrten, sind zerschlagen.

»Heroisch«, so hieß es bisher, »war kein Artikel für

links«, und heilig auch nicht. Aber links ist vorbei und jetzt ist es wiederum ein Artikel, kein »Artikel« vielmehr, sondern ein Imperativ, ein befehlender Glaube, ein heißes Gebet.

Es wuchs auch schon ein neues Schrifttum heran, man möchte fast sagen: *heimlich* getragen von der neuen Bewegung. Die letzten Kapitel unserer akademischen Literaturgeschichten, wenn sie kühn und unvorsichtig genug waren, handeln bereits seit drei bis vier Jahren davon. Nicht immer waren die Gelehrten so instinktlos und rückständig wie man meist glaubt.

Es gibt bereits ein Schrifttum, präzis, sachlich und ganz unsentimental, meist im Anschluß an Krieg und Nachkrieg, das sucht bereits nach dem Führer- und Kameradschaftserlebnis. Wenn es vom Kriege handelte, meinte es damit fast mehr den Schauplatz der Kameradschaftlichkeit und *die Geburtsstunde der Führernaturen.* Dies Schrifttum schuf schon an dem neuen Typ, der auf Willen und Bestimmtheit, auf Haltung und Disziplin, auf Hingabe und Symbol gerichtet ist oder auf Volk und Stamm und die heilige Geschichte unseres zweitausendjährigen Reiches.

Für dies und seinesgleichen treten wir ein. Soviel an uns liegt, machen wir die Bahn ihm frei.

Aber auch das sei noch zum Schluß mit voller Schärfe gesagt: Gesinnung kann nicht das Können ersetzen. Wenn Kunst von Wollen käme, so würde sie – verzeihen Sie – Wulst heißen. Sie ist nicht vom Willen allein abhängig, wie gut der auch sei. Es war gerade die Kunst des uns artfremden Zivilisationsliteraten, mit kaltem Verstand erklügelt und gewollt zu sein.

Deutsche Kunst kommt aus irrationaleren Gründen. Kommt aus den Tiefen des Parzival und des Faust. Und gerade dem, was aus diesen Abgründen und Tiefen sich naht, sollen die Tore aufs neue geöffnet sein. Aber wir werden unerbittlich die höchsten Maßstäbe anlegen, wie sie George uns anerzog.

Wir verbannen den Kitsch und die hohle, verbrauchte, verblasene patriotische Phrase, die mehr schadet, als daß sie nützt.

Wir wollen nicht, daß das leere Epigonentum nun wieder mit unterschlüpfe, so gut wie es meist auch gemeint ist.

Wir rufen nach dem neuen künstlerischen Geist der völkischen Aktivität.

Heil denn also dem neuen deutschen Schrifttum! Heil dem obersten Führer! Heil Deutschland!

Hans Naumann, 1933

Shakespeare und Briketts

Ich kam von »drüben«. Dort war ich, aus russischer Kriegsgefangenschaft entlassen, als Ausgebombter ohnehin mobil geblieben. In sechs Tagen war's schließlich geschafft, von Leipzig über die grüne Grenze bei Hof, vorbei an der visumpflichtigen französischen Zone, per Zug oder Anhalter zickzack über Hagen nach Beuel. Die Rheinbrücke war noch kaputt. Ein Fährboot setzte mich über. Alle Habe auf dem Rücken, betrat ich die – einst so vornehme – Universitätsstadt Bonn.

»Komm zu uns nach Bonn«, mit dieser Aufforderung hatte sich ein Kriegskamerad von mir verabschiedet, Monate zuvor am Ausgangstor des Gefangenen-Entlassungslagers bei Frankfurt an der Oder. Der Zuruf haftete im Ohr, dann drang er ins Herz. Nun also war ich da. Den Willkommenen erwartete sogar eine separate Mansardenstube. Es war das erste eigene Zimmer, das erste eigene Bett nach vielen Jahren.

Mein Leipziger Lehrer hatte mich seinem Bonner Kollegen empfohlen, einen stillen Gelehrten alter Schule, Professor Walter F. Schirmer, einem Herrn noch aus der untergegangenen Welt großbürgerlicher Kultur. Für die persönliche Vorstellung im Rektorat borgte ich mir ein frisches Hemd. Nachmittags wurde ich »zum Tee« in die Wohnung eingeladen. Beim Abschied erhielt ich ein liebevoll verschnürtes Paket mit Anzug, Wäsche, Knopfstiefeletten, Kulturbeutel. Tags drauf Dienstantritt als wissenschaftlicher Assistent – in des Seminardirektors Garderobe von gestern. So wurde Exsoldat Schwejk als Adjutant des Chefs gleichzeitig dessen Doppelgänger.

Das Institut lag im zweiten Stock eines zerbombten Flügels der Universität. Eine Zimmertür, die »ins Freie« hinausführte, war mit Brettern zugenagelt. »Zum Orkus« hatte ein Witzbold an die Wand gekritzelt. Einigermaßen intakt waren noch drei Räume, samt geretteter Bibliothek. Den heute nachträglich geehrten »Trümmerfrauen« jener Zeit zuzurechnen sind auch jene Studenten, die sich damals bei der Immatrikulation verpflichteten, zunächst ein Semester in einem Räumtrupp zu arbeiten. Das Trümmerbähnchen puffte und rasselte über den – einst so renommierten – Kaiserplatz.

Die Studenten, die schließlich im Hörsaal saßen, zehn Jahre älter als heutige Studienanfänger, bedurften keiner »Motivation«. Als ebenso verspäteter Assistent war ich primus inter pares, meinen Hörern im das ganze Fach umgreifenden Pensum oft nur eine Nasenlänge voraus. Nach den Übungen wurde in Gruppen freiwillig weitergearbeitet, bis tief in die Nacht hinein. Der Austausch im Gespräch ersetzte die raren Bücher.

Einer der Studenten verdiente sich sein Studium durch Nachtdienst bei der Bonner Wach- und Schließgesellschaft. In halbfertigen Neubauten mußten Türen, Fenster, Installationen nachts vor Diebstahl geschützt werden. Dort nun trafen wir uns, eine Kerntruppe unermüdlich Diskutierwilliger, und saßen um die stinkende Karbidlampe im Stroh. Hemingway, Faulkner, Wolfe, James, Melville, Pound, Eliot rehumanisierten unser Weltbild.

50 Eine Wagenfähre hielt die Verbindung zwischen Bonn und Beuel aufrecht. Die Rheinbrücke hatte die Wehrmacht im März 1945 gesprengt.

Die Tradition dieser Lesezirkel setzte sich in Einzelzellen viele Jahre fort.

Zuletzt kehrten wir, reihum auf eigener Bude, zurück zu den Quellen, zu Homer und Vergil. Solche nicht »konditionierten« Leseabenteuer waren eine unerschöpfliche Lust. Mein Kollege vom Philosophischen Seminar nebenan, stets aktiv dabei, pflegte zu sagen: Dante, Chaucer, Shakespeare, Milton explorieren zu dürfen und für diesen Absprung in die existentielle Freiheit dichterischer Wahrheit vom Staat noch monatlich 285 Mark zu beziehen, das sei paradox.

Nicht alle Nächte waren so produktiv. Ich wohnte in der Nähe des Hauptbahnhofs. Bei »Frings-Alarm« öffneten sich alle Haustüren, und heraus stürzten Männer und Frauen mit Säcken, Körben, Tragetaschen. Manchmal mußte nämlich einer der vielen Kohlenzüge für Frankreich auf einem Nebengleis den Gegenverkehr abwarten. Da ich als russischer Ex-P. O. W. mit 90 Pfund Lebendgewicht der leichteste war, wurde ich oben auf die offenen Wagen gehoben, von wo ich mit hurtigen Händen Briketts über Bord warf.

Einmal fuhr der Zug so rasch an, daß ich erst an einer Kurve vor Remagen abspringen konnte. Es war eine laue Herbstnacht. Vorbei war die Zeit der Fliegeralarme, der Partisanen. Singend trabte ich heim, die Marschier-Automatik noch immer in den Knochen. Als ich bei Morgengrauen mein Zimmer erreichte, stand vor der Tür eine Tüte mit elf Briketts. Man sorgte füreinander.

Wegen besagten Untergewichts erhielt ich Fettmarken extra, für diese allerdings nur selten Ware. Geschäftsleute waren rüde, wenn man apologetisch nach einem Termin für die nächste Zuteilung fragte. »Kundendienst« an der Ladentür eines Metzgers, ich entsinne mich genau: in ungelenker Sütterlinschrift war zu lesen, nichts sei schwerer zu ertragen als eine Reihe dummer Fragen. Schlagartig am Tage der Währungsreform wurde man höflicher; der Text wurde abgeändert in: Auf Wunsch schlage ich meiner Kundschaft die Knochen entzwei.

Einmal entdeckte ich in der Meckenheimer Straße die einladendere Ankündigung: Butterzuteilung Mittwoch ab 10.00 Uhr. Um an die Spitze der Schlange zu gelangen, mußte man sich erfahrungsgemäß etwa zwölf Stunden zuvor anstellen. Als ich am Abend schicksalsergeben anrückte – es war eine kalte Novembernacht –, fand ich schon hundert geduldige Leute vor mir, darunter auch einen Ordinarius, den nach Mitternacht seine Frau ablöste.

Mein Problem war: ich hatte von 7.30 bis 9.00 Uhr ein Proseminar mit 240 Hörern. Sofort erbot sich ein Kollege, mich um halb sieben mit einer Thermosflasche heißen »Muckefucks« abzulösen und meinen Platz zu halten, bis ich vom Unterricht zurückkäme. Dies glückte.

Rudolf Sühnel, 1986

Bundeshauptstadt

»Wartesaal für Berlin«

Der Anblick, der sich Cork bot, hätte niemanden, was er auch auf dem Herzen hatte, aufgeheitert. Das Wetter war fürchterlich. Ein blasser Rheinland-Nebel lag wie ein Hauch auf einem Spiegel über der ganzen künstlich geschaffenen Wildnis der Beamtenstadt Bonn. Riesige, noch unfertige Gebäude ragten düster aus den unbebauten Feldern auf. Vor ihm stand die Britische Botschaft auf braunem Heideland wie ein Hilfslazarett im Zwielicht der Schlacht; sämtliche Fenster waren erleuchtet. Über dem Eingangstor hing schlaff der merkwürdigerweise auf halbmast gesetzte Union Jack. Darunter stand ein Schwarm deutscher Polizisten.

Allein die Wahl Bonns als Wartesaal für Berlin war immer schon eine Ungereimtheit, jetzt ist sie ein Mißbrauch. Wohl kein anderes Volk als die Deutschen hätte es fertiggebracht, einen Kanzler zu wählen und ihm dann die Hauptstadt vor die Tür zu bringen. Um Unterkünfte für die zuziehenden Diplomaten, Politiker und Regierungsbeamten (die diese unerwartete Ehrung mit sich brachte) zu schaffen, und auch um sie in einer gewissen Entfernung zu halten, haben die Bonner eine ganze Vorstadt außerhalb der Stadtmauern gebaut. Durch deren südlichen Teil versuchte sich jetzt der Verkehr hindurchzuwinden: ein Wirrwarr von schwerfälligen Türmen und niedrigen, modernen Behausungen, die sich die zweispurige Fahrstraße entlangzogen, fast bis zu der freundlichen Sanatoriumssiedlung Bad Godesberg, deren Hauptindustrie einst die Abfüllung von Selterswasser war und heute die Diplomatie ist. Wohl gestattete Bonn, daß einige Ministerien in der Stadt selbst ihr imitiertes Mauerwerk den kopfsteingepflasterten Höfen zugesellten; es stimmt auch, daß einige Botschaften in Bad Godesberg sind; aber der Sitz der Bundesregierung und der großen Mehrheit der rund neunzig bei ihr akkreditierten Auslandsvertretungen, ganz zu schweigen von den Lobbyisten, der Presse, den politischen Parteien, den Flüchtlingsorganisationen, den offiziellen Residenzen der Würdenträger der Bundesländer, dem Kuratorium Unteilbares Deutschland und dem ganzen bürokratischen Überbau der provisorischen Hauptstadt Westdeutschlands, befindet sich zu beiden Seiten dieser einen Straße, dieser Schlagader zwischen dem früheren Sitz des Bischofs von Köln und den wilhelminischen Villen eines rheinischen Badeortes.

Mit diesem unnatürlichen Haupt-Dorf, diesem Insel-Staat, dem sowohl politische Identität als auch ein gesellschaftliches Hinterland fehlt und der sich auf Dauer zum Provisorium verpflichtet hat, ist die Britische Botschaft untrennbar verbunden. Man stelle sich den stillosen Gebäudeblock einer Fabrik vor, der sich nach und nach wuchernd ausgebreitet hat, die Art von Bauwerk, die man zu Dutzenden an Londons Westumfahrung sieht, gewöhnlich mit dem Symbol ihres Produkts auf dem Dach, man male darüber einen trüben rheinischen Himmel, füge eine undefinierbare Andeutung von Nazi-Architektur hinzu, nur einen Hauch, nicht mehr, und errichte auf dem freien Feld dahinter zwei verwitterte Fußballtore zur Erholung für Ungewaschene, und man hat mit ziemlicher Genauigkeit Geist und Stärke Englands in der Bundesrepublik porträtiert. Mit einem weit ausgestreckten Flügel hält es die Vergangenheit nieder, mit einem zweiten glättet es die Gegenwart, während ein drittes Glied ängstlich die feuchte rheinische Erde durchwühlt, auf der Suche nach der verborgenen Zukunft. Errichtet, während die Besetzung ihrem frühzeitigen Ende entgegenging, spiegelt das Botschaftsgebäude genau jene tölpische Selbstverleugnung: ein steinernes Gesicht blickt den früheren Feind an, ein graues Lächeln gilt dem gegenwärtigen Verbündeten.

51 Bundestagssitzung

Als sie schließlich durch das Tor der Botschaft kamen, lag zu Corks Linken das Hauptquartier des Roten Kreuzes, zu seiner Rechten eine Mercedes-Fabrik, hinter ihm, jenseits der Straße, die Baracke der Sozialdemokraten und ein Coca-Cola-Depot. Die Botschaft ist von dieser unwahrscheinlichen Nachbarschaft durch einen Streifen mit Sauerampfer und nacktem Lehm bedeckten Brachlandes abgeschnitten, das flach zum verwahrlosten Rhein abfällt. Dieses Gelände ist als Bonns Grüngürtel bekannt und Gegenstand großen Stolzes der Stadtplaner.

Vielleicht werden sie eines Tages alle nach Berlin übersiedeln; von dieser Möglichkeit wird sogar in Bonn gelegentlich gesprochen. Vielleicht wird eines Tages das ganze graue Gebirge über die Autobahn davonschlüpfen und sich in aller Stille auf den feuchten Parkplätzen vor dem ausgebrannten Reichstag niederlassen. Bis das geschieht, werden diese Betonzelte nicht abgebrochen, diskret provisorisch aus Achtung vor dem Traum, diskret permanent aus Achtung vor der Wirklichkeit; sie werden bestehen bleiben, sich vermehren und wachsen, denn in Bonn hat die Bewegung den Fortschritt ersetzt, und alles, was nicht wachsen will, muß sterben.

John le Carré, 1968

»...die berühmte Stadt am Venusberg«

Viele Straßen führen in die berühmte Stadt am Venusberg. Jeden Tag reisen Scharen von besorgten Deutschen in Autos, Eisenbahnen, im Flugzeug nach Bonn.

Diese Universitätsstadt hatte seit Jahrhunderten ein friedliches Leben geführt (hunderttausend Einwohner, viertausend Studenten, die berühmte Poppelsdorfer Allee, das Beethovenhaus, die Universität, vergessen Sie nicht unsere frischen Rheinmuscheln und den Obstmarkt auf dem Rathausplatz...).

Eines Tages besetzte jedoch eine Division bürograuer Zivilisten, die behaupteten, sie seien eine Regierung, die stille Stadt, die verdutzt aufsah. Diese zehntausend Zivilisten siedelten etwa oberhalb der Stadt in der Nähe der Gronau, errichteten hier ihr flüchtiges Lager: nur provisorisch, nur vorläufig, trösteten sie, benutzten dazu eine Masse mächtiger Betonbauten, und wenige Jahre später war Bonn die breit etablierte Regierungsstadt eines deutschen Staates namens Bundesrepublik, gefüllt mit Ministerien, Botschaften, Handelszentralen, Büros, Büros, Büros...

In diesen Büros wurde diktiert, getagt, diskutiert, intrigiert, getippt und entschieden.

Die Stadt war plötzlich aufs äußerste überfüllt. Die Geschäfte, die Handwerker, die Kaufleute verdienten. Ein Bonner Boom von kalifornischer Qualität begann. Neubauten stiegen wild empor. Läden, Sprechzimmer, Hotels und Kneipen füllten sich. Und die Kassen.

[...]

Dort, wo die große schwarzrotgoldene Fahne weht,

52 Das Bundeshaus vom Rhein her gesehen

wird regiert. Der Bundestag ist eine riesige Fabrik, in der
kleine und große Gesetzentwürfe emsig und bitter diskutiert werden, zerstückt, gewendet, passiert, geformt, zer-
trennt und vereint, bis sie als gehandhabte Macht im Ge-
setzblatt den Apparat verlassen.

Das Bundeshaus liegt wie ein weißer Riese zwischen
Gärten und Rhein und ist mit vielen kubischen Gebäuden
rundum garniert. Rauschende Pappeln stehn unschuldig an
der Rheinfront, und uralte Buchen, die schon Ernst Moritz
Arndt und Heinrich Heine gesehen haben, rauschen im
Sommerwind. Durch die Fenster des Bundeshauses sieht
man die fleißigen Schleppzüge auf dem Rhein, die zwischen
Holland und der Schweiz unterwegs sind. Die Schornsteine
qualmen. Handel, Handel, Wirtschaft, Wirtschaft. Hier
aber wird dazu die Politik gemacht. Und unten auf der
Rheinpromenade spaziert manchmal ein alter Professor, die
Hände mit dem Regenschirm auf dem Rücken, und denkt
über indogermanische Sprachstämme nach. Studenten
radeln zu ihrem Bootshaus. Reisegesellschaften staunen das
Bundeshaus an, ihre Köpfe bewegen sich nach links und

rechts, je nach der Erklärung des Reiseleiters. Nonnen, schwarz und massig, treiben vorbei. Oder einige erhitzte Abgeordnete gehn im Gespräch auf und ab.

Auf der andern Seite des Bundeshauses liegen die Pressehäuser eins bis vier. In vielen winzigen Zimmern hausen die akkreditierten Journalisten und telefonieren schwitzend ihre Berichte an Zeitungen, Agenturen und Funksender.

Günther Weisenborn, 1956

Ausschußsitzung

Keetenheuve verstand die Ausschußsprache nicht mehr. Was redeten sie? Chinesisch? Sie sprachen das Ausschußdeutsch. Er beherrschte es doch! Er mußte es wieder verstehen. Er schwitzte. Er schwitzte vor Anstrengung, die Beratung zu verstehen; aber die anderen schwitzten auch. Sie wischten den Schweiß mit Taschentüchern auf; sie wischten sich über das Gesicht, sie wischten über die blanken Glatzen, sie wischten den Nacken, steckten das Taschentuch hinter den aufgeweichten Hemdkragen. Es roch im Zimmer nach Schweiß und nach Lavendel, und Keetenheuve roch wie sie: immer verweste etwas, und immer wieder versuchte man, mit Duftwasser den Geruch der Verwesung zu verstecken.

Jetzt sah er die Mitglieder des Ausschusses wie Spieler an einer Roulettetafel sitzen. Ach, wie vergebens ihr Hoffen, die Kugel sprang, das Glück enteilte! Heineweg und Bierbohm sahen wie kleine Spieler aus, die mit geringem Einsatz, ein jeder nach seinem System, vom Glück das Tagegeld erpressen wollten. Dabei ging das Spiel um Menschen, um große Summen und um die Zukunft. Es war ein wichtiger Ausschuß, er hatte wichtige Fragen zu beraten, er sollte den Menschen Häuser bauen. Aber wie kompliziert war das schon! Durch gefährliche Strudel mußte jeder Vor-

53 Die Lobby vor dem Plenarsaal (1983)

schlag gelenkt werden, brachte man ihn gar als Antrag zu
Papier, leicht scheiterte das Papierschifflein, strandete an
einem der tausend Riffe, wurde leck und sank. Ministerien
und andere Ausschüsse mischten sich ein, Fragen des
Lastenausgleichs, des Kapitalmarkts, des Steuerrechts wurden berührt, die Zinspolitik war zu bedenken, die Einglie-
derung der Vertriebenen, die Entschädigung der Ausge-
bombten, das Recht der Besitzenden, die Versorgung der
Verstümmelten, man konnte am Ländergesetz und am
Städterecht anecken, und wie sollte man den Armen etwas
geben, wenn niemand etwas hergeben wollte, wie durfte
man enteignen, wenn das Grundgesetz das Eigentum be-
jahte, und wenn man sich dennoch entschloß, in bestimmten Fällen behutsam zu enteignen; so war wieder neuem
Unrecht die Möglichkeit gegeben zu sein; geriet ein Unge-
schickter in den Verhau der Paragraphen, war vielem Mißbrauch das Tor geöffnet. Keetenheuve vernahm Zahlen. Sie
waren wie das Rauschen einer Wasserleitung vor seinem

Ohr, eindrucksvoll und doch nichtssagend. Sechshundert-
fünfzig Millionen aus öffentlichen Mitteln. So viel aus zen-
tralem Aufkommen. Sondermittel für Versuche; das waren
nur fünfzehn Millionen. Aber dann gab es noch den Einlauf
aus den Umstellungsgrundschulden. Korodin las die Zahlen vor, und zuweilen guckte er Keetenheuve an, als er-
warte er von ihm einen Einspruch oder eine Zustimmung.
Keetenheuve schwieg. Er konnte sich auf einmal zu Koro-
dins Zahlen sowenig äußern wie der Zuschauer einer
Zaubervorstellung zu den rätselvollen und eigentlich lang-
weiligen Vorgängen auf der Bühne; er weiß, daß ein Trick
angewandt und er getäuscht wird. Keetenheuve war von der
Nation in diesen Ausschuß gesetzt, um aufzupassen, daß
niemand hintergangen werde. Dennoch – für ihn war die
Beratung jetzt nur noch ein verblüffender Zahlenzauber!

Wolfgang Koeppen, 1953

Die Wohnungen eines Abgeordneten

In der ersten Septemberwoche sollten die konstituierenden
Sitzungen vom Bundestag und Bundesrat stattfinden. In
der Zwischenzeit mußte in Bonn eine »Zweitwohnung«
gefunden werden, was natürlich nur mit Hilfe des Büros
des Bundestages und der Bonner Stadtverwaltung möglich
war. Ich bekam eine Adresse in der Deutschherrenstraße in
Bad Godesberg, genau gegenüber dem Petersberg auf der
anderen Seite des Rheines. Frau Emmerich, eine ältere
Dame, zeigte uns ein großes Zimmer mit Balkon zur
Rheinseite. Sie erzählte, daß alle Nachbarhäuser von Belgi-
ern und Engländern beschlagnahmt seien, und daß auch ihrem Haus das gleiche Schicksal drohe. Daher habe sie das
Zimmer für einen Bundestagsabgeordneten gemeldet und
sich mit ihrem Sohn, einem Juristen, mit der restlichen
Wohnung begnügt. Nachdem wir alles perfekt gemacht

hatten, fuhren wir anschließend an den Rhein zum neuen Bundeshaus.

[...]

Das für Deutschland und Europa so bedeutende Jahr 1950 neigte sich seinem Ende zu. Auch im Privaten brachte es für mich entscheidende Veränderungen. Es galt Abschied zu nehmen von unserer kleinen Stadt Opladen, in der ich fast fünf Jahre gelebt und davon drei Jahre als Ratsherr die Entwicklung der Kreisstadt des Rhein-Wupperkreises mitbestimmt hatte. Die Stadt Bonn sollte neuer und endgültiger Wohnsitz werden. Hier hatte die Stadt, nachdem Ende 1949 die Abstimmung im Bundestag zugunsten Bonns und gegen Frankfurt gefallen war, dem Bund großzügig Baugelände zur Verfügung gestellt. Binnen eines Jahres waren darauf Wohnungen für Bundesbedienstete, Abgeordnete, Diplomaten und Journalisten erstellt worden. In der Reutersiedlung, einer geschlossenen Siedlung in leichter Bauweise gefertigt, bezogen wir eine 2½-Zimmer-Wohnung. Unsere neue Adresse war Renoisstraße 24, 1. Stock. Nach Opladen mutete dieser erste eigene und geschlossene Haushalt meines Lebens mich wie eine neue Welt an.

[...]

Unsere erste Wohnung war zu klein geworden, denn im September erwarteten wir unser zweites Kind. So hatten wir in einem gerade für Politiker, Diplomaten und Ministerialbeamte erbauten Wohnviertel ein schönes Reihenhaus mit eigenem Garten mieten können. Es war ein Schritt nach oben im wahrsten Sinne des Wortes. Denn aus der Schwüle des Rheintales mit nur 60 m Höhenlage atmeten wir nun die Frische des Waldes auf dem 170 m das Rheintal überragenden Bergrücken »Venusberg«. Sein Name hat übrigens nichts mit Richard Wagners »Tannhäuser« gemein, sondern ergibt sich aus dem Wort »Venne«, d. h. Hochmoor, und Venusberg bedeutet eine mit einem Hochmoor herausra-

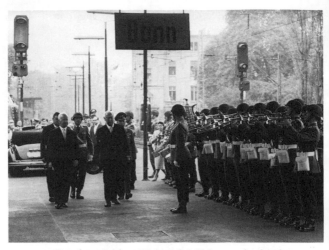

54 **Bundespräsident Heinrich Lübke verabschiedet Altbundespräsident Theodor Heuss auf dem Bonner Hauptbahnhof (16. 9. 1959).**

gende Anhöhe. Gegenüber von uns wohnte der SPD-Vorsitzende Erich Ollenhauer mit Ehefrau Martha. Nebenan das Mitglied der Hohen Kommission in Brüssel, von der Groeben mit Familie, und ein Haus weiter der spätere erste Inspekteur der Bundesmarine Admiral Zenker. Einige Straßen weiter hatten Ludwig Erhard, Thomas Dehler und Hermann Schäfer ihre Häuser schon ein Jahr früher bezogen. Es war die in Bonn übliche Ansammlung der Neubürger, die mit der Bundeshauptstadt in besonderer Weise verbunden waren.

[...]

Diesmal gab es einen aktuellen Anlaß, sich mit dem Jüngsten in der Runde besonders zu befassen: Ich hatte dem Bundespräsidenten die Geburt unseres Töchterchens Manuela angezeigt, das am Sonntag, dem 27. September 1953, zur Welt gekommen war. »Sie haben nun Bub und Mädel«, meinte Theodor Heuss, »jetzt wird es Zeit, an das Baue zu denke, an das Häusle! Habe Sie eigentlich schon einen Bausparvertrag mit Wüschterot? Ich hab' einen für mei Häusle in Stuttgart«, erzählte er mir in dem ihm eigenen Schwäbisch, das sich so schlecht zu Papier bringen läßt. So erfuhr ich lang und breit die Vorteile des Bausparwesens und versprach, mit meiner Frau darüber zu sprechen. Heuss ließ auch später nicht locker, bis ich ihm einige Wochen danach versicherte, daß ich zusammen mit meiner Frau und Schwiegermutter bei der Bausparkasse »Wüstenrot« in Ludwigsburg einen Bausparvertrag für ein Eigenheim abgeschlossen hätte. »Nun müsse Sie sich auch nach einem Grundstück umsehe, je früher deschto besser – und billiger«, meinte Heuss. Eigentlich dachte ich gar nicht daran, mich hier im Rheinland umzusehen, schließlich wollten wir doch alle nach Berlin. Warum also in Bonn, diesem Provisorium, ein Haus bauen, meinte ich zu meiner Frau. Darüber gab es den ersten Streit unter uns neuen Bausparern auf dem Venusberg in Bonn. Auf jeden Fall hatte die ausgedehnte Veranstaltung im Amtssitz des Bundespräsidenten, die sich bis 3.00 Uhr morgens in aufgelockerten Gesprächsrunden um Theodor Heuss, Konrad Adenauer, Theodor Blank, Walter Hallstein, Gerhard Schröder und Franz-Josef Strauß hinzog, eine nachhaltige Wirkung: Ein Jahr später sollten wir auf einer Radtour in die Umgebung Bonns ein schönes Grundstück an einem Waldhang in Bad Godesberg finden und wiederum zwei Jahre später das Abenteuer eines Hausbaus beginnen. Aber bis dahin mußten noch viele Steine auf dem Weg zum »Häusle« geräumt werden!

Erich Mende, 1984

»Ende des Provisoriums«

Ein einziger Satz aus der Regierungserklärung Bundeskanzler Willy Brandts hat gestern Verwaltung und Kom-
munalpolitiker der Bundeshauptstadt in Hochstimmung
versetzt. »Gestützt auf eine wertvolle Erörterung im Kabinett«, so Brandt, »will ich noch dies sagen: Wir wissen sehr
wohl, daß es einer engen Kooperation von Stadt, Land und
Bund bedarf, damit Bonn seine Funktion als Bundeshauptstadt gut erfüllen kann.« Oppositionsführer Rainer Barzel
begrüßte später diesen Satz, der »nach langem Drängen
von Rat und Verwaltung der Stadt Bonn« in die Regierungserklärung des Bundeskanzlers aufgenommen worden
sei.

Oberstadtdirektor Dr. Wolfgang Hesse, der Brandts Bemerkung, die er im Wortlaut vorliegen hatte, während einer Pressekonferenz aus einem Transistorradio vernahm,
beurteilte es in einer ersten Erklärung »positiv, daß das
Thema Bundeshauptstadt in der Regierungserklärung und
in der Erklärung des Oppositionsführers angesprochen
wurde«. Dieser bisher einmalige Vorgang, so Dr. Hesse,
»ist sicher auch das Ergebnis der Bemühungen vieler Kräfte
der Stadt Bonn aus allen Bereichen, darunter auch von
Oberbürgermeister Peter Kraemer und mir Anfang Januar.
Wir haben damals den Bundeskanzler schriftlich gebeten,
zu diesem Thema vor dem Bundestag etwas zu sagen. Endlich ist damit auch die Frage des Ausbaus der Bundeshauptstadt als wichtiges Thema im Kabinett diskutiert worden.
Ich hoffe, daß das so bleibt. Dieser Teil des Regierungspro-
gramms, die nun als notwendig anerkannte Kooperation
zwischen Bund, Land und Stadt, ist für uns die Basis zu
hoffentlich guten Verhandlungen über Einzelheiten.«

Der Ausbau der Bundeshauptstadt müsse Sache der
höchsten Instanz sein. Daß er jetzt eine Kabinettsangele-
genheit sei, führe automatisch zur Koordinierung. Da-

durch werde die Belastung der Bürger durch das Warten auf den Abschluß von Bewilligungsverfahren geringer als bisher. Dr. Hesse: »Das ist mir wichtiger als das Geld. Das Geld wird dann schon kommen.«

Oberbürgermeister Kraemer betonte: »Ich habe seit meinem Amtsantritt die Ansicht vertreten, daß Bonn die Bundeshauptstadt ist. Für mich ist daher die Bemerkung zu Bonn in der Regierungserklärung und in der Erklärung des Oppositionsführers eine erfreuliche Bestätigung.

Das Bekenntnis zu Bonn sollte aber auch der Auftakt zu einem großzügigen Ausbau sein. Wir erwarten nun mit großer Ungeduld, daß auf die Worte endlich Taten folgen.«

Gerd Hofer, 1973

»Und wenn heute ›Beamter‹ ein Schimpfwort geworden ist . . .«

Bäckerei Roleber, juten Tach –

Och, Tach Frau Walterscheidt, na, wie isset? . . . –

Kinder auch, ja? . . . –

Mir? Och, Frau Walterscheidt, wollmermalsaren: Enttäuschungen, wohin man guckt, ne . . . –

Wie? –

Och, ist doch wahr: ein Sommer, der keiner war, ein Wein, der keiner ist, ein Tennisspieler, der vor lauter Jeldzählen zu jewinnen verjißt, Sekretärinnen in Behörden, die vor jede Postleitzahl ein X setzen, nee, nee, und dann auch noch dat . . . –

Wie? –

Ja, ja, ja, bin ja schon dabei! Also: wir hatten dieser Tare mal richtig schön Kaffe aufjeschüttet, ming Wilma und ich. Und wie wir da so am klaaven sind, sagt sie: tät sie nicht wundern, wenn in einer Republik wie Deutschland alles drunter und drüber jehen tät, wo doch fast zwei Drittel der

Dingens, Volksvertreter, Beamte oder mindestens öffentlicher Dienst wären –

Wie, saren ich, zwei Drittel der Dingens sind im öffentlichen Dienst? –

Ja, sacht sie, und die meisten dadavon seien Beamte. Also Frau Walterscheidt, dat hat mir denn doch die Sprache verschlaren. Wo ich immer denke, dat dat der höchste Beruf überhaupts sei, den einer erjreifen können tät, Bundestag, ne. Und ich frare noch so:

Ja, warum dat dann? –

Ja, sacht sie, weil die Bundestagsabjeordneten nicht viel bezahlt kriejen, und da tät sich diese Arbeit für normal jar nicht rentieren, wo man ja auch den Verdienstausfall und so wat all hätte –

Tjahaa, saren ich, dat sollte sich dinge Vater mal jetrauen: Bundestag, ph! Und ich müßte dann vier Jahre lang den janzen Laden hier alleine schmeißen. Nee, nee, nicht mit mir! –

Ebend, sagt sie da, dat täten die anderen Frauen ja auch saren, und deshalb seien da so viele Beamte drin. Die würden in der Zwischenzeit sojar noch befördert werden, und merken tät dat sicher auch keiner, ob ein Beamter mal eben für ein paar Jahre mal weg sei oder nicht, ne –

Jenau, saren ich, da sachste wat . . . –

Übrijens, Frau Walterscheidt, tät mich ja nicht wundern, wenn Ihr Mann auch mal solche Jedanken haben tät. Man soll ja als Abjeordneter auch janz jut nebenbei wat, äh, Zubrot kriejen, hab ich gehört. Könnten Sie ja sicherlich auch janz jut jebrauchen, ne! Und außerdem hätten Sie ihn dann mal paar Jahre aus de Fööß, sozusaren, wär ja auch mal erholsam, ne . . . –

Nein, Frau Walterscheidt, ich mein ja nur so. Aber dat die dann solche Jesetze und so entlassen, dat wundert mich nicht, die kein Mensch kapiert, wo dat doch all Beamte sind! Und dat der Beamte an sich der Tod des Freiberuflers is, weiß doch jeder. Da brauch ich doch nur an mein Finanz-amp denken. Denen guckt der Neid ja schon aus dem Lo-cher, wenn ich mal da bin. Ph! Jehen Sie mir weg, Frau Walterscheidt, nichts jejen Ihren Mann persönlich, ne, aber jlauben Sie, dat der Jude im Dritten Reich die Papiere hätte abjeben müssen, wenn nicht damals schon der Staat voller Beamter jewesen wär? Dat weiß man doch, dat die Beam-ten den Adolf aufjehetzt hatten jejen die Unternehmer und Juden, weil die unsereinem nichts jönnen können. War ja immer schon so. Und auch heutzutare: wat die sich immer wieder an Schmutzigkeiten jejen unsereinen herausneh-men, ph!, da nutz auch dat janze Jedöns von dem Dingens, Kohl, nichts mehr. Der sollte sich ein Beispiel am Adolf nehmen und die janze Beamtenschaft an die Kandare neh-men, ne. Da war der ja einmalig drin. Da hatten sie aber auch keinen Beamten Däumchen drehen sehen: nach Feier-abend mußten die nochens mit der Sammelbüchse los, Winterhilfswerk und wie dat all hieß! Aber da hat der Be-amte mindstens jespurt.

Und wenn heute ›Beamter‹ ein Schimpfwort jeworden is, dann is da der Sozi nicht unschuldig dran: die haben ja die Behörden zujeschüttet mit dem janzen Flüchtlingsjesocks aus dem Osten. Und dann wundern die sich, dat nichts mehr klappt. Sie können sich bei den Behörden heutzutare mit Rheinisch ja jar nicht mehr verständlich machen, über-all nur Sachsen und wie die all heißen. Und jetzt, Frau Wal-terscheidt, sind dat auch noch unsere Bundestagsbeamten, äh, -mitglieder. Ich sare noch für ming Wilma:

Dann sollen die auch Näjel mit Köpp machen und der janze Bundestag verbeamten. Täten dann alle datselbe krie-jen, hätten alle dieselben Vorteile, könnten ihr Leben lang Bundestagsbeamte bleiben und mit dem Beamtenkleider-jeld sich auch mal vernünftig einheitlich kleiden. Wenn ich dat im Fernsehn schon seh: mit Pullöverchen im Parlament. Empörend is dat, empörend. Dat war ja damals auch ein-

55 Ankunft des äthiopischen Kaisers Haile Selassie I.
in Begleitung von Bundespräsident Theodor Heuss
vor dem Bonner Rathaus (9. 11. 1954)

malig, ne, Reichstag: wie ein Mann stand der da, wunder-
bar ... –

Wie? –

Staatsjefährdende Worte sind dat? ... –

Da kann man mich für anzeijen? –

Also, Frau Walterscheidt, damit Sie klar sehen: Passen Sie
mal lieber auf, dat Ihr Herr Beamter von Mann jeden
Abend schön nach Hause kommt, weiß man ja nie! Nicht
dat der plötzlich im besoffenen Kopp in den Zug nach Mos-
kau steigt, ne. Also dann, tschöö, ne!

HUBÄÄT! Tät mich ja nicht wundern, wenn der Walter-
scheidts ihr Alter plötzlich in der Zeitung stünd: weil er in
den Bundestag will oder nach dem Osten is ... wo der doch
höherer Beamter is, ne ...!   *Konrad Beikircher, 1986*

Der Staatsempfang

Der Staatsempfang beginnt in der Regel auf dem Köln-
Bonner Flugplatz Wahn, fünfundzwanzig Kilometer von
Bonn entfernt. Wahn war jahrelang ein Knirps unter den
Flugplätzen der Bundesrepublik. Man setzte seinen Stolz
darein, beim Empfang der Großen dieser Welt auch den
Bürgermeister der kleinen Rheingemeinde Porz, auf deren
Territorium Wahn liegt, auf den Flugplatz zu bitten, damit
er die Objekte des Staatsbesuchs mit Handschlag begrüße.
Es war sein unveräußerliches Bürgermeisterrecht, den
hochmögenden Leuten Ehre zu erweisen. Die Bundesrepu-
blik stellte sich dar.

Auf dem Flugplatz dann wieder in Breitwand und Color:
Das Flugzeug rollte zum roten Teppich, die Motoren wurden abgestellt, Begrüßung in Cutaways, den Staatsober-
häuptern Salutschüsse, Händeschütteln, Nationalhymnen,
Abschreiten der Front, ran an die Batterien der Mikro-

phone und der Fernsehkameras, manchmal etwas Weiblichkeit dabei, die schwarzen Limousinen im Nu besetzt, die Polizei tat etwas mehr als ihre Pflicht, tatütata, ab die Post über die Dörfer, Richtung Bonn (die Hamburger Firma Apfelstedt & Hornung tut vom roten Teppich bis zur letzten Fahne mehr als ihre Pflicht; Pannen gibt es nicht). Der Protokollchef hatte noch schnell einen Blick auf einen Minister geworfen: Rasieren hätte er sich auch können. Die Bundesrepublik stellte sich dar.

Am Abend dann – am ersten Abend – Empfang des Herrn Bundespräsidenten in Schloß Augustusburg in Brühl, in der Beethovenhalle in Bonn oder in der Redoute in Bad Godesberg, manchmal sogar in Schloß Gymnich. Man gibt sich die Ehre. Am nächsten Abend – es ist eine logische Fortsetzung – Gegeneinladung (früher meist ins Hotel Petersberg im Siebengebirge). Der Film, der abläuft, hat die Note »staatspolitisch wertvoll«. Man würde das ganze System der Diplomatie und der Beziehungen der Staaten untereinander in Frage stellen und erschüttern, man würde alle sogenannten höheren Standpunkte verleugnen, wenn man das Zeremoniell und Brimborium für überflüssig hielte. *Walter Henkels, 1987*

Mittagspause im Käfig

In strömendem Regen am Rhein entlang. Das Siebengebirge nicht sichtbar im Dunst. Der Nebel tief, düster über der Wasseroberfläche. Brodelndes gelbbraunes Wasser im Grau. Dämpfe, die hochsteigen. Hochwasser bald. In Höhe der Rheinpromenade schwappt es an manchen Stellen schon auf den Asphalt.

Mein Blick von unten nach oben: Im Postministerium, im Auswärtigen Amt sind die Neonröhren in Funktion. Beleuchtete Zellen, ein Fenster neben dem anderen, eine

56 Das Regierungsviertel (Luftbild freigegeben durch den Regierungspräsidenten Düsseldorf, AZ OH 21 64)

Neonröhre neben der anderen. Käfige, denke ich, Eingesperrte. Freiwillig Eingesperrte, denke ich. Ein Surren in
meinem Kopf, sobald ich hinaufschaue. Ein Surren der Kli-
maanlage vielleicht, der Sicherheitsanlagen. Efeuumrankte
Mauern, Festungen gleich, zwischen dem Rhein und den
Bürofenstern: Rhododendron, Schlehdorn, Holunderbü-
sche. Kein Gesicht am Fenster, nur die eintönigen Fassaden:
zu viele Insassen, freiwillig gemeldet. Mit ihnen die freiwilligen Helferinnen, ein Heer von Schreibdamen. Sie wollen
das ganze Land in ihrer Lage wissen.

   Die ersten Mittagspausentrupps von Männern kommen

mir entgegen. Wie Zugpferde im Geschirr. Der Kopf, nach vorn gebeugt, zieht den Rumpf nach, der nicht will. Keine Verbindung zwischen dem Kopf und dem Rumpf, was die Entscheidung des Kopfes anbelangt. Aber was soll der Kopf ohne den Rumpf. Also zieht er ihn mit, treu ergeben.

So gehen sie. Die Arme auf dem Rücken verschränkt, vielleicht auch eine Hand in der Hosentasche. Oder die Arme hängen schlaff am Körper herunter, und die Hände dazu. Die Arme vor dem Bauch verschränkt, so daß sich der ganze Körper nach vorn neigt.

Eingesperrt fühle ich mich in der flimmernden Schwüle. Der Regen hat aufgehört. Die Nebel steigen.

Sie tragen Anzüge, als gebe es sie nicht, die Schwüle. Sie scheinen nicht zu schwitzen. Ihnen scheint es weder heiß noch kalt zu sein. Sie erlauben es sich einfach nicht. Also schwitzen sie nicht. Sie haben da offenbar ihre Prinzipien.

Ganz plötzlich macht der Mittagspausentrupp, hinter dem ich wie in Trance herlaufe, kehrtum. Wie einer inneren Uhr gehorchend. Alle zur selben Zeit. Die Mittagspause ist gleich zu Ende. Es ist an der Zeit, den Gang der Dinge nicht aufzuhalten durch den Spaziergang am Rhein. Die Vögel zwitschern. Polizisten kommen die Promenade entlanggeschlendert, als wären sie auf Urlaub hier. Die Funkgeräte, die über ihren Mägen baumeln, geben kleine Piepsgeräusche von sich. Der Rhein als Trost, weil er fließt und nicht steht, wie die Luft in der Stadt. *Annelie Runge, 1985*

». . . die Leere, die nur mich erwartete«

Am Rhein bin ich entlanggegangen. Ein Nachtstrom mit tausend Lichtern, dem man nicht ansah, wieviel Dreck, chlorierte Wasserstoffe und giftige Schwermetalle er auf seinem Weg durch drei Bundesländer in sich hineingeschlungen hatte. Er floß so gleichmäßig am Bundeshaus

**57 Bundeshaus und Abgeordnetenhochhaus
(»Langer Eugen«) bei Nacht**

vorbei, daß ich manchmal dachte, nicht der Fluß bewege
sich, sondern die Parlamentsgebäude.

Mein Rückweg von der Arbeit führte jeden Abend hinter
dem Palais des Bundespräsidenten, der Villa Hammerschmidt, wo die Köpfe der Bewacher über die Mauer
ragten, die Ufertreppe hinauf. Ich kreuzte die Adenauerallee und ging, bevor ich das Auswärtige Amt erreichte,
stadteinwärts links in die Joachimstraße. Das Haus Nummer 14 war mit Weinlaub bewachsen. Zweiter Stock,
Mansarde. Fenster zur Straße hinaus. Ein Zimmer mit

Wohnküche. Es war meine dritte Unterkunft neben der Wahlkreiswohnung in dem Dorf Eckarts, das nach Immenstadt eingemeindet worden ist, und dem Münchner Haus. Beim Aufwachen fragte ich mich oft, wo ich gerade war.

Das junge Drogistenpaar aus Duisdorf, das mit diesem Altbau schräg gegenüber der Berliner Landesvertretung zum erstenmal ein großes Objekt erworben hatte, war bei den Renovierungsarbeiten ins Träumen geraten. Überall Rüschen und Leuchter, eine Tapete wie aus Porzellanmustern, das geschnörkelte Bett. Im Treppenhaus, wo jeder Schritt knarrte, schlaffte eine Gardine wie ein Theatervorhang, doch dahinter lag nur der trübe Hof.

Beim Aufschließen die Leere, die nur mich erwartete. Selten kam Besuch. Meist saß ich hier spät am Küchentisch, las Zeitung oder ein Buch, hörte Radio, schrieb Stichwörter für einen Beitrag im Plenum oder ein Referat im Wahlkreis auf. Während die Müdigkeit im Körper stieg, betrachtete ich immer länger den Wein im Glas, die Staubschicht auf der verkleideten Heizung, eine tote Fliege auf dem Kunststoffbelag der Geschirrkommode. Wenn ich das Fenster öffnete, verstärkte sich das schleifende Dröhnen der auf den nahen Bahngleisen fast ununterbrochen verkehrenden Züge. Die Stadt war eine große Maschine, die niemals stillstand. *Dieter Lattmann, 1981*

Ein Diplomat in Bonn

Ist Bonn eine kleine Stadt – wie der Titel eines bekannten Romans lautet – oder ist Bonn eine provinzielle Stadt? Die Antwort ist sicher nicht leicht. Sicher ist nur, daß Bonn 1989 seine römische Gründung feiern wird!

Wenn Diplomaten unter sich plaudern, sozusagen als Mitglieder der Zunft, halten sie es für angebracht, Bonn zu kritisieren, als eine Stadt, die sehr wenig vom Profil der

Hauptstadt einer Macht wie der Bundesrepublik in sich birgt. Aber, wenn sie Bonn dann verlassen müssen, werden sie ganz traurig, denn unbewußt haben sie die Vorteile und die Anziehungskraft dieser Stadt empfunden. Und wenn sie später, vielleicht im Ruhestand, über Bonn sprechen, werden die Erinnerungen fast zärtlich sein. Für mich persönlich gilt das mit Sicherheit, denn man ist nur einmal im Leben ein König – und sei es auch ein »Grünkohlkönig«!

Manche Vorteile Bonns als Hauptstadt liegen auf der Hand: keine große Entfernung, was allerdings nicht nur den Italiener dazu verleitet, immer etwas zu spät zu allen Terminen zu kommen. Aber ist die Pünktlichkeit nicht andererseits auch Unerzogenheit in dem Sinne, daß es eine Zumutung für den Gesprächspartner ist, absolut pünktlich sein zu müssen?

Bonn weigert sich, Hauptstadt zu sein. Es liebt seine Diplomaten nicht sehr. Die regelmäßigen Zeitungsveröffentlichungen der Liste der Botschaften, die angeprangert werden, zu oft falsch geparkt zu haben, ist eine Unhöflichkeit. Natürlich gibt es unter ihnen auch schwarze Schafe, vielleicht auch ein paar besonders schwarze Schafe, und der Ärger der braven Bürger ist bisweilen verständlich, wenn eine CD-Karosse womöglich provozierend falsch geparkt ist (mit »unserer Entwicklungshilfe bezahlt?«), wenn Recht und Ordnung von »diesen privilegierten Ausländern« nicht respektiert werden – wobei ich gar nicht an jenen Typ Bürger denke, der auch seinesgleichen gern wegen Falschparkens beim Ordnungsamt anzeigt: für einen Italiener allemal verblüffend.

Doch auch hier meine ich, daß ein wenig mehr Toleranz und weniger Aufgeregtheit angebracht wäre – die Veröffentlichung solcher Listen ausländischer Missetaten würde anderswo auf Unverständnis stoßen. Eine Tatsache steht fest: die Einheimischen, die die wenigen, für Diplomaten reservierten Parkplätze (z. B. am Hauptbahnhof) unrecht-

58 Friedensplatz

mäßig benutzen, bekommen niemals eine Verwarnung! Auch ist es weder meinem Vorgänger noch mir gelungen, ein Parkverbot vor der Botschaft durchzusetzen – trotz der offenkundigen Sicherheitserfordernisse.

In den letzten Jahren hat Bonn sich zu einem kulturellen Mittelpunkt entwickelt. Das ist gut so. Aber – nochmals ein Aber – die Stadt als solche ist sich dessen nicht genügend bewußt. Es war für meine Frau und mich schön, einen Brauch einzuführen: Die Erstaufführung einer italienischen Opera sollte dazu bestimmt sein, ein Ereignis zu werden, den Besuchern ein Glas Wein anzubieten, um den Abend im Foyer oder hinter den Bühnen zu verlängern und die Künstler und Künstlerinnen zu treffen – ein solches Zusammensein entspricht dem Charakter, den eine Opernaufführung hat, ein Ereignis, das alle einbeziehen muß. Der Generalintendant, der hervorragende Monsieur Riber, hat mitgemacht, aber die Stadt – und sogar die Presse – haben niemals die Bedeutung dieser Auffassung erfaßt. Das Publikum eher, denn viele verweilten bis Mitternacht im Foyer, und Mitternacht überschreitet die »Bundesstunde« einer Stadt, die – zu Recht – nach elf Uhr schläft.

[...]

Es wäre riskant, über das Provisorium der Hauptstadt zu reden. Die Entscheidung für Bonn war richtig, und in den Gesprächen mit denjenigen, die als Behörde diesen Prozeß der »Verhauptstädterung« betrieben haben, zeigt sich etwas, was wenig deutsch klingt: ein großer Pragmatismus, bei dem auch persönliche Gefühle eine bedeutende Rolle gespielt haben. Wie schön ist es, wenn Deutsche nicht vernünftig oder todlogisch sind! Hier spiegelt sich in Bonn ein Teil Deutschlands wider, allerdings in einem anderen Sinn: Wir finden in Bonn die Kontinuität des Deutschlands wieder, »das wir immer geliebt haben« (wie ein großer italienischer Denker, Croce, geschrieben hat), und im selben Atemzug seine bürgerliche Bescheidenheit, aber auch seine Seele. Und Bonn hat eine Seele, die sehr deutsch und sehr angenehm ist. *Luigi Vittorio Ferraris, 1988*

Bonn und die Friedensdemonstration

Rund 250 000 Demonstranten werden heute in Bonn zu der bisher größten Demonstration in der Geschichte der Bundeshauptstadt erwartet. Diese Zahl beruht auf Schätzungen der Veranstalter von gestern nachmittag. Rund 300 Busse wurden im Verlaufe des gestrigen Tages noch angekündigt, obwohl die Veranstalter – bisher auch einmalig – von weiteren Anmeldungen abgeraten hatten. Insgesamt werden rund 3500 Busse Demonstranten nach Bonn bringen.

Zahlreiche Geschäftsleute in der Innenstadt trafen gestern bereits Vorsorge, indem sie die Scheiben ihrer Geschäfte mit Eisengittern, Gerüsten und Brettern verbarrikadierten. Viele werden im Laufe des heutigen Vormittags

**59 Friedensdemonstration auf der Hofgartenwiese
(10. 10. 1981)**

schließen, einen Teil der Angestellten aber im Hause behalten,
um im Falle von Zwischenfällen gleich eingreifen zu können.

Der Vorsitzende der Deutschen Bischofskonferenz, Kardinal Höffner, unterstützte gestern die zahlreichen Appelle
für einen friedlichen Verlauf der Demonstration. In einem
Interview des Deutschlandfunks sagte er, Gewalttätigkeit
zur Herbeiführung des Friedens sei ein Widerspruch in sich
selbst.

Die Veranstalter, Aktionsgemeinschaft Dienst für den
Frieden und Aktion Sühnezeichen/Friedensdienste, sehen
bisher keine Anzeichen dafür, daß es Krawall geben wird.
Der nordrhein-westfälische Innenminister Herbert Schnoor
schließt aber Gewaltaktionen Einzelner nicht aus. Die Polizei wird mehrere tausend Beamte aus ganz Nordrhein-West-
falen im Einsatz haben, aber sich sichtbare Zurückhaltung
auferlegen und weder Helme noch Schutzschilde, sondern
weiße Mützen tragen. Allerdings wurde auch Vorsorge ge-

troffen, um gegen »Rabauken und Krawallmacher« sofort hart vorgehen zu können. Nach Polizeiangaben werden »ausreichende Reserven« dafür bereitstehen.

Um die Demonstranten sorgen sich mehrere hundert Helfer der verschiedenen Hilfsdienste vom Deutschen Roten Kreuz über den Malteser-Hilfsdienst bis hin zu den Johannitern und dem Arbeiter-Samariterbund. Rund 200 Feuerwehrleute sind im Einsatz, die Freiwilligen Feuerwehren Bonns haben Bereitschaftsdienst in ihren Gerätehäusern, und auch in den benachbarten Kreisen Rhein-Sieg und Euskirchen sowie Köln halten sich Feuerwehren und Hilfsdienste in Bereitschaft. Die Malteser wollen allein 15 000 Liter Tee zur Erfrischung von Demonstranten bereithalten.

Auf einer Pressekonferenz wurde gestern angekündigt, daß auch mehrere Soldaten der Bundeswehr sowie der niederländischen und der dänischen Armee in Uniform an der Demonstration teilnehmen wollen. Für Bundeswehrsoldaten ist die Teilnahme an politischen Demonstrationen in Uniform grundsätzlich verboten.

Nicht nur fast alle öffentlichen Einrichtungen in Bonn bleiben heute geschlossen, man erwartet auch, daß am Morgen das gesamte innerstädtische Verkehrsnetz zusammenbricht. Schwere Behinderung im Umland und auf den Autobahnen werden erwartet. Möglicherweise muß auch das Autobahn-Teilstück zwischen dem Beueler Dreieck und Ramersdorf gesperrt und als Parkfläche für Busse genutzt werden. Die schweren Verkehrsbehinderungen dürften bis in den späten Abend reichen und sich erst gegen Mitternacht ganz auflösen.

Wie die Post gestern auf Anfrage mitteilte, wird es heute in der Innenstadt keine Paketzustellung geben. Die Dienststellen der Post sind aber geöffnet, und auch die Briefzustellung soll dadurch gewährleistet werden, daß die Briefträger ihren Dienst eine Stunde früher antreten.

Ludger Gerhards, 1981

Trügerische Stille

Den Beweis brachte der Anschlag in Bad Godesberg, obwohl die deutschen Behörden das nun weiß Gott nicht wissen konnten. Vor Bad Godesberg war zunehmend Verdacht aufgekommen, sehr viel sogar. Aber die ausgesprochen überlegene Planung – im Gegensatz zu der minderwertigen Qualität der Bombe – ließ den Verdacht zur Gewißheit werden. Früher oder später, heißt es im Gewerbe, hinterläßt jeder seine Signatur. Ärgerlich ist nur das lange Warten.

Die Bombe explodierte viel später als vorgesehen, wahrscheinlich gut zwölf Stunden später – am Montagmorgen um acht Uhr sechsundzwanzig. Mehrere stehengebliebene Armbanduhren, die den Opfern gehörten, bestätigten den Zeitpunkt.

[...]

Um acht Uhr fünfundzwanzig war die Drosselstraße in Bad Godesberg eine von Diplomaten bewohnte, baumbestandene Nebenstraße gewesen wie viele andere, von der politischen Bonner Hektik so weit weg, wie man es erwarten kann, wenn man sich nicht weiter als fünfzehn Autominuten entfernt. Es war eine neue, jedoch keineswegs kahle Straße mit üppigen, verschwiegenen Gärten, Dienstbotenzimmern über den Garagen und schmiedeeisernen Sicherheitsgittern vor den Butzenglas-Fenstern. Das Wetter im Rheinland hat den größten Teil des Jahres etwas von der schweißtreibenden Wärme des Dschungels; die Vegetation – wie die Zahl der Botschaftsangehörigen – wächst dort fast so schnell, wie die Deutschen ihre Straßen bauen, und noch etwas rascher, als sie ihre Karten herstellen. Aus diesem Grunde waren die Vorderseiten einiger Häuser bereits halb von dichtgepflanzten Koniferen verdunkelt, die, wenn sie jemals die ihnen zustehende Größe erreichen, vermutlich das ganze Viertel in ein Grimmsches Märchendunkel tauchen werden. Diese Bäume nun erwiesen sich als erstaunlich wirksamer Schutz gegen die Druckwelle, und schon wenige Tage nach dem Anschlag verkaufte ein Gartencenter in der Gegend sie als Spezialität.

Eine ganze Reihe von Häusern hat ein ausgesprochen nationalistisches Aussehen. Die gleich um die Ecke der Drosselstraße liegende Residenz des norwegischen Botschafters zum Beispiel ist ein schmuckloses rotes Backsteinbauernhaus, das geradewegs aus dem Börsenmakler-Umland Oslos hierherverpflanzt zu sein scheint. Das ägyptische Konsulat weiter oben auf der anderen Seite strahlt das verlorene Air einer Villa aus Alexandria aus, die einst bessere Zeiten gesehen hat. Trauervolle arabische Musik dringt nach draußen, und vor ihren Fenstern sind für alle Ewigkeit gegen das Anbranden der nordafrikanischen Hitze die Rolläden heruntergelassen. Es war Mitte Mai, der Tag hatte wunderschön mit sich gemeinsam im leichten Wind wiegenden Blüten und frischem Laub begonnen. Die Magnolienblüte war gerade vorüber, und die traurigen weißen Blütenblätter, die zum größten Teil bereits abgefallen waren, hatten hinterher die Trümmer geziert. Bei so viel Grün drang vom Rauschen des Pendlerverkehrs auf der Autostraße kaum etwas herüber. Der auffälligste Laut bis zur Explosion war noch das Lärmen der Vögel, zu denen ein paar dicke Tauben gehörten; sie hatten eine Vorliebe für jene blaßblaue Glyzine, die der ganze Stolz des australischen Militär-Attachés war. Einen Kilometer weiter im Süden machten von hier aus unsichtbare Lastkähne auf dem Rhein einen behäbigen, tuckernden Laut, den die Bewohner aber nur wahrnehmen, wenn er einmal aussetzt. Kurz, es war ein Morgen, ganz dazu angetan, einem deutlich zu machen, daß Bad Godesberg trotz aller Katastrophen, über die man in den ernsten und überängstlichen westdeutschen Zeitungen las – Wirtschaftsflaute, Geldentwertung, Pleiten und Arbeitslosigkeit, all die üblichen und anscheinend unheilbaren Leiden

238

einer kräftig prosperierenden kapitalistischen Wirtschaft –,
ein solider und anständiger Ort war, wo man durchaus leben konnte, und Bonn nicht halb so schlimm, wie es immer
hingestellt wurde. *John le Carré, 1983*

Ein Spion in Bonn

Um 19 Uhr 32 stieg er in Bonn aus dem Zug, sah Dorle,
bevor sie ihn sah, und sah auch gleich, daß sie in einem
schlimmen Zustand war. Im Unterschied zu ihm hatte sie
das Verbergen nie richtig gelernt. Richtig zerschlagen sah
sie aus. Verrenkt. Die Schultern ungleich hoch, der Kopf
eher schief, die Hände wie etwas aus Blei, insgesamt ein
Bild der Kraftlosigkeit, Besiegtheit. Was auch immer sie
ihm gleich als Grund für ihren Zustand mitteilen würde, er
war schuld, daß sie so dastand. Sie stand ja gar nicht. Sie
hing. Sie hing in der Luft. Und das war seine Schuld. Dabei
freute er sich so auf sie. Er war so froh, daß er heimkam. Er
war an so gar nichts interessiert als daran, heimzukommen.
[...]
Wolf sagte, er müsse immun sein gegenüber Dorles Ver-
führung zu Trostlosigkeit und Panik. Er müsse photographieren jetzt. Morgen sei Ablieferung. O Wolf, sagte
Dorle, den ganzen Tag unterwegs und Sitzung und jetzt die
halbe Nacht wieder photographieren, du machst dich doch
kaputt. Und mich auch, fügte sie trotzig nach. Dorle, sagte
er, du weißt, ich habe nichts außer dir. Außer dir ist alles
Zwang. Wenn ich dich kaputtmache, was ich nicht abstrei-
ten kann, dann mache ich mich auch kaputt.
[...]
Dorle sagte: Sag doch etwas. Es ist gleich halb neun, und
am Donnerstag muß ich um halb neun auf Empfang, ent-
schuldige, sagte er und ging hinüber, schaltete das Radio
auf seine Kurzwelle, das Brahmslied lief schon. Nachher

kam er mit drei Zetteln und verkündete: Wir haben es geschafft, Dorle. Sie geben nach. Die Heimreise wird ab jetzt geplant.

[...]

Er sagte Dorle, daß er noch rasch runter müsse, in die Schweiz telephonieren. Dorle sagte, wenn er so sicher sei, warum rufe er dann nicht von hier aus an? Dorle! sagte er. Und ging. Zum Glück tanzte diesmal kein Türke mit dem Hörer herum. Die Basler Nummer war sofort da, Wolf sagte: Siebzehn–Elf–Einundzwanzig erst ab zweiten achten, Treffpunkt Süd. Wolf ging noch auf ein Kölsch ins *Akropolis*. Er mußte diesen Abendausflug mit etwas mehr Sinn ausstaffieren. Im Fall er Zuschauer hatte. Schon am Telephonhäuschen war er zuerst vorbeigegangen, dann erst war ihm etwas eingefallen, dann hatte er umgedreht und schnell telephoniert. So wird also der Sinn klar: eigentlich will er ins *Akropolis*.

[...]

Als er zurückkam, lag Dorle angezogen auf dem Bett. Er ließ die Rolläden herunterrasseln. Dieses Schlafzimmer ist die Hölle. Häßlicher können Betten nicht sein als diese eher schwarzen als braunen, wulstigen Kloben. Die Glasplatten auf den Nachttischchen hatten Sprünge. Er sagte: Ich muß rüber. Sie nickte. Sie hier so liegenzulassen –, das sollte man nicht fertigbringen. Aber das Protokoll mußte noch in dieser Nacht photographiert werden.

Martin Walser, 1987

Bonn heute

Idylle mit Monster

Es bereitet mir jedesmal ein perverses Vergnügen, bei Tageslicht die Breite Straße zu durchwandern. Ich gebe zu, daß ich häufiger nachts dort anzutreffen bin, im eigentlichen Kneipenviertel der sogenannten Altstadt, aber das Tageslicht hat den Vorteil, gewisse Perspektiven sichtbar zu machen. Dazu zählt der Blick auf ein weiteres Meisterwerk der Bonner Planer und Bürokraten, die sich seit Jahren nach Kräften darum bemühen, die Stadt unbewohnbar zu machen. Glücklicherweise reicht dazu ihre intellektuelle Kapazität nicht aus; das ist nicht sehr überraschend, denn bei ausgeprägteren geistigen Gaben wären sie nicht in Politik oder Verwaltung gegangen, sondern hätten etwas Anständiges gelernt.

Von der Altstadt gesehen, reckt sich jenseits bunter Jugendstilfassaden ein Betonmonster in den Himmel, Herausforderung an die Götter, deren Nichtexistenz durch das Fortdauern des Gebäudes belegt scheint. An dunklen Tagen sieht das Ganze so aus, als wüchse aus Wolken ein gigantischer Abszeß nach unten, bereit, jederzeit zu platzen. Der Eiter hört auf den Namen Stadtverwaltung. Das Stadthaus ist etwa so ästhetisch in die Umgebung eingepaßt wie ein Bunker zwischen Pagoden. Der Amtsschimmel hat zahllose Altbauten weggefurzt, um dieses bizarre Exkrement zu äpfeln. Nach der Eingemeindung von Godesberg und anderen Ortschaften sollte die Verwaltung zentralisiert werden. Man wollte alle Ämter an einem Ort, in einem Bau zusammenfassen. Als das Ungetüm fertig war, stellte man fest: es ist zu klein. Deshalb gibt es in Godesberg und anderswo nach wie vor Rathäuser.

Gisbert Haefs, 1981

Verbindungsmänner in Bonn

Mehr als 2000 Lobbyisten arbeiten in Bonn. Ihre Büroetagen oder Häuser liegen dicht am Zentrum der Macht, in der Nähe des Regierungs- und Parlamentsviertels. Das Gros der Verbände und Unternehmen residiert zwischen Hofgarten und Godesberg: an der Adenauerallee, an der Godesberger Allee und ihren Nebenstraßen. Diese Repräsentanzen sind wie eine Perlenkette aneinandergereiht, zusammen mit den Häusern der Bundesbehörden, Botschaften und Parteien. Das ist die sogenannte vier Kilometer lange Bonner Rennstrecke, an deren Endpunkten zum einen der Deutsche Beamtenbund und zum anderen Krupp seßhaft geworden sind.

[...]

So sind zwischen dem Rhein und der linksrheinischen Bundesbahn auch andere Lobby-Viertel entstanden, so auch das vornehme Johanniter-Viertel rund um das gleichnamige Krankenhaus. Es gibt kaum ein nennenswertes deutsches oder multi-nationales Unternehmen, das in Bonn kein Büro hätte.

Diese Dependancen heißen: Verbindungsstelle Bonn, Vertretung in Bonn, Außenstelle Bonn, Direktionsbüro Bonn oder einfach Bonner Büro. Im Organisations-Schema ihres Unternehmens oder Verbandes sind die Chefs dieser Büros meistens unmittelbar dem Vorstand und der Geschäftsleitung zugeordnet. Auf ihrer Visitenkarte steht bei Verbänden »Geschäftsführer«, bei Unternehmen Direktor, Generalbevollmächtigter, Beauftragter oder Bevollmächtigter des Vorstandes in Bonn oder Leiter des Bonner Büros. Mit diesen klangvollen Titeln soll für die Partner der Lobbyisten in der Bundeshauptstadt sichtbar gemacht werden: Dieser Mann steht der Zentrale nahe, er hat das volle Vertrauen der Spitze. Die hochrangige hierarchische Einordnung des Lobbyisten in sein Unternehmen

60 Das Stadthaus

oder seinen Verband ist für ihn sehr wichtig. Seine Bezugs-
personen in Bonn erfahren dadurch, daß er Informationen
aus erster Hand bringt und unmittelbar Kontakt herstellen
kann mit den entscheidenden Stellen des Unternehmens
und des Verbandes. Der »Verbindungsmann« in Bonn muß
als erste Adresse erscheinen und nicht als Briefträger für
Informationen.

[...]

Wenn schon der Verband nicht in der Bundeshauptstadt
sitzt, sollte er dort wenigstens einen Brückenkopf haben.
Man muß wirklich »da« sein. Wer ständig in Bonn ist, hört
und sieht vieles en passant, trifft hier oder dort einen Staatsdiener, einen Abgeordneten, einen Journalisten oder einen
anderen Kollegen aus der Lobby, der gern über Fakten oder
Gerüchte aus Bonn plaudert. Es entgeht einem einiges,
wenn man sich nicht regelmäßig im Bonner Dunstkreis
aufhält.

Besonders dienlich ist auch der Kontakt unter Lobbyisten. Ein enger Erfahrungsaustausch besteht zwischen Interessen-Vertretern, die in Bonn viele Jahre auf dem Buckel haben. Es gibt viele sogenannte »Industrie-Kränzchen«. Das wollen die Gesprächsteilnehmer nicht als institutionalisierte Zirkel verstanden wissen. Es gebe für Treffen von Bonner Büroleitern, sagen sie, keine Regularien und keine Formalien. Man treffe sich zwanglos; dabei komme es auch zur Einladung von Gästen aus den Behörden oder dem Parlament. Ein Ehrenwort wird darauf gegeben, daß nicht über Geschäfte gesprochen wird: »Wir sprechen über alles, nur nicht über Geschäfte. Wir sind kein Lobbyisten-Kartell.«   *Klaus Broichhausen, 1982*

»Gericht stoppt Demonstrationen im Hofgarten«

Die Universität Bonn ist nicht verpflichtet, die Hofgartenwiese für Großkundgebungen zur Verfügung zu stellen. Das entschied gestern das Verwaltungsgericht Köln, das zugleich klarstellte, auch nach dieser Entscheidung sei es nicht ausgeschlossen, daß die Uni die Nutzung des Hofgartens für eine Großkundgebung »in besonders gelagerten Ausnahmefällen« dulden müsse.

Mit dieser Entscheidung der 20. Kammer wurde die Klage der IG Metall auf Überlassung der im Eigentum der Uni stehenden Hofgartenwiese für Großkundgebungen mit einer Teilnehmerzahl von mehr als 100 000 Personen als unbegründet abgewiesen. Die Gewerkschaft kündigte gestern an, sie werde in Berufung gehen.

Vorsitzender Richter Dr. Frank Oehmke führte aus, daß die Hofgartenwiese kein öffentlicher Platz und auch keine für Großveranstaltungen zur Verfügung stehende öffentliche Einrichtung der Stadt Bonn sei. Oehmke: »Sie ist dies nur in ihrer Funktion als innerstädtische Grünanlage, die der Bevölkerung zu Erholungszwecken offensteht und so seit langem genutzt wird.«

Allerdings gehe das Gericht aufgrund der Vergabepraxis davon aus, daß die Universität die Hofgartenwiese selbst als öffentliche Einrichtung auch zu Kundgebungszwecken zur Verfügung gestellt habe. Gleichwohl scheitere ein sich aus Artikel 3 Grundgesetz (Gleichbehandlungsgebot) ergebender Anspruch der Klägerin gegen die Universitätsstadt daran, daß die Uni aufgrund ihres Senatsbeschlusses vom 20. Dezember 1984 diese Vergabepraxis für die Zukunft in »rechtlich nicht zu beanstandender Weise« beendet und sich selbst bis zum gegenwärtigen Zeitpunkt an diesen Beschluß strikt gehalten habe.

Oehmke betonte, daß die Universität mit ihrer Hofgartenwiese keine Monopolstellung besitze, denn in Bonn stehe mit dem südlichen Teil der rechtsrheinischen Rheinaue, über die die Stadt verfügen könne, für Großveranstaltungen noch ein geeignetes Kundgebungsgelände zur Verfügung, bei dessen Nutzung Großdemonstrationen nicht so ins Abseits gedrängt würden, daß sie ihre Wirkung verlören und ihres Zweckes beraubt würden.

[...]

Uni-Rektor Professor Kurt Fleischhauer und Kanzler Wilhelm Wahlers begrüßten die Entscheidung: »Wir sind sehr befriedigt, daß die Rechtsauffassung der Universität bestätigt wurde«, teilten sie mit.

Der Hofgarten ist seit 1818 Privateigentum der Bonner Universität. Die Stadt Bonn hatte sich 1895 vertraglich verpflichtet, die Wiese »in Anerkennung der öffentlichen Nützlichkeit... zu unterhalten«. Bis 1985 war der Hofgarten immer wieder Schauplatz von politischen Großdemonstrationen, Festen, Reiterspielen und Zirkusvorführungen.

Bernd Leyendecker, 1989

»Hier fühlen wir uns wohl«

Herzlich danke ich Ihnen für die Auszeichnung, die Sie mir zugedacht haben. Es ist wahr, ich bin nicht schon durch Geburt oder Jugend mit Bonn verbunden. Meine Familie stammt aus Stuttgart. Dort bin ich auch geboren, aufgewachsen, und im Herzen geprägt bin ich in Berlin.

Das zeichnet die Bonner aus, daß man hier auch gern Gutes über andere sagt, z. B. über Berlin. Sie, Herr Oberbürgermeister, haben dies vorgestern in freundlicher und vorbildlicher Weise beim »Tag aus Berlin« in der Beethovenhalle getan.

Auch ich will meine innere Bindung zu Berlin hier nicht verleugnen. Dort habe ich die Kindheit zugebracht, die Sprache erlernt, mich am trockenen Witz, der Courage, der Hilfsbereitschaft und dem nüchternen Urteil der Berliner erfreut. Mit Recht, Herr Oberbürgermeister, haben Sie erwähnt, daß die Bürger von Bonn und Berlin sich auch darin gleichen, daß sie mit am wenigsten den Verführungen des Nationalsozialismus bei den letzten noch halbwegs freien Wahlen gefolgt sind. Berlin hat ein exemplarisches deutsches schweres Schicksal in unserer Zeit.

Für mich kommt hinzu, Sie haben es erwähnt, daß ich in Berlin die Kommunalpolitik gelernt habe, daß ich dort Bürgermeister gewesen bin, die Zuneigung zu Rathäusern entwickelt habe und überhaupt meinen Respekt vor der Kommunalpolitik als der hohen Schule der Politik überhaupt erworben habe.

Es ist die Politik, die mich nach Bonn geführt hat. Aber Bonn hat das Leben der von mir, von meiner Frau und mir begründeten eigenen Familie, mehr als jeder andere Platz geprägt. Wir haben insgesamt 17 Jahre in Bonn gelebt bisher. Unsere vier Kinder haben hier den wesentlichen Teil ihrer Jugend erlebt und den Schulabschluß absolviert. Sie haben mitgewirkt beim Bonner Hockey- und Volleyball, im Kirchenchor und sogar im Schach der Bundesliga. Unsere beiden Enkelkinder sind Bonner Mädchen. Kurz, hier ist der Lebensmittelpunkt meiner eigenen Familie. Hier fühlen wir uns wohl. Dafür sind wir der Stadt Bonn dankbar.

Und weil es also keine gekünstelte, sondern eine täglich erlebte und gelebte Beziehung ist, so machen Sie mir mit der Auszeichnung der Ehrenbürgerschaft eine echte und tiefe Freude, und ich danke Ihnen dafür von ganzem Herzen.

Bonn führt uns mitten hinein in die Frage, was Deutschland gewesen ist und was Deutschland heute ist. Seit 40 Jahren ist Bonn die Hauptstadt der Bundesrepublik Deutschland, Mittelpunkt des politischen Willens und Lebens unseres Landes. Wenn man außerhalb der Stadt von Bonn spricht, dann denken zwar vielleicht viele an die großen Fechter aus Bonn oder an die Schwimmfeste und vielleicht sogar daran, daß der Bonner SC die Überraschungsmannschaft in der Fußballoberliga ist.

Aber zumeist ist es eben doch die Politik. Hier wird Politik gedacht, entwickelt und entschieden – so sagt man. Also heißt ›Bonn locuta‹ oder ist damit zugleich auch verbunden der dazugehörige Satzbestandteil ›causa finita‹. Ich lasse es dahingestellt.

Denn wir leben in einem föderalen Staat, in dem viele mitzureden haben. Unsere nationale Geschichte und unser Nationalgefühl sind immer föderalistisch gewesen. Im tiefsten Kern ist dies Ausdruck unseres Wesens und der Entwicklung unserer Geschichte. Die Nation von uns Deutschen war historisch besehen nur im Ausnahmefall auf einen Zentralstaat bezogen. Es war und ist über Jahrhunderte ein durch und durch föderales Empfinden, das unserem Nationalgefühl Qualität und Wärme gegeben hat und gibt. Wir brauchen nicht bis zum Tacitus zurückzugehen, der über die so verschiedenartigen deutschen Stämme berichtet, um zu erkennen, daß in Wahrheit die Vielfalt der Lebensgefühle es ist, die uns stets ausgezeichnet hat.

Dies hat Konflikte zwischen Regionen oder in religiöser Hinsicht nicht verhindert, die Deutschen aber immer wieder zur Verständigung untereinander genötigt und auch befähigt.

Aus der geschichtlichen Entwicklung erwuchs uns ein einzigartiger Reichtum an Residenzen und Hauptstädten. Von den mittelalterlichen Kaiserpfalzen etwa in Aachen, Goslar oder Wimpfen über Prag und Wien, Dresden und München bis zu Regensburg, dem Sitz des immerwährenden Reichstages, nach dem 30jährigen Krieg, und zu Frankfurt, wo die Paulskirchenversammlung 1848 Nation und Demokratie miteinander auszusöhnen suchte.

Und dann bis zu Berlin, der Hauptstadt des Deutschen Reiches, und zu Bonn, das mittlerweile in der Welt berühmter geworden ist als seine beiden Vororte Köln und Rhöndorf.

Wie jedermann weiß, ist Bonn viel älter als die Bundesrepublik. Genau fünfzigmal älter. In diesem Jahr feiert die Stadt ihren 2000. Geburtstag. Die Anfänge mögen im ungewissen liegen, und vielleicht ist Bonn ja sogar älter, als es sich gibt, wie das so bei manchen menschlichen Lebewesen vorkommt. Spätestens mit dem Brückenschlag über den Rhein durch den jungen hoffnungsvollen Feldherrn Drusus trat das ehemalige Fähr- und Fischerdorf Bonna unwiderruflich in die Annalen der europäischen Geschichte ein.

Man braucht weder die Römer noch die Kurfürsten des Barockzeitalters zu bemühen, um festzustellen, daß es sich in Bonn mit seiner Menschlichkeit, mit seiner friedlichen und gewinnenden Atmosphäre gut leben läßt. Dies haben in den letzten Jahrzehnten viele so empfunden, die durch die Politik nach Bonn gekommen sind.

Seit vierzig Jahren bewährt sich Bonn als Hauptstadt, und anstatt darüber nachzusinnen, warum es 1949 erwählt

**61 Oberbürgermeister Hans Daniels überreicht
Bundespräsident Richard von Weizsäcker den
Ehrenbrief der Stadt Bonn
(2. 5. 1989).**

wurde, sind wir gut beraten, darüber zu sprechen, was gerade Bonn qualifiziert und wie es sich dieser Aufgabe entledigt. Bonn gehört ganz vorn in den Kreis der Städte, die Deutschland in der ganzen Welt auszeichnen. Städte mit einer reichen, bewegten Geschichte, mit schönen Residenzen, mit kultivierten und gepflegten Bürgerhäusern, einer wohltuenden Umgebung der Natur, ohne durch eine allzu große Bevölkerungszahl zu einem bedrückenden Ballungszentrum zu werden. Dies formt das städtische Bewußtsein ihrer Bürger. Es macht Bonn auf exemplarische Weise typisch – menschlich überschaubar und erlebbar.

Im fernen Wien träumte Beethoven 1801 von Bonn. »Ich

werde die Zeit als eine der glücklichsten Begebenheiten meines Lebens betrachten, wo ich Euch wiedersehen und unseren Vater Rhein begrüßen kann.« Heute würde er erfahren, wie sehr das alte, ihm wohlbekannte kurfürstliche Bonn sich gewandelt hat und doch sich im Kern gleichgeblieben ist.

Längst ist die Stadt eine dreigegliederte Einheit – Bonn 1, Bonn 2, Bonn 3. Eine Einheit aber in Vielfalt: das Bürgertum in Handel, Gewerbe, Handwerk und Ruhestand, die gewachsene und hochgeachtete Universität, der öffentliche Dienst und die Politik, die Medien und die Diplomatie.

Jeder dieser Sektoren lebt zunächst am liebsten unter sich. Warum auch nicht? Aber immer dann, wenn es jemandem gelingt, die einzelnen Teile miteinander in Berührung zu bringen, kommt es zu gegenseitiger Inspiration und gemeinsamer Freude. Aus eigener Erfahrung kann ich nur sagen: In keiner anderen deutschen Stadt habe ich eine solche Vielfalt der Berufe und Lebenstätigkeiten angetroffen und eine solche Bereicherung miterlebt, wenn die verschiedenen Sektoren der Einwohnerschaft sich als Gäste untereinander mischen. Manchmal läßt man sich in Bonn die Chance entgehen und lebt im eigenen Zirkel. Ich möchte dazu ermuntern, sie häufiger ineinander zu fügen.

Die Kirchen leben lebendig und ökumenisch offen miteinander. In der Kultur und in bestimmten Eigenarten seiner Stadtentwicklung ist Bonn einzigartig. Wo kann man so gute Bilder von August Macke oder Max Ernst sehen, wenn nicht in Bonn? Aber kein Wunder: Wo gibt es auch eine zweite Katharina Schmidt? Und wo steht ein vergleichbarer Kammermusiksaal wie der, den wir Hermann Josef Abs zu danken haben? Wo kann man Musik hören wie heute, die man nur ungern mit seinen Reden unterbricht? Wo ist eine so lebendige Musikschule anzutreffen wie hier? Ich denke an große Opernabende, an erinnerungswürdige Theater, die wir hier erlebt haben.

Wo gibt es schließlich einen so vergnüglichen Streit um den Bahnhofsvorplatz oder wo eine so verlockende Aufgabe wie die, aus dem Wildwuchs, der B 9 heißt, einen Bundes-Boulevard zu machen? Und wo gibt es noch eine zweite europäische Hauptstadt, die einerseits nicht zu jeder Stunde des Tages im Verkehr erstickt und andererseits doch jede Nacht träumt, eines Tages den schrankenlosen Verkehr zu bekommen? Mehr als alles andere aber ist es der Rhein, der uns prägt. Er führt uns unsere Geschichte zu und verbindet uns mit der Welt. Er gibt uns das rechte Augenmaß: die Vorfahren zu achten, uns der Gegenwart zu erfreuen, verantwortlich an die Nachfahren zu denken. Unser Leben ernst zu nehmen, ohne uns zu überschätzen.

Das lehrt uns die heitere Würde des Stromes. Es hat lange gedauert und vieler Kämpfe bedurft, bis wir verstehen lernten, was den Franzosen Alphonse de Lamartine zur Dichtung seiner pathetischen Friedensmarseillaise bewegte, die Ferdinand Freiligrath so eindrücklich übersetzt hat:

»Oh rolle stolz und frei, zieh Deines Wegs gelassen, Du Nil des Okzidents, Nationenbrecher Rhein, und schwemme mit Dir fort, den Ehrgeiz und das Hassen der Völker, die geschart sich seiner Woge freun.«

Keiner meiner Gäste aus aller Welt, der nicht vom Rhein beeindruckt gewesen wäre. Es ist wohl die beste Werbung für uns alle. Und ohne damit Staatsgeheimnisse zu verraten, darf ich doch sagen, daß die Nähe des Rheins schon manches schwierige Gespräch gelockert hat, das wir zu führen haben. Ich denke an einen Spaziergang mit Herrn Honecker oder an einen Wandel am Rhein mit König Juan Carlos, und demnächst wird es unser Freund George Bush sein und danach Michail Gorbatschow. Vor allem freue ich mich darauf, bald beim Jugendtreffen im Juni viele junge Bonner im Garten der Villa Hammerschmidt begrüßen zu können. Bonn wird in diesem Jahr 2000 Jahre alt und zugleich jugenddurchwirkt sein. Das wird in besonderer

Weise das alljährliche Jugendtreffen bestimmen, und die Jugend wird es sein, die uns dann vermittelt, wie sie Kultur als Lebensweise versteht.

Wir leben in Bonn nahe und menschlich und recht friedlich miteinander. Das wirkt ansteckend. Selbst mancher Demo-Vermummte kommt finster entschlossen in Bonn an, um hier vielleicht die weicheren Seiten seines Herzens zu entdecken. Und als ich vorgestern hier dem zuweilen recht finsteren Berliner Bären begegnete, siehe, da hatte er ein warmherzig blickendes, beinahe verliebtes Auge. Warum wohl? An mir lag es nicht, sondern daran, daß ihm ein schöner Bonner Mund die weltberühmten Bonner Herzenslippen auf die rauhe Backe gepflanzt hatte.

Wir leben also ordentlich zusammen und sind zugleich durch den Strom und durch den Geist der Stadt vor dem Provinziellen bewahrt. Hier empfinden wir, was es heißt, zu Hause verwurzelt und doch global verantwortlich zu sein. Beides brauchen wir zum Leben. Wo immer uns dies gelingt, legen wir, alle Bürger von Bonn, Ehre ein für unsere Stadt und für unser ganzes Land.

Ich danke Ihnen noch einmal von Herzen, Herr Oberbürgermeister und den Mitgliedern des Rates der Stadt, zusammen mit meiner Frau und meiner ganzen Familie für die hohe Ehre und bin nun erst recht einer der Ihren.

Richard von Weizsäcker, 1989

Kultur im Bonn des Jahres 2000

»Hauptstädtische Kultur« für Bonn kann keinesfalls bedeuten, aus Bonn eine kulturelle Metropole machen zu wollen. Denn dafür fehlen fast alle Voraussetzungen: Die Größe der Stadt mit einer entsprechend unterschiedlichen soziologischen Bevölkerungsstruktur, die daraus entstehende Vielfalt in den einzelnen Kunstsparten und deren internationale Anerkennung, der sich so bildende Antagonismus und nicht zuletzt die ständig stattfindenden kulturellen Entwicklungsprozesse, die mit all ihren Höhen und Tiefen den Humus bilden, der das Wesen einer Kulturmetropole ausmacht.

»Hauptstädtische Kultur« für Bonn – im Vertrag festgelegt und mit einer klaren Verpflichtung der Stadt verbunden – muß andererseits aber mehr bedeuten und andere Anforderungen an Bonn stellen, als man sie von gleichartigen Städten erwartet, die nicht die Funktion einer Bundeshauptstadt wahrzunehmen haben und daher auch nicht die entsprechenden Finanzzuweisungen des Bundes hierfür erhalten.

Diese über den Durchschnitt kommunaler Kulturleistungen hinausgehende Erwartung des Bundes wird ergänzt durch die »Repräsentationsverpflichtung«, die Bonn als Sitz der Bundesregierung für bestimmte kulturelle Veranstaltungen und Einrichtungen übernommen hat. Hierbei sollte nicht außer Acht gelassen werden, daß sich die kulturelle Repräsentation der Bundesrepublik Deutschland nicht nur auf die großen künstlerischen Entwicklungen der Vergangenheit beschränken darf, sondern daß gerade die Darstellung der Gegenwartskunst in viel stärkerem Maße repräsentativ ist für die geistige Freiheit, die heute in unserem Staat herrscht und für die Aufgeschlossenheit, mit der er der Vielfalt und Weiterentwicklung von Kunst und Kultur – insbesondere auch durch seine Förderungsmaßnahmen – begegnet. Dies durch geeignete Veranstaltungen, Aufführungen und Ausstellungen immer wieder zum Ausdruck zu bringen, ohne dadurch das, was in früheren Kunstepochen gedacht, gestaltet oder komponiert wurde, in Vergessenheit geraten zu lassen, wäre u. a. eine echte repräsentative Darstellung bundeshauptstädtischer Kultur in der jungen Hauptstadt einer jungen Republik. Hier hat Bonn bereits seit Abschluß des ersten Bonn-Vertrages in zunehmendem Maße Akzente gesetzt.

[. . .]

Meine Vision von Bonn im Jahr 2000, die heute vielleicht noch etwas utopisch erscheinen mag, geht davon aus, daß sich die Bundeshauptstadt zu einer internationalen Begegnungsstätte des Geistes, der Kunst, von Literatur und Wissenschaft entwickelt hat und zu einem institutionalisierten Treffpunkt von Literaten, Künstlern, Komponisten und Kulturpolitikern geworden ist. Von ihr gehen Impulse aus und werden Anregungen aufgenommen, die weit über die deutschen Landesgrenzen hinausgehen und ihre geistige Grundlage im neugeschaffenen Europa haben.

Bonn wäre durchaus in der Lage, eine solche Institution personell und organisatorisch mit Leben zu erfüllen. Mehr als 20 Zentralverbände und Vereinigungen des deutschen Kulturlebens haben zur Zeit ihren Sitz in Bonn. Die Kulturattachés der diplomatischen Vertretungen sind interessierte Gesprächspartner für die geistige und kulturelle Darstellung ihrer Länder. Universität, Wissenschaftszentrum und die Deutsche Forschungsgemeinschaft können ihre Beiträge leisten. Die Ländervertretungen und die einschlägigen Bundesministerien mit ihren Förderungsmöglichkeiten wären geeignete Partner hierfür. Schließlich ist eine Vielzahl von zentralen Industrie- und Wirtschaftsverbänden in Bonn vorhanden, deren Mitglieder sicher nicht uninteressiert wären, eine solche Einrichtung zu sponsern.

Es dürfte sich bei dieser Institution jedoch um keine städ-

**62 »Lateinamerika in Bonn«.
Darbietung beim »Bonner Sommer«**

tische oder staatliche Behörde handeln. Träger müßte eine
Stiftung sein, die in ihrem fachlichen Aufbau einer »Akademie der Künste« ähneln könnte.

[...]

Ich könnte mir vorstellen, daß z. B. im beabsichtigten
Neubau der Kaiserhalle oder in einem Haus in der Nähe des
Regierungsviertels die räumlichen Voraussetzungen für ein
»Haus der Literatur und Künste« geschaffen werden könnten. Gerade die Literatur sollte hier eine dominierende Stellung einnehmen, denn das Buch bildet ja eine der Grundla-
gen für jede geistige Entwicklung, sei es, daß es sich um das
Schulbuch, Lehrbuch, Kunst- und Geschichtsbuch, Fach-
buch, schöngeistiges oder politisches Buch, Notenheft für
Musik, Drehbuch für den Film oder Rollenbuch für das
Theater handelt. Hierauf aufbauend, könnte die Treff-
punktfunktion Bonns den gesamten Bereich unseres gei-
stig-kulturellen Lebens erfassen.

Die Effektivität meiner utopischen Vision würde sich wesentlich steigern lassen, wenn sie in enger Verbindung mit den Bonner Kulturinstituten verwirklicht werden könnte. Diskussionen im »Haus der Literatur und Künste« verbunden mit entsprechenden Ausstellungen und Aufführungen in den Museen, dem Theater oder der Oper würden internationales Interesse finden. Eine besondere Aufgabe fällt hierbei der Bundeskunsthalle zu. Sie muß ein Forum sein für die Vielfalt der Kunst- und Kulturentwicklung in den Bundesländern.

Sie muß eine Begegnungsstätte sein für europäische und außereuropäische Kulturen. Sie muß ein Ort sein der vielfältigen Präsentation des aktuellen internationalen künstlerischen Schaffens. Sie muß den Dialog zwischen Kunst und Politik durch praktische Projektbeispiele beleben. Und sie sollte schließlich ein Dokumentationszentrum werden für die Entwicklung der deutschen Kunst nach 1945. Hier sollten alle Filme und Videobänder gesammelt bzw. selbst erstellt werden, die namhafte deutsche Künstler bei der Arbeit zeigen, worunter auch exemplarische Ausstellungen und künstlerisch besonders interessante und richtungweisende Regiearbeiten aus dem Bereich der Oper und des Schauspiels fallen, die andernfalls kaum eine Chance hätten, den letzten Aufführungstag der jeweiligen Produktion zu überdauern.

Bonn sollte sich neben seiner traditionellen Verpflichtung Beethoven und seinen Vorgängern und Nachfolgern gegenüber auch zu einem Zentrum der Gegenwartsmusik entwickeln.

[...]

Die Oper wird auch bei dem Eintritt ins 21. Jahrhundert ein wichtiger Bestandteil bundeshauptstädtischer Kultur sein. Ob dann allerdings die kürzlich vertretene Meinung eines kulturell sehr aufgeschlossenen Spitzenpolitikers unserer Stadt noch Bestand haben wird, wonach die Bonner

Oper aus Gründen der »hauptstädtischen Repräsentationsverpflichtung« ein Kulturinstitut ist, das dem »vornehmlichen Zweck dient, Gesellschaft, Kultur und Politik die Repräsentation ihrer selbst zu ermöglichen und daß deshalb – neben dem Kennenlernen von Spitzensängern – der Spielplan bewußt auf diejenige Opernliteratur zugeschnitten sein muß, die ein international interessiertes, ein international interessierbares und das in Bonn vorhandene diplomatische Publikum bereits akzeptiert hat«, erscheint mir heute schon mehr als fraglich. Hier ist anscheinend gesellschaftliche Repräsentation mit künstlerischer Repräsentation und dem damit verbundenen Renommee durcheinandergebracht worden.   *Fritz Brüse, 1989*

Bonn im Gorbi-Fieber

»Gorbi, Gorbi!« – Sprechchöre wie in einem Fußballstadion hallen über den sonnenüberfluteten Bonner Marktplatz. 5000 Menschen drängen sich hinter den Absperrungen, viele harren schon seit dem Morgen aus. Der sowjetische Staatsund Parteichef Michail Gorbatschow und seine Frau Raissa werden von den Bonnern gefeiert wie zuvor nur John F. Kennedy und Charles de Gaulle. Auffallend viele junge Leute sind auf dem Markt, winken aus Fenstern und von Balkons.

Jungen und Mädchen schwenken Hammer-und-Sichel-Fahnen, der Gast lacht, als er auf der Rückseite die amerikanischen Stars and Stripes erkennt. Er scheint auf der Rathaustreppe überwältigt von dem herzlichen Empfang. Der kleine Sebastian (6) hat es wie auch immer geschafft, auf die Treppe zu laufen. Gorbatschow hat ihn im Gewühl erblickt und heraufgewinkt, nimmt ihn auf den Arm, drückt ihn an sich, küßt ihn.

Wenige Minuten zuvor war der Mann, den die Bonner

63 Generalsekretär Michail Gorbatschow und Raissa Gorbatschowa auf der Freitreppe des Bonner Rathauses

seit Wochen mit Spannung erwarteten, eingetroffen, begleitet von Raissa im weißschwarzen Kostüm. Schmuck trägt die First Lady des Kreml grundsätzlich nicht. Moskaus Außenminister Eduard Schewardnadse ist Minuten früher eingetroffen, erntet den ersten Applaus.

Die Sicherheitsvorkehrungen übertreffen alle bisherigen Staatsbesuche – sind allerdings nicht so abstoßend wie vor Monaten die Waffenschau beim Besuch des türkischen Staatspräsidenten Kenan Evren. Im Hintergrund versteckt halten sich dieses Mal die Scharfschützen des Sondereinsatzkommandos, von 1200 Beamten insgesamt ist die Rede in Bonn. Sie riegeln den Marktplatz schon früh am Morgen hermetisch ab. Wer den Gast auch nur aus der Ferne sehen will, wird mit Metallsuchgeräten wie am Flughafen kontrolliert, muß die Handtaschen öffnen und den Inhalt der Hosentaschen vorzeigen – die Gorbatschow-Fans scheint es nicht zu stören. Spürhund »Eik« schnüffelt unterdessen auf

der Platzfläche vor dem Rathaus nach versteckten Spreng-
sätzen.

Ellbogenkämpfe um die besten Plätze in den vorderen
Reihen liefern sich auch die handverlesenen Gäste, die im
Gobelinsaal des Rathauses fast hautnah dabeisein dürfen,
als Michail und Raissa Gorbatschow ihren Namen ins Goldene Buch schreiben. Sogar die Ratsherren und Ehrenbür-
ger stehen artig eine Stunde lang Schulter an Schulter vor
dem Teppich, diszipliniert harren die russischen Aus-
tauschschüler, die in diesen Tagen in Bonner Familien zu
Gast sind, aus, bis »ihr« großer Moment kommt.

Michael Klein/Wilfried Stolze, 1989

Liebeserklärung an Bonn

Man hat das Gefühl, daß diese Stadt einem die Hand gibt
und einen mitnimmt in frühere Zeiten, als die Bewohner
des Dorfes sich auf dem Platz sammelten, sich unterhielten,
sich grüßten und sich manchmal umarmten. Sie gleicht einem Amphitheater, auf dessen Bühne der Regisseur, die
Schauspieler und die Zuschauer an einem Stück teilnehmen, dessen Autor die Menschlichkeit selbst ist.

Die Botschaften, die vielen Ausländer aus allen Teilen der
Erde haben den ordentlichen, strengen deutschen Geschmack ein wenig verfärbt, so daß man meint, in einer
Stadt zu leben, wie eigentlich die Städte der Zukunft sein
sollten, weltoffen und menschlich.

Die Geschäfte, ob groß oder klein, kommen einem nicht
unpersönlich oder fremd vor. Viele Jahre des Einkaufens
haben zwischen Kunden und Verkäufer eine unbewußte
Freundschaft entwickelt.

Wenn man spazierengeht, hält man unwillkürlich an und
betrachtet die Waren der Straßenverkäufer. Kauft man dann
eine Kleinigkeit, um jemandem eine Freude zu bereiten,

**64 Blick auf Bonn von Beuel aus, mit (von links) dem
Historischen Seminar der Universität, den Türmen von
Kreuzkirche, Universität und Münster, der Oper, dem
Türmchen der Remigiuskirche, den beiden Türmen
der Namen-Jesu-Kirche**

klingen überall die Instrumente und die Gesänge der Stra-
ßenmusikanten. Wie schön diese Momente sind. Man
spürt, wie ein Gefühl des Friedens sich im Herzen ausbrei-
tet. Bei schönem Wetter bringen die Café- und Restaurant-
besitzer die Stühle nach draußen auf die Straße, und wenn
man dort sitzt, fühlt man sich selten fremd. Von irgendwo
strahlt einen das Lächeln eines Bekannten an, und irgendwo
erhebt sich eine Hand zum freundlichen Gruß.

Abends, im Sommer, verwandelt sich der Marktplatz zu
einem internationalen Theater. Künstler von überall, die
von den Vätern der Stadt eingeladen worden sind, geben
rührend den Bewohnern der Stadt fast einen Gute-Nacht-
Kuß.

Schöne, menschliche Stadt, du warst gut zu mir, ich liebe
dich.   *Giorgos Krommidas, 1988*

Nach Venedig, aber vor Florenz

Frankfurt ist nach Ansicht einer Gruppe britischer Wirtschaftswissenschaftler die attraktivste Stadt in der Europäischen Gemeinschaft, gefolgt von Venedig, Düsseldorf, Brüssel und Bonn auf Platz fünf.

Die Wissenschaftler der Universität Reading haben die Ergebnisse einer fünfjährigen Forschungsarbeit in einer Studie festgehalten, in der 117 Großstädte der Europäischen Gemeinschaft nach Wohlstand, Bevölkerung, Arbeitsmarktentwicklung und dem allgemeinen Erscheinungsbild (Sauberkeit) bewertet wurden.

Die bundesdeutschen Städte schnitten eindeutig am besten ab. Von den 20 attraktivsten Städten sind acht allein in der Bundesrepublik, weit vor so berühmten Metropolen wie Paris (Platz 30), Rom (47) oder London (55).

In der von der »Daily Mail« gestern veröffentlichten Statistik zählen britische Städte zu den häßlichsten – oder besser gesagt, schmutzigsten – Städten Europas. Schlußlicht der Liste ist Liverpool.

Unter den 30 attraktivsten Städten sind nach den Ergebnissen dieser Untersuchung außerdem: Auf dem sechsten Platz Straßburg, Nizza (sieben), Amsterdam (acht), München (neun), Stuttgart (zehn), Wiesbaden (elf), Hannover (zwölf), Florenz (13), Palma (14), Aachen (26), Köln (29) und Paris auf Platz 30.

General-Anzeiger (Bonn), 1989

Statt eines Nachworts
Ein literarischer Spaziergang durch die Bonner Innenstadt

Ein literarischer Stadtbummel durch Bonn könnte am Hauptbahnhof beginnen (auf dessen Stufen Hans Schnier, der Protagonist aus Heinrich Bölls »Ansichten eines Clowns« sein Lied vom »armen Papst Johannes« sang) und durch die Poststraße zum Münsterplatz führen. Der Weg streift links die Cassius-Bastei, die in Georg R. Kristans Kriminalroman »Spekulation in Bonn« (hinter »Kristan« verbirgt sich das Schriftstellerehepaar Renate und Georg Cordts) Sitz eines überaus diskreten Hostessen-Services ist.

Am Münsterplatz mit seinem Beethovendenkmal stand einst das »Hotel zum Münster«. Dort logierte im Oktober 1889 der aus Sizilien stammende spätere Nobelpreisträger für Literatur, Luigi Pirandello, der in Bonn Romanistik studierte und über die Dialekte seiner Heimatstadt Agrigent promovierte. Wir finden ihn – in seinen Briefen – nicht nur unter der Decke der Münsterbasilika, gemeinsam mit dem aus Venedig angereisten Mosaikenleger Giovanni Sambo, sondern auch, vom Münster zur Straße »Am Neutor« weitergehend, im zweiten Stock des Eckhauses am Kaiserplatz (heute befindet sich im Erdgeschoß ein Juweliergeschäft), wo er bald Wohnung beziehen sollte und ihn die Marktkarren in aller Frühe um den wohlverdienten Schlaf brachten.

Der Kaiserplatz bietet, steht man mit dem Rücken zur Universität, die Möglichkeit, einen Blick zum Poppelsdorfer Schloß zu tun, der zeitweiligen Wohnung Johanna und Gottfried Kinkels. Beide gründeten mit Freunden den literarisch ambitionierten Zirkel des »Maikäferbunds«, der von 1840 bis 1847 bestand. Johanna Kinkel soll, eher zufäl-

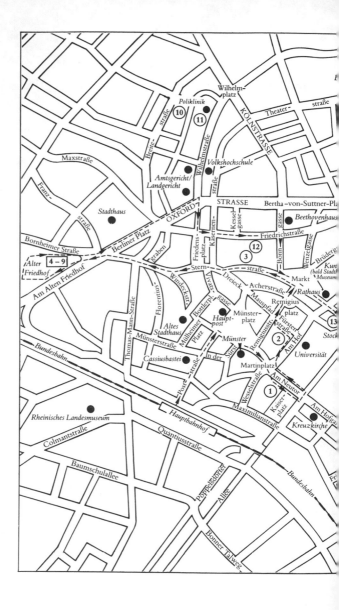

Literarischer Spaziergang durch die Bonner Innenstadt

1 Luigi Pirandellos erste Wohnung (Ecke Neutor/Kaiserplatz)
2 Wohnung Charlotte von Schiller (Gedenktafel)
3 Wohnung Emanuel Geibel (Sternstraße 32)
4 Grab Philipp Joseph von Rehfues
5 Grab August W. Schlegel
6 Grab Wilhelm Schmidtbonn
7 Grab Ernst Moritz Arndt
8 Grab Charlotte von Schiller
9 Grab Adele Schopenhauer
10 Luigi Pirandellos zweite Wohnung (Breitestraße 83)
11 Stadtwohnung der Sibylla Mertens-Schaaffhausen
12 Wohnung Heinrich Hoffmann von Fallersleben (Friedrichstraße 22 – Gedenktafel)
13 Wohnung Karl Marx (Stockenstraße 12 – Gedenktafel)
14 ehemalige Universitätsbibliothek
15 ehemaliges Hoftheater
16 Heine-Denkmal
17 Denkmal Ernst Moritz Arndt
18 Haus der Evangelischen Kirche/Lese- und Erholungs-Gesellschaft
19 Wohnhaus Ernst Moritz Arndt (Gedenktafel)

lig, Maikäfer auf ein Blatt Papier gemalt haben, als man für die Vereinigung einen Namen suchte. Während der Woche kursierte ein Bogen unter den Mitgliedern, auf den jeder einen Aphorismus, ein Gedicht, eine Geschichte, den Akt eines Dramas u. ä. zu schreiben hatte, was dann beim gemeinsamen Treffen, jeden Dienstag, vorgetragen wurde. Jacob Burckhardt, Emanuel Geibel, Ferdinand Freiligrath, Karl Simrock, Levin Schücking gehörten mit zu diesem Kreis.

Oberhalb des Poppelsdorfer Schlosses ist der Kreuzberg zu erkennen, auf dem die Tante des amerikanischen Schriftstellers Thomas Hood, als sie die »Heilige Stiege« ausgerechnet über die mittlere – geweihte – Treppe betreten wollte, einige Unannehmlichkeiten auszustehen hatte. Wer den Weg zum Kreuzberg zu Fuß zurücklegt, streift im Ortsteil Poppelsdorf unweigerlich das griechische Lokal aus Martin Walsers »Dorle und Wolf« und mag sich daran erinnern, daß Heinrich Hoffmann von Fallersleben als Student 1818/19 in der dörflichen Stille Poppelsdorfs lebte und sich dort in die Tochter seines Hauswirts verliebte, die er in schlichten Liedern besang.

Unmittelbar vor dem Universitätshauptgebäude, in der Straße »Am Hof«, befanden sich drei Domizile der »Leseund Erholungs-Gesellschaft«, zunächst aufklärerischer, dann bürgerlicher Zirkel der Stadt. Zeitweilig tagte die »Lese« auch auf dem Rathaus, und später baute man an der Adenauerallee ein repräsentatives Gesellschaftshaus.

Das Universitätsgebäude erinnert an die vielen literarisch bedeutenden Studenten, die in dieser Alma mater unterrichtet wurden: die erwähnten Luigi Pirandello, Jacob Burckhardt, Heinrich Hoffmann von Fallersleben, ferner Emanuel Geibel, Friedrich Nietzsche, Friedrich Spielhagen, Heinrich Heine und auch Karl Marx, der, wegen nächtlicher Ruhestörungen, gar die Nacht vom 16. auf den 17. Juni 1836 im Karzer verbringen mußte. Heinrich Heine, eigentlich für Jura eingeschrieben, fand sich eher im Kolleg eines August Wilhelm Schlegel wieder und hat in seiner Abhandlung über »Die romantische Schule« bissig über diesen eitlen Professor geurteilt.

Gleich gegenüber vom Haupteingang der Universität, in der Fürstenstraße, lebte zeitweilig die Witwe Friedrich Schillers, Charlotte, die in Bonn ihren Sohn Ernst besuchte und sich hier einer Augenoperation unterzog, an deren Folgen sie starb (Gedenktafel am Haus der Buchhandlung Lempertz).

Der Bonner Marktplatz könnte weitere Station einer literarischen Stadtbegehung sein, nicht nur, weil er sich durch das Datum der Bücherverbrennung im Mai 1933 mit der Universitätsgeschichte verbindet, sondern auch, weil der heute sicherlich weniger bekannte expressionistische Schriftsteller und Dramatiker Wilhelm Schmidtbonn 1876 in einem der Häuser zur Wenzel- und Brüdergasse hin geboren wurde und in seinem Roman »Der dreieckige Marktplatz« diesem Teil Bonns ein literarisches Denkmal gesetzt hat. Gefördert wurde er übrigens von Berthold Litzmann, einem Professor der Germanistik, der einen eigenen Zirkel, die »Literarhistorische Gesellschaft« unterhielt, der u. a. Thomas Mann (ihm erkannte die Universität 1936 die Ehrendoktorwürde wieder ab!), Hermann Hesse, Hugo von Hofmannsthal, Otto Julius Bierbaum, Ricarda Huch und Hermann Sudermann angehörten.

Vom Markt geht es weiter durch die Sternstraße, am Friedensplatz vorbei, in Richtung auf den »Alten Friedhof« (am Weg liegt das Haus Sternstraße 32, in dem Emanuel Geibel 1835 wohnte und seinem Vermieter, einem Uhrmacher, gerne für Familienfeiern seine »Bude« zur Verfügung stellte; denn sie war das größte Zimmer im Haus).

Auf dem »Alten Friedhof« »kulminiert« Literarisches geradezu. Dort finden wir das Grab des Bonner Universitätskurators und Schriftstellers Philipp Joseph von Rehfues.

Nach Wanderjahren in Italien und einer Anstellung bei König Wilhelm I. von Württemberg vertrat Rehfues in Bonn an der Universität zur Zeit der Demagogenverfolgung die preußische Zentralgewalt, ließ sich Vorlesungsmitschriften zeigen und hatte seine Spitzel sogar unter den Zeitungslesern der »Lese- und Erholungs-Gesellschaft«. Doch versuchte er den Druck auf die Studentenschaft zu mildern, lieferte Professoren und Studenten nicht jedem Berliner Begehren aus. Beim Schreiben fand Rehfues Entspannung von dem für ihn frustrierenden Alltagsgeschäft. Neben vielen anderen Veröffentlichungen entstanden in jener Zeit drei umfängliche historische Romane in der Nachfolge Walter Scotts, die der Autor – eine wahre Flucht in die Literatur – alle im geliebten und doch so fernen Italien ansiedelte (»Scipio Cicala«, »Belagerung des Castells von Gozzo« und »Die neue Medea«).

Der Gang über den Alten Friedhof führt weiter an den Gräbern August Wilhelm Schlegels und Wilhelm Schmidtbonns vorbei zur Ruhestätte Ernst Moritz Arndts. August Wilhelm Schlegel, der konservative Romantiker, war seinem Professorenkollegen Arndt politisch nicht wohlgesonnen, der seit 1818 Geschichtsprofessor in Bonn war, im Zuge der Demagogenverfolgung 1820 mit Berufsverbot belegt wurde und erst 1840 wieder lehren durfte. Die Abgeordneten der Frankfurter Paulskirche wählten ihn zu ihrem Alterspräsidenten. Auf dem »Alten Zoll« und am Endpunkt dieses Stadtrundgangs, dem Wohnhaus des Professors, werden wir Arndt nochmals begegnen.

In unmittelbarer Nachbarschaft zu seinem Grab, dem seiner Frau und dem seines Sohnes, der im Rhein ertrank, folgen die Grabstätten Charlotte von Schillers und, etwas verdeckt, die Adele Schopenhauers. Das teure Leben in Weimar vermochte die Mutter Adeles, die Schriftstellerin Johanna Schopenhauer, nicht mehr zu finanzieren und entschloß sich gemeinsam mit ihrer Tochter zu einem Umzug an den Rhein. Die Jahre der intensiven Beziehung Adeles zu Sibylla Mertens-Schaaffhausen, der Gattin eines Kölner Bankiers, die in Bonn einen bedeutenden Salon unterhielt, waren die glücklichsten ihres Aufenthaltes am Rhein, der von gemeinsamen Reisen der beiden Frauen nach Italien unterbrochen wurde. »Die untröstliche Freundin« Sibylla widmete Adele die in italienischer Sprache verfaßte Grabinschrift in Erinnerung an froh verlebte Zeiten im Süden. Sibylla selbst ist auf dem Campo Santo Teutonico in Rom begraben.

Den baumbewachsenen historischen Friedhof inmitten der Stadt überragt unübersehbar das moderne Stadthaus (Rathaus), das die belletristische Bonn-Literatur für gewöhnlich als städtebauliche Todsünde behandelt. Besonders Gisbert Haefs in seinem Bonn-Krimi »Mord am Millionenhügel« beschimpft dieses Gebäude temperamentvoll.

Ein Gang durch die sich anschließende Breitestraße zum Haus Nr. 83 lohnt nicht unbedingt, da nur noch wenig an Luigi Pirandellos zweite Bonner Wohnung im Haus seiner Freundin Jenny Schulz-Lander erinnert (damals Nr. 37 a).

Auch in der Wilhelmstraße, die einen dann ins Zentrum zurückführen könnte, ist das Stadthaus der Sibylla Mertens-Schaaffhausen etwa in Höhe der Universitäts-Poliklinik nicht mehr existent, in dem sie um 1830 ihren illustren Salon pflegte, den zeitweilig Annette von Droste-Hülshoff, die Berliner Autorin Henriette Paalzow, die englische Schriftstellerin Anne Jameson, der italienische Romantiker Giovanni Berchet und Johanna und Adele Schopenhauer besuchten. Viele der Aktivitäten Sibyllas fanden aber sicherlich auf ihrem Landsitz, dem Gut Auerhof (später Haus Carstanjen) statt, das, von einem großen Park umgeben, in Plittersdorf im Stadtteil Bad Godesberg in schöner Lage direkt am Rhein heute Teil des Bundesfinanzministeriums ist.

Erreicht man über Oxfordstraße und den Friedensplatz

die Friedrichstraße, erinnert am Haus Nr. 22 eine Gedenktafel an eine Wohnung des Studenten Heinrich Hoffmann von Fallersleben, den es nach einiger Zeit aus dem ländlichen Poppelsdorf in das Zentrum der Stadt zog. Auch war er seit Oktober 1819 Hilfskraft an der Universitätsbibliothek geworden (und entdeckte bei seiner Arbeit bis dato unbekannte Teile von Otfrieds Evangelienharmonie).

In der Bonngasse, weltberühmt durch Beethovens Geburtshaus, lebte als Bonner Student auch Friedrich Nietzsche. An eine der Wohnungen des Kommilitonen Karl Marx erinnert nun – jenseits des Markts – am Haus Stokkenstraße 12 eine Plakette. Und in der Franziskanerstraße (damals Nr. 6) lag in den dreißiger Jahren das Domizil der Buchhandlung Lempertz (wir sind ihr in der Fürstenstraße begegnet), als Heinrich Böll dort seine Buchhändlerlehre absolvierte. Im Ostflügel der Universität, ebenfalls an dieser Straße gelegen, befand sich nicht nur die erste Universitätsbibliothek, sondern, zum Koblenzer Tor (Michaelstor) hin, in der zweiten Hälfte des 18. Jahrhunderts auch Bonns erstes »stehendes« Theater (der Erfolgsdramatiker Gustav Friedrich Wilhelm Großmann leitete es zeitweilig, 1783/84 führte dann seine Frau, Karoline Großmann, das kurfürstliche Hoftheater weiter). Unterhalb des »Alten Zolls« stößt man, in unmittelbarer Nähe des Geburtshauses des Gartenarchitekten Peter Joseph Lenné und des ehemaligen Oberbergamts, jetzt Historisches Seminar der Universität, abermals auf Heinrich Heine, den ein modernes Denkmal des Hamburger Künstlers Ulrich Rückriem hier verewigt.

Vom »Alten Zoll« selbst erblickt man das rechtsrheinische Beuel, wo Heinrich Heine 1820 wohnte, bevor er die Stadt endgültig verließ, und das Siebengebirge, über das dieser Dichter uns ein ironisches Gedicht schrieb, in dem er über ein Burschenschaftstreffen auf dem Drachenfels berichtet (»Um Mitternacht war schon die Burg erstiegen . . «). Auf dem Plateau der Bastion »Alter Zoll« befindet sich das Denkmal Ernst Moritz Arndts (mit dem in den Sockel eingelassenen Titel seiner gegen Frankreich gerichteten Streitschrift »Der Rhein, Teutschlands Strom, aber nicht Teutschlands Grenze«).

Der Anblick des Rheins läßt auch an die nicht wenigen literarischen Hochwasser-Texte zu Bonn denken: Es gibt sie bei Julius R. Haarhaus, in Luigi Pirandellos Briefen – und in Caroline Muhrs Frauenroman »Freundinnen«, wo das mißliche Ereignis einen volksfestartigen Charakter annimmt. Dieses normalerweise harmlos-amüsante Naturereignis ist, neben dem berüchtigten schwülen Bonner Klima, eines der beliebtesten, nicht-politischen Themen in neueren literarischen Texten zur Bundeshauptstadt.

Einige hundert Meter rheinaufwärts steht heute das »Haus der Evangelischen Kirche« auf einem Grundstück, auf dem einst das große, repräsentative Gebäude der »Lese- und Erholungs-Gesellschaft« an der Adenauerallee stand (in diesem Buch ist erstmals die Rhein-Front, von der jede Abbildung verloren schien, wieder zu sehen). Die traditionsreiche »Lese« besitzt noch heute ein Stockwerk in diesem Terrassenhaus am Rhein.

Als im weiteren Sinn »literarischer Ort« schließt sich die Universitätsbibliothek an.

Kurz bevor man zum Wohnhaus Ernst Moritz Arndts hinaufsteigt, finden sich im Anschluß an das historische Zentrum die ersten Ministeriumsbauten. Das ehemalige Postministerium ist nun Teil des Außenministeriums. Annelie Runge hat in ihrem Roman »Die Liebesforscherin« die ihrer Meinung nach uniformierten und roboterähnlichen Mitarbeiter dieser Behörde vorgeführt.

Bei Georg R. Kristan werden Ministerien dann seit 1985 regelmäßig zu Handlungsorten sehr erfolgreicher Kriminalromane.

Dieses Genre inaugurierte für Bonn Altmeister John le Carré mit seinem Roman »Eine kleine Stadt in Deutschland« und setzte es mit »Die Libelle« fort. Krimis zu, über und in Bonn treiben seit einigen Jahren üppige Blüten.

Angesichts von Parlament und Abgeordnetenhochhaus (»Langer Eugen«) sei schließlich an schreibende Parlamentarier wie Dieter Lattmann und Erich Mende sowie an schriftstellernde Diplomaten wie Luigi Vittorio Ferraris erinnert.

Mit Arndts Wohnhaus kehrt der literarische Stadtrundgang von der »großen Politik« in die heimelige Enge des biedermeierlichen Bonn zurück. Das Wohnhaus (mit Gedenktafel für seinen berühmten Bewohner) ist heute Museum und darf besichtigt werden.

Doris Maurer
Arnold E. Maurer

»Kultur-Adressen« in Bonn

Ausgewählte, aus dem täglichen Kulturleben der Bundeshauptstadt bekannte Einrichtungen, Denkmäler usw. werden hier genannt. »Bonn 1« bezeichnet das Zentrum der Stadt nebst den angrenzenden Stadtteilen, »Bonn 2« Bad Godesberg, »Bonn 3« Beuel. Postleitzahl: 5300, Vorwahl: 02 28.

Auch die Vertretungen der Länder beim Bund und die zahlreichen Botschaften betreiben in Bonn aktive Kulturpolitik.

Auf die vielfältigen Veranstaltungen im Rahmen des »Bonner Sommer« (Mai-September) wird nicht eigens verwiesen.

Stand: Dezember 1989

Bibliotheken und Archive

Archiv der sozialen Demokratie
Godesberger Allee 149, Bonn 2, geöff. Mo.-Fr. 9-16 Uhr
Beethoven-Archiv
Bonngasse 24-26, Bonn 1, Tel. 63 51 88
Bibliothek der Pädagogischen Fakultät
Römerstr. 164, Bonn 1, Tel. 71 20 54, Lesesaal geöff. Mo.-Fr. 9-18 Uhr
Gesamtdeutsches Institut – Deutschlandhaus
Adenauerallee 8, Bonn 1, Tel. 20 73 44, geöff. Mo.-Fr. 9-19 Uhr, Sa. 9-13 Uhr
Musikbücherei Schumannhaus, Sebastianstr. 182, Bonn 1 (Endenich), Tel. 77 36 56, Mo., Mi.-Fr. 10-12 Uhr, Mo., Fr. 16-19 Uhr, Mi., Do. 15-18 Uhr
Stadtarchiv und Wissenschaftliche Stadtbibliothek
Stadthaus, Berliner Platz 2, Bonn 1, Tel. 77 36 84, geöff. Mo.-Fr. 9-12 Uhr, Mo.-Do. 14-17 Uhr, Fr. 14-16 Uhr, Sa. 9-12 Uhr
Stadtbücherei, Zentralbibliothek mit der Englischen Bücherei »Die Brücke«
Bottlerplatz 1, Bonn 1, Tel. 77 36 48, geöff. Mo., Mi.-Fr. 11-19 Uhr, Sa. 9-13 Uhr (angeschlossen sind Bezirks- und Zweigbüchereien in den Stadtteilen, Schul- und Jugendbücherei, Autobücherei)
Studentenbücherei der Universität Bonn
Regina-Pacis-Weg 1, Bonn 1, Tel. 73 73 97, geöff. Mo.-Fr. 9-21.45

Uhr, Sa. 9-11.45 Uhr, während der Semesterferien Mo.-Fr. 9-18.45
Uhr, Sa. 9-11.45 Uhr
Universitätsbibliothek
Adenauerallee 39-41, Bonn 1, Tel. 737352, Lesesaal geöff. Mo.-Fr.
9-21 Uhr, Sa. 9-12 Uhr (auch Ausstellungen zur Literatur)

Bildungseinrichtungen

Internationale Begegnungsstätte (Das gelbe Haus)
Quantiusstr. 9, Bonn 1, Tel. 773279
Bildungswerk für Friedensarbeit
Berliner Platz 33, Bonn 1, Tel. 634141
Katholisches Bildungswerk Bonn
Fritz-Tillmann-Str. 13, Bonn 1, Tel. 216033/216031
Ibero-Club
Adenauerallee 132a, Bonn 1, Tel. 213187, geöff. Di. 17-18.30 Uhr,
Do. 9.30-11.30 und 14.30-16.30 Uhr, Fr. 11-13 Uhr
Institut Français
Adenauerallee 35, Bonn 1, Tel. 737609, Mediothek Tel. 214542
Istituto Argentino de Cultura
Adenauerallee 52, Bonn 1, Tel. 222084, geöff. Mo.-Do. 9.30-12.30
Uhr, 14.30-16.00 Uhr, Fr. 9.30-12.30 Uhr
Kulturzentrum Hardtberg
Rochusstraße 276, Tel. 649518
Kunst-Forum Bonn
Rudolf-Steiner-Haus für Kunst, Wissenschaft und Soziales, Thomas-
Mann-Str. 36, Tel. 633958/640791
Musikschule der Stadt Bonn
Hauptgeschäftsstelle, Kurfürstenallee 8, Bonn 2, Tel. 774552 (ist in
weiteren drei Stadtteilen vertreten)
Volkshochschule der Stadt Bonn
Geschäftsstellen: Wilhelmstr. 34, Bonn 1, Tel. 773646; Kurfürstenal-
lee 2-3, Bonn 2, Tel. 774543/774542; Friedrich-Breuer-Str. 54 (Rat-
haus), Bonn 3, Tel. 776304/776305; Am Rochusplatz (Rochusschule),
Bonn 1 (Duisdorf), Tel. 776144
Volkssternwarte
Poppelsdorfer Allee 47, Bonn 1, Tel. 222270

Denkmäler und Grabstätten mit literarischem Bezug

Ernst-Moritz-Arndt-Denkmal
von Bernhard Afinger, Alter Zoll (Plateau), Bonn 1
Heine-Denkmal
von Ulrich Rückriem, Stadtgarten (steht zwischen »Altem Zoll« und Ostflügel des Universitätshauptgebäudes), Bonn 1
Alter Friedhof
Bornheimer Str., Bonn 1 (u. a. mit den Gräbern von Ernst Moritz Arndt, Philipp Joseph von Rehfues, Charlotte von Schiller, August Wilhelm von Schlegel, Wilhelm Schmidtbonn, Adele Schopenhauer)

Informationsstellen

Europäische Gemeinschaften
Presse- und Informationsbüro, Zitelmannstr. 22, Bonn 1, Tel. 23 80 41
Presse- und Informationsamt der Bundesregierung
Welckerstr. 11, Bonn 1, Tel. 20 81
Presse- und Werbeamt der Stadt Bonn
Stadthaus, Berliner Platz 2, Tel. 77 30 00
Tourist Information
Cassius-Bastei, Münsterstr. 20, Bonn 1, Tel. 77 34 66 (auch Vermittlung von Hotelzimmern für Tag der Anreise, sonst ist das Presse- und Werbeamt der Stadt Bonn, Kongreßabteilung, Berliner Platz 2, Bonn 1, telex 88 5 486 pwbn d, zuständig)

Veranstaltungshinweise

In der (Tages-)Presse (»General-Anzeiger«, »Bonner Rundschau«, »Express«, »De Schnüss«) und in der ausführlichen, monatlich erscheinenden »Bonn-Information« (Verkauf im Zeitschriftenhandel und über »stumme Verkäufer«)

Konzerte

Konzerte finden in Bonn statt: in der Beethovenhalle, im Kammermusiksaal Beethovenhaus (keine Besichtigung außerhalb der Konzertzeiten), im Schumannhaus, im Konrad-Adenauer-Gymnasium, im Konzertsaal Wegelerstr., der Redoute, dem Universitätshauptgebäude, dem Innenhof des Poppelsdorfer Schlosses, im Wohnstift Augustinum, im Brückenforum, im Kulturzentrum Brotfabrik, auf dem Markt (»Bonner Sommer«), in der Rheinaue (Rockkonzerte), in der Biskuithalle; ferner: Kurkonzerte im Stadtpark Bad Godesberg, Kirchenkonzerte in der Kirche St. Remigius, der Kreuzkirche, der Kreuzbergkirche (Karten s. »Theater«)

Veranstaltungen

Internationales Beethovenfest, alle drei Jahre (1989); Tage der neuen Musik (Frühsommer); Duisdorfer Bachtage

»Alternative« Kultur

Bonnoptikum Künstlerhaus, Graurheindorfer Str. 23, Bonn 1, Tel. 63 35 78 (nur abends)
Brotfabrik
Kreuzstraße 16, Bonn 3, Tel. 47 54 24/47 35 15 (mit »Kino in der Brotfabrik«, Tel. 46 97 21, das Kulturzentrum ist u. a. auch Sitz der Videokooperative Bonn)
Pantheon
Bonn Center, Bundeskanzlerplatz 2, Bonn 1, Tel. 21 25 21/21 25 40
Springmaus
Oxfordstr. 10-12, Bonn 1, Tel. 65 43 11
TIK – Theater im Keller
Rochusstr. 30, Bonn 1 (Duisdorf), Karten Tel. 61 65 11

Kulturgesellschaften

GEDOK – Gemeinschaft der Künstlerinnen und Kunstfreunde
Ortsverband Bonn, Matthäistr. 12, Bonn 1, Tel. 62 69 94
Deutsch-Brasilianische Gesellschaft
Schumannstr. 2b, Bonn 1, Tel. 21 07 07/21 07 88
Deutsch-Französische Gesellschaft Bonn und Rhein-Sieg
Kaufmannstr. 46, Bonn 1, Tel. 65 66 41

Deutsch-Griechische Gesellschaft
Am Wolfsbach 67, 5205 Sankt Augustin 2, Tel. 02241/29295
Deutsch-Irische Gesellschaft
Postfach 1412, Bonn 1
Deutsch-Israelische Gesellschaft
Königstr. 60, Bonn 1, Tel. 223001
Deutsch-Italienische Gesellschaft
Ippendorfer Allee 3, 5300 Bonn 1
Deutsch-Koreanische Gesellschaft
Herwarthstr. 20, Bonn 1, Tel. 691155
Deutsch-Nigerianische Gesellschaft
Walter-Flex-Str. 2, Bonn 1, Tel. 236990
Deutsch-Somalische Gesellschaft
Hohenzollernstr. 12, Bonn 2
Deutsch-Thailändische Gesellschaft
Koblenzer Str. 89, Bonn 2, Tel. 351673
Deutsch-Tunesische Gesellschaft
Meckenheimer Allee 87, Bonn 1, Tel. 656969 (vormittags)
Gesellschaft für Christlich-Jüdische Zusammenarbeit
Landgrabenweg 30, Bonn 3, Tel. 475523
Lese- und Erholungs-Gesellschaft
Haus der Evangelischen Kirche, Adenauerallee 37, Bonn 1, Tel. 224290
Oxford-Club
Adenauerallee 7, Bonn 1, Tel. 224583
Stiftung Mitteldeutscher Kulturrat
Colmantstr. 19, Bonn 1, Tel. 655138
Stiftung Ostdeutscher Kulturrat
Kaiserstr. 113, Bonn 1, Tel. 213766

Literatur in Bonn

autorenforum bonn
Manfred Herbert (geschäftsführend), Postfach 1206, Bonn 1, Tel. 726300 (Autorenlesungen)
Literaturbüro
Frau Karin Hempel-Soos, Tel. 466600
Literaturbüro (Verband der Schriftsteller, Frau Anneliese Lennartz, Alfred-Bucherer-Str. 35, Bonn 1, Tel. 622538) und FDA (Freier Deut-

scher Autorenverband, Dr. Volkmar Zühlsdorff, Lahnstr. 50, Bonn 2,
Tel. 375466) sind auch im Kunstzentrum, August-Macke-Platz,
Hochstadenring 22, Bonn 1, vertreten.

Literaturhaus
– die Einrichtung eines Literaturhauses in der Bundeshauptstadt ist geplant

Veranstaltungen

Lesungen; »Literarischer Dämmerschoppen«; »Autor des Monats«;
»Bonner Lesereihe«; Matineen; Podiumsdiskussion; Textwerkstatt;
»Bonner Literaturmarkt« (Lesungen auf dem Marktplatz, Plakatge-
dichte etc. im Sommer); »Bonner Buchwoche« (Mai)

Literatur über das literarische Bonn

Arbeitsgemeinschaft Frauengeschichte, Universität Bonn/Seminar für
Geschichte und Didaktik (Hg.): Bonner Frauengeschichte. Ein Stadt-
rundgang. Bonn 1989; Baedekers Bonn. Stadtführer. Ostfildern-
Kemnat/München ³1989; Edith Ennen/Helmut Hellberg/Walter Holz-
hausen/Gert Schroers: Der Alte Friedhof in Bonn. Bonn 1981; Dietrich
Höroldt (Hg.): Bonn. Von einer französischen Bezirksstadt zur Bun-
deshauptstadt. 1794–1989. Bonn 1989 (= Geschichte der Stadt Bonn.
Bd. 4); Dietrich Höroldt (Hg.): Bonn als kurkölnische Haupt- und
Residenzstadt. 1597-1794. Bonn 1989 (= Geschichte der Stadt Bonn.
Bd. 3); Paul Egon Hübinger: Thomas Mann, die Universität Bonn
und die Zeitgeschichte. München/Wien 1974; Herbert Hupka (Hg.):
Einladung nach Bonn. München/Wien ²1968; Doris Maurer/Arnold E.
Maurer: Bonn erzählt. Streifzüge durch das literarische Bonn von
1780-1980. Bonn ²1986; Josef Ruland: Echo tönt von sieben Bergen.
Das Siebengebirge – ein Intermezzo europäischer Geistesgeschichte in
Dichtung und Prosa. Boppard 1970; Werner Schulze-Reimpell: Vom
kurkölner Hoftheater zu den Bühnen der Bundeshauptstadt. Mit einer
stadtgeschichtlichen Einleitung von Dietrich Höroldt. Bonn 1983

Museen und Ausstellungen

Beethovenhaus
Bonngasse 20, Bonn 1, Tel. 63 51 88, geöff. vom 1. 4.-30. 9. 10-17 Uhr, So. 10-13 Uhr, vom 1. 10.-31. 3. 10.30-16 Uhr, So. 10-13 Uhr – letzter Einlaß 20 Minuten vor Schließung (Geburtshaus des Komponisten)

Bundeskunsthalle
– entsteht derzeit im Regierungsviertel an der Adenauerallee (die Hausnummer steht noch nicht fest)

Ernst-Moritz-Arndt-Haus
Adenauerallee 79, Bonn 1, Tel. 77 36 87, geöff. Di.-So. 10-17 Uhr (Wohnhaus des Schriftstellers und Historikers)

Frauen Museum
Im Krausfeld 10, Bonn 1, Tel. 69 13 44, Di.-So. 15-18 Uhr (Kunst von Frauen)

Kurfürstliches Gärtnerhaus
Beethovenplatz/Baumschulwäldchen, Bonn 1, Tel. 77 36 88, geöff. Di.-Fr. 14-18 Uhr, So. 10-13 Uhr (Wechselausstellungen Bonner Künstler)

Gesellschaft für Kunst und Gestaltung
Kunstzentrum, August-Macke-Platz, Hochstadenring 22, Bonn 1, Tel. 69 41 44 (Ausstellungen konstruktivistischer Kunst, Archiv)

Haus der Geschichte der Bundesrepublik Deutschland
– wird derzeit im Regierungsviertel an der Adenauerallee errichtet (die Hausnummer steht noch nicht fest, s. auch »Stiftung Haus der Geschichte der Bundesrepublik Deutschland«)

Haus an der Redoute
Kurfürstenallee 1a, Bonn 2, Tel. 77 46 63, geöff. Di.-So. 10-17 Uhr (Wechselausstellungen)

Heimatmuseum Beuel
Steinerstr. 34/36, Bonn 3, Tel. 46 30 74

Heimatmuseum Lengsdorf
Lengsdorfer Hauptstr. 16 (Alte Schule), Tel. 8 55 10, ab 18 Uhr Tel. 25 38 24, geöff. So. 10-12 Uhr

Künstlerforum
Kunstzentrum, August-Macke-Platz, Hochstadenring 22, Bonn 1, Tel. 69 10 01 (Ausstellungen)

Akademisches Kunstmuseum
Am Hofgarten 21, Bonn 1, Tel. 73 77 38, geöff. So. und Di. 10-13 Uhr,

Do. 16-18 Uhr (Sammlung der Originale), So.-Fr. 10-13 Uhr, Do. 16-18 Uhr (Abgußsammlung)

Städtisches Kunstmuseum

Rathausgasse 7, Bonn 1, Tel. 773686, Mi., Do., Sa., So. 10-17 Uhr, Di., Do. 10-21 Uhr (Kunstsammlung der Stadt, pflegt besonders August Macke und die rheinischen Expressionisten, bundesrepublikanische Kunst seit 1945, internationale Druckgraphik und Zeichnungen) – derzeit entsteht ein Museumsneubau für diese Sammlungen im Regierungsviertel Ecke Adenauerallee/Walter-Flex-Str.

Bonner Kunstverein

Kunstzentrum, August-Macke-Platz, Hochstadenring 22, Bonn 1, Tel. 693936 (Ausstellungen zu aktuellen Kunstströmungen)

Rheinisches Landesmuseum

Colmantstr. 14-16, Bonn 1, Tel. 72941, geöff. Di., Do. 9-17 Uhr, Mi. 9-20 Uhr, Fr. 9-16 Uhr, Sa., So. 11-17 Uhr (Dokumente zur Geschichte, Kulturgeschichte und Kunst des Rheinlands vom Neandertaler bis zur Gegenwart)

Museum Alexander König

Adenauerallee 150-164, Bonn 1, Tel. 211026, geöff. Di.-Fr. 9-17 Uhr, Sa. und So. 9-12.30 Uhr, an Feiertagen geschlossen (Naturkundemuseum)

Mineralogisch-Petrologisches Museum der Universität Bonn

Schloß Poppelsdorf, Bonn 1, Tel. 732761, Mi. 15-19 Uhr, So. 10-17 Uhr (Schmuck, Edelsteine, Meteoriten)

Postwertzeichenausstellung

Bundespostministerium, Heinrich-von-Stephan-Str. 1, Bonn 2, Tel. 146004, geöff. Mi. 9-15.30 Uhr, So. 9-12.30 Uhr

Schulmuseum Kessenich

Grundschule Kessenich – Nikolausschule, Pützstr. 6-8, Bonn 1 (Kessenich), Tel. 772245 (Herr Grafschaft)

Schumannhaus

Sebastianstr. 182, Bonn 1 (Endenich), Tel. 773656, geöff. Mo., Mi.-Fr. 10-12 Uhr, Mo. und Fr. 16-19 Uhr, Mi. und Do. 15-18 Uhr, Gedenkzimmer auch So. 10-13 Uhr (Sterbehaus Robert Schumanns).

Stadtmuseum

– ein stadthistorisches Museum ist im Aufbau und wird voraussichtlich 1992 in die Räume des Städtischen Kunstmuseums, Rathausgasse 7, Bonn 1, einziehen

Stiftung Haus der Geschichte der Bundesrepublik Deutschland

Godesberger Allee 108, Bonn 2, Tel. 260990, geöff. täglich 9-17 Uhr

Werkhaus für eine Bonner Gedenkstätte (Verein an der Synagoge) Plitters-
dorfer Str. 50, Tel. 36 11 88, geöff. Mo. 14-17 Uhr, Di.-Fr. 9-17 Uhr
(ständige Ausst. »Bonn zur Zeit des Nationalsozialismus«)
   Wissenschaftszentrum
Ahrstr. 45, Bonn 2 (wechselnde Ausstellungen, u. a. der Berliner Stif-
tung Preußischer Kulturbesitz)
   Völkerkundemuseum
Seminar für Völkerkunde der Universität Bonn, Regina-Pacis-Weg 7,
Bonn 1, Tel. 73 75 15, Mo.-Do. 9-13, 14-17 Uhr

Oper

   Oper der Stadt Bonn
Am Boeselagerhof 1, Bonn 1, Tel. 72 81, Kartenvorverkauf s. »Theater«, Abendkasse (geöff. 1 Stunde vor Aufführungsbeginn) Tel.
72 82 17/72 82 18/77 36 68

Organisationen und Behörden

   Alexander-von-Humboldt-Stiftung
Jean-Paul-Str. 12, Bonn 2, Tel. 83 30
   ASKI – Arbeitskreis selbständiger Kultur-Institute
Prinz-Albert-Str. 34, Bonn 1, Tel. 22 48 60/22 48 59
   Deutscher Akademischer Austauschdienst DAAD
Kennedyallee 50, Bonn 2, Tel. 88 20/88 21
   Börsenverein für den Deutschen Buchhandel
Bonner Büro, Dahlmannstr. 20, Tel. 22 10 78
   Bundeszentrale für politische Bildung
Berliner Freiheit 7, Bonn 1, Tel. 51 51
   Colloquium Humanum
Am Botanischen Garten 14, Bonn 1, Tel. 65 81 86
   Friedrich-Ebert-Stiftung
Godesberger Allee 149, Bonn 2, Tel. 88 30
   Friedrich-Naumann-Stiftung
Margarethenhof, Königswinterer Str. 2-4, 5330 Königswinter 1, Tel.
0 22 23/70 10
   Deutsche Forschungsgemeinschaft (DFG)
Kennedyallee 40, Bonn 2, Tel. 88 51

Goethe-Institut Bonn
Kennedyallee 91, Bonn 2, Tel. 379111/373749 (die Zentralverwaltung hat ihren Sitz in München)

Kommission für Geschichte des Parlamentarismus und der politischen Parteien, Colmantstr. 39, Bonn 1, Tel. 693006

Konrad-Adenauer-Stiftung
Rathausallee 12, 5205 Sankt Augustin, Tel. 02241/2460

Kultusminister-Konferenz
Nassestr. 8, Bonn 1, Tel. 5010

Inter Nationes
Kennedyallee 91, Bonn 2, Tel. 8800

Westdeutsche Rektorenkonferenz
Ahrstr. 39, Bonn 2, Tel. 376911

Studienstiftung des deutschen Volkes
Mirbachstr. 7, Bonn 2, Tel. 354091

Wissenschaftszentrum
Ahrstr. 45, Bonn 2, Tel. 3020

Theater

Contra-Kreis-Theater
Am Hof 3-5, Bonn 1, Tel. 632307

Euro Theater Central
Münsterplatz 30, Bonn 1, Tel. 652951/637026

Halle Beuel
Siegburger Str. 42, Bonn 3, Tel. 728410

Schauspiel der Stadt Bonn
Am Michaelshof 9, Bonn 2, Tel. 8208-0

Internationale Tanzwerkstatt
Postfach 2467, Bonn 1

Theater der Jugend
Hermannstr. 50, Bonn 3, Tel. 463672

Kleines Theater im Park
Koblenzer Str. 78, Bonn 2, Tel. 362839

Werkstattbühne
Bühnen der Stadt Bonn, Eingang Rheingasse 1, Tel. 728219

Karten für Theater, Oper, Konzert

Städtische Opern- und Konzertkasse
Mülheimer Platz 1, Bonn 1, Tel. 77 36 66/77 36 67, geöff. Mo.-Fr. 9-13,
14-18 Uhr, Sa. 9-12 Uhr
Theaterkasse des Schauspiels
Theaterplatz, Bonn 2, Tel. 36 30 98/36 30 99, geöff. Mo.-Fr. 9-13, 14-18
Uhr, Sa. 9-12 Uhr
Conflug-Reisen
Hermannstr. 64, Bonn 3, geöff. Mo.-Fr. 9-18 Uhr, Sa. 9-12 Uhr
Reisebüro Brinck & Co.
Rochusstr. 174, Bonn 1 (Duisdorf), geöff. Mo.-Fr. 9-13, 14-18 Uhr,
Sa. 10-12 Uhr
Kartenvorverkauf ferner bei den Buchhandlungen Bücher Bosch, Alte
Bahnhofstr. 1, Bonn 2; Buchhandlung Gilde, Poststr. 16, Bonn 1;
Buchhandlung Röhrscheid, Am Hof 28, Bonn 1; Buchladen Linz, Alte
Bahnhofstr. 20, Bonn 2; Elpi-Schallplatten, Sternstr. 70, Bonn 1; Ga-
briel Concerts, Sternstr. 61, Bonn 1; Musikalien Braun-Peretti, Am
Dreieck, Bonn 1; Reisebüro in der Südstadt, Argelanderstr. 55, Bonn 1

Vereine

*Haus Mehlem – Verein für Denkmalpflege und Geschichtsforschung im
rechtsrheinischen Bonn*
Königswinterer Str. 300, Bonn 3, Tel. 44 10 72
Heimat- und Geschichtsverein Beuel am Rhein
Goetheallee 51, Bonn 3, Tel. 47 08 53, Sprechstunden Do. 15-18 Uhr
Bonner Heimat- und Geschichtsverein
Stadtarchiv, Berliner Platz 2, Bonn 1, Tel. 69 42 40, Sprechstunden Fr.
10-12, 14-16 Uhr
Verein für Heimatpflege und Heimatgeschichte Bad Godesberg
Eschenweg 2, Bonn 2, Tel. 32 51 85, Sprechstunden Kurfürstenallee 6,
Bonn 2, Di. 17-19 Uhr
Verschönerungs-Verein für das Siebengebirge
Breitestr. 29, Bonn 1, Tel. 63 10 40, Geschäftszeit Mo.-Fr. 8.30-12.30
Uhr

Textnachweis

Althoff, Bernward
Der 10. November 1938 (1988). S. 51
Aus: Kein Tropfen Wasser für die Synagoge. Heute vor 50 Jahren wurden in Bonn und Umgebung die jüdischen Gotteshäuser ein Raub der Flammen. — In: Bonner Rundschau v. 10. 11. 1988. o. S.

Arndt, E[rnst] M[oritz]
». . . in und um Godesberg . . .« (1844), S. 102
Aus: Wanderungen aus und um Godesberg. Bonn: Eduard Weber 1844. S. 141 ff., 149 f.

Beikircher, Konrad
»Und wenn heute ›Beamter‹ ein Schimpfwort geworden ist . . .« (1986). S. 221
Aus: Is doch klar, Frau Walterscheidt. Gespräche aus der Bäckerei Roleber. © 1986 Rowohlt Taschenbuch Verlag GmbH, Reinbek bei Hamburg (= rororo tomate 5748). S. 46 ff.

Bertola, Aurelio de' Giorgi
»Immer schöner ward der Anblick der Stadt« (1795). S. 15
In: Malerische Rheinreise von Speyer bis Düsseldorf (Übersetzer wird nicht genannt). Mannheim: Schwan u. Götz 1796. — Zitiert nach: Aurelio de' Giorgi Bertola (Text)/Laurenz Janscha (Maler)/Johann Ziegler (Stecher): Lese- und Bilderbuch der frühen Rheinromantik. 1796/1798. Hrsg. v. Bertil Fuchs. Wuppertal: Wolfgang Schwarze 1980. S. 126

Bleibtreu, Leopold
Napoleon in Bonn (1834). S. 43
Aus: Denkwürdigkeiten aus den Kriegsbegebenheiten bei Neuwied von 1792 bis 1797 in übersichtlichem Zusammenhang mit gleichzeitigen Kriegsereignissen in den Rhein- und Niederlanden etc. etc. nebst Beilagen . . . Zum Besten der Armen Neuwieds. Bonn: Carl Georgi 1834. S. 407 ff.

Breidenstein, H[einrich] K[arl]
Die Einweihung des Beethovendenkmals (1846). S. 152
In: Zur Jahresfeier der Inauguration des Beethoven-Monuments. Eine actenmäßige Darstellung dieses Ereignisses, der Wahrheit zur Ehre und den Festgenossen zur Erinnerung. Bonn: T. Habicht 1846. S. 14 ff. 19.

Broichhausen, Klaus
Verbindungsmänner in Bonn (1982). S. 244
Aus: Knigge und Kniffe für die Lobby in Bonn. © Wirtschaftsverlag
Langen Müller in der F. A. Herbig Verlagsbuchhandlung GmbH
München 1982. S. 35 f. 39 f.

Brüse, Fritz
Kultur im Bonn des Jahres 2000 (1989). S. 255
Aus: Für eine Begegnungsstätte des Geistes. Der dritte Bonn-Vertrag:
Hauptstadt-Kultur im Hinblick auf die Jahrhundertwende. – In: Ge-
neral-Anzeiger (Bonn) v. 10. 4. 1989. S. 10

Bülow, Bernhard Fürst von
Husarenleben (1931). S. 122
Aus: Denkwürdigkeiten. Bd. 4. Jugend- und Diplomatenjahre.
Hrsg. v. Franz von Stockhammern. Berlin: Ullstein 1931.
S. 136 ff. 142 f.

le Carré, John
Trügerische Stille (1983). S. 237
Aus: Die Libelle. Roman. Aus dem Englischen von Werner Peterich.
© 1983 by Verlag Kiepenheuer & Witsch Köln. S. 9 ff.
»Wartesaal für Berlin« (1968). S. 209
Aus: Eine kleine Stadt in Deutschland. Roman. Übersetzt v. Dietrich
Schlegel/Walther Puchwein. © Paul Zsolnay Verlag Gesellschaft
m. b. H., Wien/Hamburg 1968. S. 21-24

Casanova, Giacomo
Casanova auf dem Ball (1760). S. 147
Aus: Memoiren. Band 2. Übersetzung v. Franz Hessel. Copyright ©
1959 by Rowohlt Verlag, Hamburg (= Rowohlts Klassiker der Literatur und der Wissenschaft. Biographien. Bd. 3). S. 161-164

Cordes, Alexandra
». . . alle Sehenswürdigkeiten der Stadt . . .« (1974). S. 64
Aus: Wenn die Drachen steigen. Roman. München: Schneekluth
1974. S. 11-15
»Pützchens Markt« (1983). S. 173
Aus: Einmal noch nach Hause. Roman. München: Schneekluth 1983.
S. 85 ff.

Dietz, Josef
»Op de Kuhle Kirmes« (1971). S. 170
Aus: Bonner Bilderbogen. Bonn: Röhrscheid 1971. S. 75-79
Die Bonner Mundart (1971). S. 115
Aus: Bonner Bilderbogen. Bonn: Röhrscheid 1971. S. 8-12

Dryander, Ernst von

Als protestantischer Pfarrer im katholischen Bonn (1922). S. 125

Aus: Erinnerungen aus meinem Leben. Bielefeld/Leipzig: Velhagen & Klasing 1922. S. 116-119

Ennen, Edith

Bonn als kurkölnische Haupt- und Residenzstadt (1979). S. 31

Aus: Bonn als kurkölnische Haupt- und Residenzstadt und als Bundeshauptstadt. – In: Hauptstädte. Entstehung, Struktur und Funktion. Referate des 3. interdisziplinären Colloquiums des Zentralinstituts. Hrsg. v. Alfred Wendehorst/Jürgen Schneider. Neustadt a. d. Aisch: Degener 1979. [= Schriften des Zentralinstituts für fränkische Landeskunde und allgemeine Regionalforschung an der Universität Erlangen–Nürnberg. Bd. 18]. S. 91-105. Hier S. 91-100

Erdmann-Macke, Elisabeth

Landschaftsbild mit roter Bluse (1962). S. 105

Aus: Erinnerung an August Macke. Frankfurt: Fischer Taschenbuch Verlag 1987. S. 51-57

Ewers, Ludwig

Hochzeitsgesellschaft in der »Lese« (1912). S. 158

Aus: Frau Ingeborgs Liebesgarten. Roman. München: Hugo Schmidt 1912. S. 43 f.

Ferraris, Luigi Vittorio

Ein Diplomat in Bonn (1988). S. 231

Aus: Wenn schon, denn schon – aber ohne Hysterie. An meine deutschen Freunde. München: printul Verlagsgesellschaft 1988. S. 102 bis 105. 109 f.

Geibel, Emanuel

Studentischer Fleiß und nächtliche Ständchen (1835/36). S. 189

In: Jugendbriefe. Bonn – Berlin – Griechenland. Berlin: Karl Curtius 1909. S. 14 ff. 18 f. 31 f.

Gerhards, Ludger

Bonn und die Friedensdemonstration (1981). S. 234

Aus: 250 000 Protestler legen Bonn lahm. Kardinal Höffner ruft zum friedlichen Verlauf des Protestes auf. – In: General-Anzeiger (Bonn) v. 10./11. 10. 1981. S. 5

Goethe, Johann Wolfgang

»Wenn die Einwohner von Bonn ihre Stadt zum Sitz einer Universität empfehlen . . .« (1814). S. 177

In: Aus einer Reise am Rhein, Main und Neckar in den Jahren 1814 und 1815. – In: Goethe. Poetische Werke. Autobiographische Schrif-

ten. Bd. 3. Berlin: Aufbau 1978 (= Berliner Ausgabe). S. 550-554.
Hier S. 552 ff.

Grän, Christine

Bonn ist hart – für Klatschkolumnisten (1988). S. 139

Aus: Nur eine läßliche Sünde. Copyright © 1988 by Rowohlt Taschenbuch Verlag GmbH, Reinbek bei Hamburg (= rororo thriller 2865). S. 51 ff. 55

Grass, Günter

»Bonn... bleibt unfaßbar« (1972). S. 17

Aus: Aus dem Tagebuch einer Schnecke. 1972 © by Luchterhand Literaturverlag, Frankfurt am Main. S. 63 ff.

Haarhaus, Julius R.

Maskenfreiheit mit bürgerlichem Taktgefühl (1921). S. 161

Aus: Ahnen und Enkel. Erinnerungen. Ebenhausen b. München: Langewiesche-Brandt (1921). S. 195-200

Haefs, Gisbert

Idylle mit Monster (1981). S. 243

Aus: Mord am Millionenhügel. © 1981 bei Wilhelm Goldmann Verlag GmbH, München. Zweite, neubearb. Auflage. S. 29

Heimberg, Ursula

Der Bonner Raum in römischer Zeit (1989). S. 25

Aus: Die römische Ära Bonns. Mit Beiträgen von Hans-Eckart Joachim/Christoph B. Rüger. Begleitpublikation zur Ausstellung. Rheinisches Landesmuseum Bonn. 3. Mai-5. August 1989. Köln: Rheinland Verlag 1989 (= Historische Meile. 1. Station). S. 9. 12 f. 16

Henkels, Walter

Der Staatsempfang (1987). S. 226

Aus: Der rote Teppich. Große Gala in Bonn. © 1978 by ECON Verlag GmbH, Düsseldorf/Wien/New York. S. 57 f.

Hitler und Chamberlain in Godesberg (1938). S. 49

In: Bilder zur Konferenz in Bad Godesberg. Zeitungsausschnitt v. 22. 9. 1938. Stadtarchiv Bonn. Zeitungsausschnittsammlung. Sign. 100/567 (Der Name der Zeitung wird nicht genannt.)

Hofer, Gerd

»Ende des Provisoriums« (1973). S. 220

Aus: Bundesregierung bekennt sich erstmals zu ihren Verpflichtungen gegenüber Bonn. Rat und Verwaltung der Bundeshauptstadt haben Hoffnung. Kooperation mit Bund und Land. – In: General-Anzeiger (Bonn) v. 19. 1. 1973. S. 5

Hoffmann von Fallersleben, Heinrich
»Die Bürger wußten nicht, was aus . . . ihrer guten Stadt Bonn noch werden sollte« (1868). S. 183
Aus: Mein Leben. Aufzeichnungen und Erinnerungen. Bd. 1. Hannover: Carl Rümpler 1868. S. 159 ff. 163 f.

Hood, Thomas
Auf dem Kreuzberg (1840). S. 100
Aus: Up the Rhine. Philadelphia: Porter and Coates 1840. S. 138-141 (übersetzt von Doris Maurer)

Huch, Felix
Feuer in der Stadt (1927). S. 118
Aus: Der junge Beethoven. Ein Roman. Ebenhausen: Wilhelm Langewiesche-Brandt 1927. S. 36-41

Hundeshagen, B[ernhard]
Das Poppelsdorfer Schloß (1832). S. 95
Aus: Die Stadt und Universität Bonn am Rhein. Mit ihren Umgebungen und zwölf Ansichten dargestellt. Bonn: T. Habicht 1832. S. 133 ff. 140-144

Kaatz, Marianne
Jesuitenpredigt oder zweites Frühstück (1989). S. 131
Aus: Eine Kindheit in Bonn. Bonn: Bouvier 1989. S. 37 f.

Kaminski, André
»Ich mag hier nicht aussteigen« (1987). S. 16
Aus: Schalom allerseits. Tagebuch einer Deutschlandreise. Frankfurt: Insel 1987. S. 182 f.

Kerr, Alfred
»Bonn. Gruß an Beethoven« (1920). S. 74
Aus: Erlebtes 1. Argon Verlag Berlin, 1989. S. 223-225

Klein, Michael/Stolze, Wilfried
»Bonn im Gorbi-Fieber« (1989). S. 259
Aus: Sprechchöre wie im Fußballstadion. Gorbatschow auf dem Bonner Marktplatz. – In: Bonner Rundschau vom 14. Juni 1989 o. S.

Koeppen, Wolfgang
Ausschußsitzung (1953), S. 214
Aus: Das Treibhaus. Frankfurt: Suhrkamp ²1976. S. 103 f.

Kristan, Georg R.
». . . wie schön könnte Bonn sein . . .« (1987). S. 86
Aus: Ein Staatsgeheimnis am Rhein. © 1987 bei Wilhelm Goldmann Verlag GmbH, München. S. 39

Krommidas, Giorgios
Liebeserklärung an Bonn (1988). S. 261
(= Bonn. Dritte Fassung. Erstveröffentlichung)

Krüger, Horst
». . . nicht einmal ein Staatssekretär auf dem Bahnhof« (1984). S. 20.
Aus: Zeitgelächter. Ein deutsches Panorama. © Hoffmann und
Campe Verlag, Hamburg 1973. S. 15 f.

Lang, Joseph Gregor
Markt und Straßen (1790). S. 61
Aus: Reise auf dem Rhein. II. Theil. 1790. Koblenz: Himmesische
Buchhandlung o. J. S. 169 ff. 175 ff.

Lattmann, Dieter
». . . die Leere, die nur mich erwartete« (1981). S. 229
Aus: Die lieblose Republik. Aufzeichnungen aus Bonn am Rhein.
Frankfurt: Fischer Taschenbuch Verlag 1984. S. 12 f. © 1981 Kindler
Verlag, München.

Leyendecker, Bernd
»Gericht stoppt Demonstrationen im Hofgarten« (1989). S. 246
Aus: Gericht stoppt Demonstrationen im Hofgarten. Klage der
IG Metall gegen Universität abgewiesen. Richter: Auch Beueler
Rheinaue geeignet. – In: General-Anzeiger (Bonn) v. 15./16. 4. 1989.
S. 4

Mende, Erich
Die Wohnungen eines Abgeordneten (1984). S. 216
Aus: Die neue Freiheit. Zeuge der Zeit 1945–1961. Bergisch-Glad-
bach: Gustav Lübbe 1986 (= Bastei-Lübbe-Taschenbuch). S. 145,
258, 359 f., 393. © by F. A. Herbig Verlagsbuchhandlung GmbH,
München.

Mertens-Schaaffhausen, Sibylla
Ein Fest für den Kronprinzen Friedrich Wilhelm IV. (1833). S. 156
In: Sibylla Mertens-Schaaffhausen an Wilhelm Wach. Brief v. 8. 11.
1833. – Zitiert nach: [Heinrich] H[ubert] Houben: Die Rheingräfin.
Das Leben der Kölnerin Sibylla Mertens-Schaaffhausen. Dargestellt
nach ihren Tagebüchern und Briefen. Essen: Essener Verlagsanstalt
1935. S. 96 ff.

Kaspar Anton Müller
Der Alte Zoll (1851). S. 79
Aus: Die Universitätsstadt Bonn und ihre Umgebungen. Eine über-
sichtliche Darstellung für Fremde und Einheimische. Bonn: T. Habicht ²1851. S. 32 f.

Muhr, Caroline

Der Rhein als Trost (1974). S. 81

Aus: Freundinnen. Roman. Frankfurt/Berlin/Wien: Ullstein 1979
(= Literatur heute). S. 5. 25 f. © 1974 by Franz Schneekluth Verlag
KG, München.

Naumann, Hans

Bonn, 10. Mai 1933 (1933). S. 197

In: Hans Naumann/Eugen Lüthgen: Kampf wider den undeutschen
Geist. Reden, gehalten bei der von der Bonner Studentenschaft ver-
anstalteten Kundgebung wider den undeutschen Geist auf dem
Marktplatz zu Bonn am 10. Mai 1933. Bonn: Scheuer 1933 (= Bonner
Akademische Reden. H. 17). S. 3-7

Nostitz, Herbert von

»Dieses Bonner Klima« (1961). S. 110

Aus: Das gibt es nur in Bonn. Boppard: Boldt 1961. S. 9-12

Petsch-Bahr, Wiltrud

»Geschichte der Bonner Südstadt« (1989). S. 87

Aus: Geschichte der Bonner Südstadt. – In: Bonn. 54 Kapitel Stadtge-
schichte. Hrsg. v. Josef Matzerath. Bonn: Bouvier 1989. S. 237, 240
bis 245

Philippson, Alfred

»Die Bonner Judengasse« (nach 1942). S. 77

Aus: Wie ich zum Geographen wurde. Niedergeschrieben 1942-1945
in Theresienstadt. Manuskript. Universität Bonn. Universitätsar-
chiv. Nachlaß A. Philippson (transkribiert von Karl Gutzmer)

Pirandello, Luigi

Körperliches und seelisches Wohlergehn (1889). S. 71

In: Lettere da Bonn. 1889-1891. Hrsg. v. Elio Providenti. Rom: Bul-
zoni 1984 (= Istituto di Studi Pirandelliani. Quaderni. Bd. 7). S. 47 f.
(übersetzt von den Herausgebern)

Rehfues, Philipp Joseph

»Aus allen Enden Europas kommen sie ja herbei . . .« (1814). S. 179

Aus: Die Ansprüche und Hoffnungen der Stadt Bonn, vor dem
Thron ihres künftigen Beherrschers niedergelegt. Bonn: Peter Neus-
ser 1814. – Zitiert nach: Dietrich Höroldt: Stadt und Universität.
Rückblick aus Anlaß der 150 Jahr-Feier der Universität Bonn. Bonn
1968 (= Bonner Geschichtsblätter. Bd. 22). S. 301-324. Hier S. 305
bis 308. 310-313

Rösch-Sondermann, Hermann

Revolution in Bonn 1848 (1989). S. 46

Aus: Revolution in Bonn: Gottfried Kinkel und Carl Schurz. – In: Das gelehrte Bonn im 19. Jahrhundert. Begleitpublikation zur Ausstellung. Universitätsbibliothek Bonn. 3. Mai–5. August 1989. Köln: Rheinland Verlag 1989 (= Historische Meile. 4. Station). S. 27 f.

Runge, Annelie

Mittagspause im Käfig (1985). S. 227

Aus: Die Liebesforscherin. Roman. © 1985 by claassen Verlag GmbH, Düsseldorf. S. 42 f.

Schenk, Herrad

Gäste des milden Klimas (1984). S. 137

Aus: Die Unkündbarkeit der Verheißung. Roman. © 1984 by claassen Verlag GmbH, Düsseldorf. S. 46 ff.

Schmidtbonn, Wilhelm

»In keiner Stadt hört man soviel Lachen . . .« (1935). S. 185

In: Lebensalter der Liebe. Drei Erzählungen. Bremen: Carl Schünemann 1935. S. 66 f. © Stadtarchiv Bonn.

Marktszene (1935). S. 70

Aus: An einem Strom geboren. Ein Lebensbuch. Frankfurt: Rütten & Loenig 1936. S. 20 ff. © Stadtarchiv Bonn.

Schmitz-Reinhard, Johann Ignaz

Beueler Wäscherinnen (1949). S. 133

Aus: Die Weiberfastnacht zu Beuel am Rhein. Ein Beitrag zur Geschichte der Heimat. Beuel 1949 (= Schriften des Heimatvereins Beuel am Rhein). S. 6 f.

Schopenhauer, Johanna

»Bonn nimmt schon von fern sehr heiter . . . sich aus . . .« (1831). S. 16

Aus: Ausflug an den Niederrhein und nach Belgien im Jahr 1828. Erster Theil. Leipzig: Brockhaus 1831. S. 134

»Mangel an öffentlichen Vergnügungen« (1831). S. 151

Aus: Ausflug an den Niederrhein und nach Belgien im Jahr 1828. Erster Theil. Leipzig: Brockhaus 1831. S. 139 f.

Schumacher, Aennchen

Die Lindenwirtin (1929). S. 166

Aus: Biographie von Aennchen Schumacher Godesberg, genannt »Die Lindenwirtin«. Bad Godesberg: Godesberger Kommersbuchverlag 1929. S. 36. 38

Robert Schumanns Beerdigung (1856). S. 129

Aus: Tonsetzer Dr. Robert Schumann zu Grabe getragen. Männergesang-Verein Concordia erwies dem Verstorbenen die letzte Ehre. – In:

Bonner Nachrichten. 1844-1969. Hrsg. v. Dietrich Höroldt u. a. (Bonn 1969) [= 125 Jahre Städtische Sparkasse zu Bonn]. S. 20

Sühnel, Rudolf

Shakespeare und Briketts (1986). S. 203

Aus: Die euphorischen Jahre vor der Währungsreform. Inmitten der Trümmer begann die Rehumanisierung des Weltbildes. – In: General-Anzeiger (Bonn) v. 5. 12. 1986 (= Bonn – Jahre des Aufbruchs. Erinnerungen an die Zeit nach dem Krieg. Folge VII). S. 27

Thackeray, William Makepeace

»God save the King« – 1830 in Bonn (1830). S. 187

Aus: Bei Bonner Studenten. Ein Bericht. Übersetzt von Henning Schlüter. – In: General-Anzeiger (Bonn) v. 10./11. 6. 1989. S. 16

Trendelenburg, Friedrich

». . . die Höhe meines Lebens« (1924). S. 195

Aus: Aus heiteren Jugendtagen. Berlin: Julius Springer 1924. S. 281 bis 287

Nach Venedig, aber vor Florenz (1989). S. 263

Aus: Bonn ist eine der fünf attraktivsten Städte in der EG. – In: General-Anzeiger (Bonn) v. 5. 4. 1989. S. 34

Villa Hammerschmidt (1987). S. 83

Aus: Vom »Zuckerbäckerschloß« zum Amtssitz. Seit 125 Jahren ist die Villa Hammerschmidt im Bonner Adreßbuch genannt. – In: Süddeutsche Zeitung (München) v. 21. 7. 1987. S. 40

Walser, Martin

Ein Spion in Bonn (1987). S. 239

Aus: Dorle und Wolf. Eine Novelle. Frankfurt: Suhrkamp 1987. S. 54. 57-60

Weisenborn, Günther

». . . die berühmte Stadt am Venusberg« (1956). S. 212

Aus: Auf Sand gebaut. Roman. Wien/München/Basel: Kurt Desch 1956. S. 35 f. 44 f. Mit freundlicher Genehmigung von Frau Margarete Weisenborn.

Weiss, Franz-Rudolf von

Die Bombardierung Bonns (1944). S. 54

In: Bonn im Bombenkrieg. Zeitgenössische Aufzeichnungen und Erinnerungsberichte von Augenzeugen. Bearb. u. hrsg. v. Helmut Vogt. Unter Mitarb. v. Anneliese Barbara Baum. Bonn: Edition Röhrscheid 1989. S. 73-80. Hier S. 77 f.

Weizsäcker, Richard von

»Hier fühlen wir uns wohl« (1989). S. 248

In: Bulletin der Bundesregierung. Nr. 42 vom 4. Mai 1989. S. 381 bis
383.
Zitelmann, Ernst
»Der äußere Rahmen« (1923). S. 193
Aus: Lebenserinnerungen. o. O. u. J. (Bonn 1924). S. 20.

Verlag und Herausgeber haben sich bemüht, die Inhaber der Rechte
an den abgedruckten Texten ausfindig zu machen. Dies ist nicht in
allen Fällen gelungen. Der Verlag erklärt sich deshalb nach den üblichen Regularien zur Abgeltung solcher Rechte bereit, falls diese nach-
gewiesen werden können.

Bildnachweis

Bonn im Bombenkrieg. Zeitgenössische Aufzeichnungen und
Erinnerungsberichte von Augenzeugen. Bearb. u. hrsg. v. Helmut
Vogt. Unter Mitarb. v. Anneliese Barbara Baum. Bonn: Röhrscheid
1989 (= Bonner Geschichtsblätter. Bd. 38). S. 101: 13

Bonn in der Kaiserzeit. 1871–1914. Festschrift zum 100jährigen
Jubiläum des Bonner Heimat- und Geschichtsvereins. Hrsg. v. Dietrich Höroldt/Manfred van Rey. Bonn 1986. S. 116: 31

Bonn am Rhein in alten Ansichten. Bd. 1. Hrsg. v. Paul Metzger.
Zaltbommel: Europäische Bibliothek ⁵1988. Abb. 59: 10, 11

Bonn und der Rhein. Ansichten aus alter Zeit. Hrsg. v. den Städtischen Kunstsammlungen. Bearb. v. K[arl] H[einz] Stader (Bonn
1964) [Katalog] o. S.: 7, 8, 28

Clausen, Ferdinand: Von Ufer zu Ufer. Die technische Entwicklung der Fähren im Bonner Raum. Hrsg. v. der Stadt Bonn. Bonn:
Röhrscheid 1987. S. 46: 50

(Dereser, Anton:) Entstehung und Einweihungsgeschichte der
Kurkölnischen Universität zu Bonn unter der glorreichen Regierung
Maximilian Franzens im Jahre 1786. Den 20ten November und fol-
gende Tage. Bonn: Abshoven (1786). Anhang: 44

Hansmann, Wilfried/Knopp, Gisbert: Clemens August, der letzte
Wittelsbacher als Kurfürst und Bauherr am Rhein. München: Bayeri-
sche Vereinsbank 1986. S. 78: 6

Heyer, Helmut: Die Kreuzkirche zu Bonn. Entstehung und
Schicksal der evangelischen Stadtkirche. Bonn: Röhrscheid 1988
(= Veröffentlichungen des Stadtarchivs Bonn. Bd. 41). S. 70: 32

Presse- und Informationsamt der Bundesregierung. Bundesbild-
stelle: Frontispiz (Bild-Nr. 48 083/2), 1 (Bild-Nr. 79 236/23. Foto
Schambeck/Weichert), 23 (Bild-Nr. 47 439), 24 (Bild-Nr. 65 096/1), 37
(Bild-Nr. 63 870/9A), 39 (Bild-Nr. 59 090/7), 51 (Bild-Nr. 63 903/10),
53 (Bild-Nr. 66 296/17), 54 (Bild-Nr. 69 43/27), 55 (Bild-Nr. 2 229/10),
56 (Bild-Nr. 51 316/17), 57 (Bild-Nr. 71 803/6), 61 (Bild-Nr. 81 320/
18a. Foto Reineke), 63 (Bild-Nr. 81 748/33 a), 64 (Bild-Nr. 61 460/22)

Riemer, Ilse: Bildchronik der Bonner Universität. Ein Rückblick
ins 19. Jahrhundert. Bonn: Stollfuß 1968. S. 38: 46, 47

Ruckstuhl, Karl: Nachgrabungen bei Bonn. Jahr 1818 und 1819.
o. O. u. J. [um 1821]. Anhang: 5

Sammlung Irmhild Bitter, Bonn (historische Postkarten): 34

Sammlung Géza Dámosy, Bonn (historische Postkarten): 2, 3, 14,
16, 17, 18, 19, 21, 25, 26, 27, 33, 36, 40, 43, 45, 48, 49, 52

Sammlung Sybille Ludwig, Bonn (historische Postkarten): 49

Schmitz [-Reinhard], Johann Ignaz: Die Weiberfastnacht zu Beuel
am Rhein. Ein Beitrag zur Geschichte der Heimat. Beuel 1949
(= Schriften des Heimatvereins Beuel am Rhein). S. 8: 35

Sammlung Doris und Arnold E. Maurer: 4, 41

Silberner, Edmund: Moses Hess. Geschichte seines Lebens. Leiden:
Brill 1966. Nach S. 2: 20

Stader, Karl Heinz: Der Brand der Bonner Residenz im Jahre 1777
und ihr Wiederaufbau in der zeitgenössischen Abbildung. – In: Bonner Geschichtsblätter. Bd. 28 (1976). S. 76–94. Abb. 18: 30

Stadt Bonn. Presse- und Werbeamt: Umschlagabbildung (Altes
Rathaus), 22 (Archiv-Nr. 66.02-1402/39. Foto F. Schulz), 42 (Archiv-
Nr. 41.80), 58 (Archiv-Nr. 66 751. Foto F. Schulz), 59 (Archiv-Nr.
32.41/81), 60 (Archiv-Nr. 46. 100. Foto F. Schulz), 62 (Archiv-Nr.
68. 100. Foto W. Rüther)

Stadt Bonn. Stadtarchiv: 9, 12, 15, 29

Literatur und Reisen
im insel taschenbuch

158/1/6.89

Literatur und Reisen
im insel taschenbuch

158/3/6.89

Kunst und Musik
im insel taschenbuch

157/1/6.89

Kunst und Musik
im insel taschenbuch

Oskar Kokoschka. Leben und Werk in Daten und Bildern. Herausgegeben von Norbert Werner. it 909

Monique Lange: Edith Piaf. Die Geschichte der Piaf. Ihr Leben in Texten und Bildern. Aus dem Französischen von Hugo Beyer. Mit einer Discographie. it 516

Gotthold Ephraim Lessing: Laokoon. Herausgegeben von Kurt Wölfel. it 1048

Claude Lévi-Strauss: Der Weg der Masken. Aus dem Französischen von Eva Moldenhauer. it 288

Julius Meier-Graefe: Cézanne. Mit farbigen Abbildungen. it 1139

– Delacroix. Mit farbigen Abbildungen. it 1193

– Hans von Marées. Zwei Bände in Kassette. Mit farbigen Abbildungen. it 1046

– Renoir. Mit farbigen Abbildungen und einem Nachwort von Andreas Beyer. it 856

– Vincent van Gogh. Mit farbigen Abbildungen. it 1015

Michelangelo: Zeichnungen und Dichtungen. Ausgewählt und kommentiert von Harald Keller. Übertragung der Dichtungen von Rainer Maria Rilke. Nachwort zu den Zeichnungen von Harald Keller. Nachwort zu den Gedichten von Friedrich Michael. Mit einem Essay von Thomas Mann. it 147

Minnesinger. In Bildern der Manessischen Liederhandschrift. Mit Erläuterungen herausgegeben von Walter Koschorreck. Vierundzwanzig Abbildungen. it 88

Wolfgang Amadeus Mozart: Don Giovanni. Libretto von Lorenzo da Ponte. Zweisprachige Ausgabe. Mit den Zeichnungen von Max Slevogt. Herausgegeben von Horst Günther. it 1009

Mozart-Briefe. Ausgewählt, eingeleitet und kommentiert von Wolfgang Hildesheimer. Mit zeitgenössischen Porträts. it 128

Axel Müller: René Magritte. Die Beschaffenheit des Menschen I. Eine Kunst-Monographie im insel taschenbuch. it 1202

Romola Nijinsky: Nijinsky. Der Gott des Tanzes. Biographie von Romola Nijinsky. Vorwort von Paul Claudel. Übersetzt von Hans Bütow. it 566

Rainer Maria Rilke: Auguste Rodin. Mit 96 Abbildungen. it 766

– Briefe über Cézanne. Herausgegeben von Clara Rilke. Besorgt und mit einem Nachwort versehen von Heinrich Wiegand Petzet. Mit siebzehn farbigen Abbildungen. it 672

– Worpswede. Fritz Mackensen. Otto Modersohn. Fritz Overbeck. Hans am Ende. Heinrich Vogeler. Mit zahlreichen Abbildungen und Farbtafeln im Text. it 1011

157/2/6.89

Kunst und Musik
im insel taschenbuch

157/3/6.89